S0-CFP-565

KONSALIK

Nächte am Nil

BASTEI-LÜBBE-TASCHENBUCH
Band 11214

1. Auflage 1988
2. Auflage 1990
3. Auflage 1991
4. Auflage 1993
5.-6. Auflage 1994
7. Auflage 1996

Der vorliegende Roman erschien bereits unter
dem Autoren-Pseudonym Henry Pahlen
Copyright © 1967 und 1986 by Autor und
Hestia-Verlag GmbH, Rastatt
Lizenzausgabe: Gustav Lübbe Verlag GmbH,
Bergisch Gladbach
Printed in Great Britain
Einbandgestaltung: K.K.K.
Titelfoto: IFA-Bilderdienst
Satz: hanseatenSatz-bremen, Bremen
Druck und Verarbeitung: Cox & Wyman, Ltd.
ISBN 3-404-11214-8

Der Nachtwächter Hassan Ibn Mahmut machte seine stündliche Runde durch die Flure und Büros, Keller und Labors der Forschungsabteilung der staatlichen Waffenfabriken. An einer altmodischen Stechuhr tippte er die Kontrollkarte und verglich die Zeit mit seiner großen Taschenuhr.

4 Uhr morgens.

In einer Stunde kamen die ersten Arbeiter der Feinmechanik.

In einer halben Stunde würden die Putzfrauen durch die Räume schlurfen und die Betonböden kehren.

Um 6 Uhr war der Dienst Hassans beendet. Dann konnte er sich hinlegen und schlafen. Ahmeh, seine Frau, würde Hammelfleisch kochen und einen dicken Maisbrei, kräftig gewürzt mit Zwiebeln und Negerpfeffer und kleinen, grünen Paprikaschoten. Und dazu würde er eine Flasche Coca-Cola trinken, eine der wenigen Errungenschaften der Weißen, die Hassan lieben lernte.

Noch vier Keller, dachte er. Dann ist die letzte Runde abgegangen, und ich kann wieder Tanzmusik im Radio hören. O Allah, so eine Nacht ist lang.

Er schlurfte die Betontreppen hinunter, ging durch weite Keller, die angefüllt waren mit Kisten und halbfertigen Metallteilen, Stahlzylindern, Bombenköpfen, Sprenghülsen, Zündern aus Messing, Schraubringen und anderen Bauteilen von kleineren Versuchsraketen, und kam zum letzten Keller durch die umfangreiche Klimaanlage, die es ermöglichte, auch über Mittag, wenn draußen die glühende Hitze über Wüste und Nil brütete, in den Labors und Werkstätten zu arbeiten.

Verwundert blieb Hassan Ibn Mahmut stehen und legte lauschend den Kopf schief.

Irgendwo tickte es. Er hörte es ganz deutlich, wenn auch schwach. Klick — klick — klick — klick —

Hassan nahm seine große Taschenuhr heraus. Eine alte Zwiebel, dachte er. Stammt noch aus der Zeit, als die Engländer die Herren am Nil waren. Ein britischer Offizier hatte ihm die Uhr geschenkt, weil er eine Woche lang mit ihm über die Golfplätze gezogen war und die schweren Schlägerköcher herumgeschleppt hatte. Die Uhr war nichts wert, aber sie ging genau.

Hassan steckte die Uhr wieder in die Tasche. Und wieder war das Ticken da . . . außerhalb von ihm. Langsamer als das der Taschenuhr, genau in Sekundenabstand, wie ein ewig tropfender Wasserhahn. Klick — klick — klick —

Der Nachtwächter Hassan Ibn Mahmut wurde blaß. Bevor er den Nachtwächterposten antrat, hatte man ihn geschult. Ein hoher Offizier hatte ihn einen Eid auf Allahs Zorn schwören lassen und dann gesagt: »Hassan, du wirst ab heute einen der wichtigsten Plätze unseres Staates bewachen. Denke immer daran, daß die Vormachtstellung unseres Staates im Vorderen Orient nun auch in deiner Hand liegt.«

Das hatte Hassan stolz gemacht, auch wenn die Bezahlung nicht der wichtigen Aufgabe angepaßt war. In diesem Augenblick aber, als er das leise Ticken irgendwo im Klimakeller hörte, wußte er, daß nun wirklich das Vaterland für einige Minuten allein in seinen Händen lag. Niemand konnte ihm helfen. Kein Minister und kein General. Selbst für einen Alarm konnte es zu spät sein. Über ihm lagen Millionenwerte, und in den Panzerschränken ruhten Zeichnungen und Forschungsberichte, die unersetzlich waren.

Hassan beugte den Kopf vor wie ein witternder Jagdhund und ging dem Ticken nach. Er wand sich zwischen den Rohrschlangen der Klimaanlage hindurch, er

6

kroch an den Gebläsen entlang, und je näher er dem Tikken kam, um so heftiger schlug sein Herz.

Dann lag er auf dem Bauch und starrte auf einen metallenen Kasten. Jemand hatte ihn unter den Zentralkanal geschoben, von dem aus sämtliche Entlüftungen in alle oberen Räume führten.

Wie ein feuerspeiendes Ungeheuer starrte Hassan den Kasten an. Dann griff er zu, zog den Kasten an sich heran, kroch zurück, preßte das tickende Ungeheuer an die Brust und rannte . . . rannte . . . rannte . . .

Über die Kellertreppe, durch den Gang, durch die Eingangshalle, hinaus in den Hof über den Hof, durch den Palmen- und Jasmingarten, vorbei an einem Springbrunnen, auf die Straße, über die Straße, Felder breiteten sich vor ihm aus, in der Ferne blinkte der Nil im beginnenden Morgen . . . und er lief und lief und hob die Arme und schleuderte den tickenden Kasten im Laufen weit weg von sich in eine Gruppe von Malvenbüschen.

Die Explosion hörte Hassan noch. Dann hoben ihn Riesenhände hoch in die Luft und schleuderten ihn mit unvorstellbarer Wucht zurück auf die Erde. Er wurde zerschmettert wie ein Glas, das auf Stein fällt. Sein Körper zerplatzte förmlich.

Wo die Malvenbüsche gestanden hatten, gähnte ein riesiger, dampfender Krater, und der sandige Boden herum war schwarz, als sei er aus Kohle.

Eine Stunde später stand Minster Feisal Abdul Mossou vor dem unkenntlichen Hassan und starrte hinüber zu dem schwarzen Krater. Das gesamte Gebiet war durch Militär abgeriegelt. Sprengexperten untersuchten jeden Zentimeter Erde nach Sprengteilen. Sie fanden ein paar zerfetzte Federn, Teile eines Uhrwerkes, eine geborstene Hülse. Weiter nichts. Aber es genügte, um klarzusehen.

»Dieser Vorfall bleibt strengstes Staatsgeheimnis«, sagte er und wandte sich ab. Der Anblick Hassans erzeugte Übelkeit. »Aber jetzt ist Elle geboten. Es wird nicht bei diesem einen Anschlag unserer Gegner bleiben.« Minister Mossou ging hinüber zu dem Trichter. O Gott, dachte er. Was wäre geschehen, wenn diese Höllenmaschine im Keller gezündet hätte? Es gäbe jetzt keine Raketenzentralstelle mehr. Die Arbeit von Jahren wäre vernichtet. »Oberst Numi?«

Ein Offizier trat zu Mossou und grüßte kurz.

»Lassen Sie an alle Forschungsstellen durchgeben: Hermetischer Abschluß aller Personen von der Umwelt. Keiner darf raus und keiner rein. In spätestens drei Wochen Verlegung der wichtigsten Forscher nach Plan S. Die Aktion übernimmt General Yarib Assba. Er ist für den reibungslosen Ablauf verantwortlich.« Minister Mossou hörte, wie hinter seinem Rücken einige Sanitäter die Reste des Nachtwächters Hassan aufhoben und wegtrugen. Und auch die Geier waren bereits da und kreisten mit heiserem Krächzen über der Stätte, an der sie Aas rochen.

»Die Funksprüche gehen sofort hinaus, Herr Minister«, sagte Oberst Numi.

»Schützen Sie vor allem diesen deutschen Gelehrten, Oberst. Er ist Chef der Forschungsgruppe Gizeh und heißt Alf Brockmann. General Assban weiß Bescheid. Brockmann ist unser wichtigster Mann, Oberst. Er muß gehütet werden wie unsere Augen. Es wäre eine Katastrophe, wenn ihm etwas geschehen würde.«

Um die gleiche Zeit kletterten zwei Männer vom Mast einer breiten, behäbigen Nildhau zurück aufs Dach und wischten sich den Schweiß von der Stirn. Von der Mastspitze aus hatten sie hinüberblicken können zu den weitläufigen Gebäudekomplexen der Waffenfabrik. Das Ufer war gesperrt durch Stacheldrahtverhaue und Minenfelder.

»Mißlungen«, sagte der eine der Männer und riß sein Hemd vom schweißnassen Körper. »Das Ding ist außerhalb losgegangen. Es ist zum Kotzen. Einen besseren Platz als unter der Klimaanlage gab es gar nicht.«

Mit steifen Beinen ging er zu einem Kasten, holte aus

8

einer Lage kleingestoßenen Eises eine Flasche Bier und setzte sie an den Mund. »Du auch?« fragte er, als er sie wieder absetzte.

Der andere schüttelte den Kopf. »Allah verbot den Alkohol.«

»Na, dann Prost.« Der Mann trank die Flasche leer und dehnte sich dann. »Merk dir eins, Babu: Es geht nichts über ein kühles, deutsches Bier.«

Langsam, fast lautlos glitt der breite, dunkle Kahn den Nil hinab. Ein Schiff wie viele, mit großen, schräggestellten Segeln.

An einem Sonntagmittag warteten an der Kreuzung der beiden Staatsstraßen Alexandria — Gizeh und Gizeh — El Fayum zwei sandgelb gestrichene Jeeps und ein geschlossener Lastwagen. Sie standen etwas seitlich der Route in einer Palmengruppe. Die Nomaden und Fellachen, die an diesem Sonntag unterwegs waren, mit Kamelen oder Eseln, Ochsengespannen oder auch zu Fuß, sahen nur kurz auf diese Gruppe, erkannten Uniformen, starrten auf die Maschinenpistolen, wandten dann den Kopf ab und beeilten sich, an der Palmengruppe vorbeizukommen. Wo Militär ist, wird es ungemütlich, dachten sie. Die Wüste ist weit, der Nil ist voll Wasser, Allah hat ein Auge auf alles, was lebt, am heiligsten aber ist die Ruhe. Und die ist hin, wo eine Uniform auftaucht.

General Yarib Assban stand unter einer der windschiefen, staubigen Palmen und wischte sich den Schweiß von der Stirn. Die Sonne brannte unbarmherzig auf Sand und Stein, auf Pflanzen und Kreatur. Der karge Schatten unter den Palmen war nur eine Illusion von Kühle. Die Hitze des Sandes drang durch die Schuhsohlen und erweckte den Eindruck, man stehe auf einem riesigen Grill.

»Sind Sie sicher, daß sie von Oued El Haddadin auf dem Rückweg hier vorbeikommen?« fragte General Yarib Assban. Der junge Leutnant neben ihm nickte.

»Ganz sicher, General. Es gibt ja keine andere Straße nach Gizeh.«

»Und wenn sie eine Kamelpiste nehmen?«

»Das wäre ein Umweg, General.«

»Ich wiederhole: Es war eine Dummheit, sie überhaupt ausreiten zu lassen. Man sollte den Zorn Allahs über euch herabbeschwören. Sie wissen doch, daß seit vierzehn Tagen eine verstärkte Isolation angeordnet ist.«

»Der Befehl kam erst vor einer Stunde durch, General.« Der junge Leutnant hob die schmalen Schultern. Allah ist mächtig, dachte er dabei. Aber mächtiger ist die Faulheit. Das ändert auch ein General Yarib Assban nicht.

»Vor vierzehn Tagen!« rief Assban.

»Unser Funker nahm den Spruch vor einer Stunde auf, General. Ich kann Ihnen nichts anderes melden.«

»Das ist eine Sauerei, Leutnant.«

»Gewiß, General. Aber wo sitzt das Mutterschwein?«

General Assban stapfte durch den Sand hin und her. Ungeduldig sah er auf seine Armbanduhr, trat an seinen Jeep heran, holte eine Thermoskanne unter dem Sitz hervor und trank einen Schluck kalten Tee. Verteilt unter den Palmen standen die anderen Soldaten, dösten vor sich hin, rauchten oder lasen in der Zeitung. Assban lehnte sich an die Motorhaube des Jeeps. Ein paar Fellachenjungen, die ihn umringten, verscheuchte er wie lästige Moskitos, indem er rief. »Geht weg, ihr Hundesöhne! Los, los, das ist nichts für euch!« Dann rauchte er hastig, sah immer wieder die Straße hinauf und wartete auf die typischen kleinen Staubwölkchen, die trabende Reiter aus dem Wüstenstaub aufwirbeln mußten.

Gegen Mittag meldete der junge Leutnant die Ankunft der Erwarteten. Durch sein Fernglas hatte er sie deutlich gesehen. Sie ritten auf der festgestampften Straße. Drei Männer und ein Mädchen. Sie ritten auf herrlichen, weißen Araberpferden, und der Silberbeschlag auf den Sätteln und dem Zaumzeug glitzerte weit in der Sonne.

General Yarib Assban sah noch einmal auf seine Uhr. Kurz nach zwölf. Auch bei bester Fahrt konnte man vor Mitternacht nicht mehr den Zielort erreichen.

»Lassen Sie die Soldaten aufsitzen«, sagte Assban zu dem jungen Leutnant. »Es ist nicht nötig, daß wir sie sofort erschrecken.« Er sah den schwarzgelockten, jungenhaften Offizier aus zusammengekniffenen Augen an, über denen sich die buschigen Brauen wölbten. »Sie wissen, daß das hier Geheimhaltungsstufe I ist. Kommt ein Wort davon an die Öffentlichkeit, können Sie Ihre Pistole durchladen und an Ihre Schläfe setzen.«

»Ich weiß, General.«

»Also denn. Begrüßen wir unsere Gäste.«

General Yarib Assban wischte sich noch einmal den Schweiß vom Gesicht, steckte dann das Taschentuch ein, nahm sein Rohrstöckchen und klemmte es sich unter den Arm — noch ein Überbleibsel britischer Offiziersgesten —, stülpte seine Khakimütze über die eisgrauen Haare und trat aus dem Schutz der Palmen hinaus auf die Straße.

Die beiden ersten Reiter, sie ritten zwei zu zwei hintereinander, verlangsamten ihren Trab, als sie die uniformierten Männer auf die Straße treten sahen. Kurz vor Assban hielten sie die Pferde an und sprangen ab. General Yarib grüßte. Er wandte sich, nachdem er die beiden ägyptischen Reiter und vor allem das braungelockte Mädchen gemustert hatte, an den größten der Reiter. Unter dem Tropenhelm sahen einige hellblonde Haarsträhnen hervor.

»Mr. Brockmann?« fragte Assban auf englisch.

»Ja.« Alf Brockmann trat noch einen Schritt näher. Er war groß und schmal, und seine hellblauen Augen bekamen einen fragenden und abwehrenden Ausdruck, als er mit einem schnellen Seitenblick zu den Palmen die kleine Wagenkolonne bemerkte. »Woher kennen Sie mich?«

»Gestatten Sie, Sir, daß ich mich vorstelle. Yarib Assban, General.«

»Das sehe ich«, sagte Alf Brockmann abweisend. »Ich kenne die Rangzeichen der ägyptischen Armee.«

»Ich bin von unserem Herrn Minister Feisal Abdul Mossou beauftragt, Sie hier zu erwarten. Das heißt«, Yarib lächelte breit, »ich wollte Sie im Forschungszentrum besuchen. Aber Sie waren ausgeritten, unplanmäßig.«

»Ich reite jeden Sonntagvormittag etwas aus. Seit fast einem Jahr.« Alf Brockmann wandte sich zu dem Mädchen um, das mit dem Pferd am Zügel herantrat. Die beiden ägyptischen Begleiter hielten sich im Hintergrund. Man sah ihnen an, daß sie weniger sorglos waren als Brockmann. Sie erkannten die Situation und zogen sich innerlich zurück in den mohammedanischen Fatalismus: Was Allah will, kann der Mensch nicht ändern. »General Assban«, sagte Brockmann zu dem Mädchen. »Er erwartete uns hier, warum, das weiß ich noch nicht.«

Yarib machte eine kleine Verbeugung. »Miß Hollerau, nicht wahr?«

»Ja.« Lore Hollerau zog den Pferdekopf zu sich und streichelte die prustenden Nüstern. Auch ihr Blick flog schnell zu den Palmen und den wartenden Soldaten. Assban bemerkte ihn und klemmte sein Stöckchen höher unter die Achsel.

»Ich muß Sie bitten, Ihre herrlichen Pferde mit einem harten Auto zu vertauschen«, sagte er höfflich. »Auch wenn der Prophet des höchsten Mannes Glück ein gutes Pferd nennt, ist es notwendig, den Propheten zu modernisieren. Darf ich bitten?«

General Assban zeigte zu den Palmen. Die beiden Ägypter, die mit Brockmann geritten waren, ließen die Zügel fallen und gingen hinüber zu den Soldaten. Nicht so Alf Brockmann. Er blieb stehen und tätschelte den Hals seines Schimmels.

»Ich habe vor, in einer Stunde im Hotel Caid zu Mittag zu essen«, sagte er. »Fräulein Hollerau und ich haben einen Bombenhunger.«

»Bomben. Sie werfen mir das Stichwort zu, Sir.« General Assban lächelte wieder. »Wir werden unterwegs Rast machen und ein Stück Hammel braten. Ich habe sogar eine Kühlbox bei mir mit geeistem Fruchtsaft für Miß Hollerau.«

»Unterwegs? Wieso unterwegs?« fragte Brockmann laut.

»Ich habe den Auftrag, Sie sofort in ein neues Wirkungsgebiet zu bringen, Sir. Sie werden nicht mehr nach Abu Zabal zurückkehren.«

Eine Weile war es still. Brockmann und Lore Hollerau sahen sich an. Die Überrumpelung war gelungen. Es war nichts Neues, daß sie überwacht wurden, seit sie vor einem Jahr nach Ägypten kamen, um in den staatlichen Kernphysik-Laboratorien Mittel- und Langstreckenraketen zu konstruieren und Ägypten damit zur stärksten Militärmacht des Vorderen Orients zu machen. Was aber jetzt, an diesem Sonntagmittag, an der Straßenkreuzung geschah, war ein Eingriff in die ihnen vertraglich zugesicherte persönliche Freiheit.

»Das ist doch ein Scherz, General«, sagte Alf Brockmann laut. Yarib Assban hob die Schultern.

»Leider nicht, Sir. Die politische Lage läßt keine Scherze zu, die für eine Nation tödlich sein können. Wie wir aus ganz sicherer Quelle wissen, ist es unseren Gegnern bekanntgeworden, daß Ihre Gruppe, Sir, vor den Abschlußversuchen zu einem neuen Raketentreibsatz steht, der es ermöglicht, überschwere Geschosse mühelos bis — na, sagen wir — bis Tel Aviv zu schießen.«

»Das ist, soviel ich weiß, auch die einzige Richtung, in der sie fliegen sollen«, sagte Alf Brockmann sarkastisch.

General Yarib Assban wurde verschlossen. »Sir«, sagte er steif. »Sie bekommen gutes Geld für eine gute Arbeit. Unsere Regierung hat es Ihnen ermöglicht, eigene Ideen zu verwirklichen, für die man in Ihrer Heimat weder Sinn noch Zeit hat und kein Geld bewilligt. Sie sind Physiker und Forscher und kein Politiker. Die Welt ist unruhig, und es ist die Pflicht eines Staates, immer abwehrbereit zu sein; die Himmelsrichtung spielt da keine Rolle mehr. Wir haben gelernt, global zu denken. Aber das alles wissen Sie ja selbst, und es wundert mich, Sir, daß Sie nicht die Notwendigkeit einer absoluten Geheimhaltung und eines sicheren Schutzes unserer Interessen einsehen. Abu Zabal, Ihr altes Forschungszentrum, ist in den Blickpunkt der Welt geraten. Durch wen, das wird unser Geheimdienst noch feststellen. Darf ich also bitten, in den Wagen umzusteigen.«

»Und unsere persönlichen Sachen?« fragte Alf Brockmann voller Abwehr gegen General Assban.

»Die werden zu dieser Stunde mit einem Hubschrauber der Armee zu Ihrem neuen Wirkungsort gebracht.«

»Und wo ist dieser Ort?«

General Yarib Assban machte eine weite, alles umfassende Handbewegung. »Irgendwo in der Wüste, Sir — Allah hat viele einsame Palmen wachsen lassen. Und wo Palmen wachsen, kann auch der Mensch gedeihen.«

»Eine Verbannung also.«

»Aber nein, Sir. Nur ein sicherer Ort.«

»Als wenn das nicht das gleiche wäre.« Alf Brockmann umklammerte die Zügel seines Schimmels. »Ich protestiere, auch im Namen von Fräulein Hollerau. Übrigens: Was geschieht mit Fräulein Hollerau?«

»Als ihre persönliche Sekretärin gehört sie zum Team und begleitet Sie selbstverständlich.«

»Ich möchte Minister Abdul Mossou vorher sprechen.«

»Der Herr Minister spricht morgen auf einer Friedenskonferenz. In Genf.« General Assban lächelte breit und leutselig. »Sie müssen mit mir vorliebnehmen, Sir. Ich garantiere Ihnen alle Bequemlichkeiten. Klimatisierte Räume, modernste Forschungseinrichtungen, ein Schwimmbecken, Tennisplatz, ein Kino, das täglich den Film wechselt. Außerdem wird meine Regierung Ihr Gehalt um

200 Pfund erhöhen.« Assban schüttelte den Kopf. »Es ist absolut widersinnig, Ihnen das alles auf einer Straße bei fünfzig Grad Hitze zu sagen. Ich möchte damit nur dokumentieren, daß es keine Verbannung ist, sondern daß es sich um eine Erweiterung Ihrer Tätigkeit handelt. Seit zwei Jahren bauen wir das Zentrum Bir Assi auf . . .«

»Bir Assi heißt also das Nest.«

»Es steht auf keiner noch so guten Karte, Sir. Wir haben Allah beschämt und mit Menschenhand etwas geschaffen. Eben Bir Assi. Es wird Ihnen gefallen, zumal sich ja nichts ändert als nur der Aufenthaltsort.«

»Und meine Frau?«

General Assban nickte mehrmals. »Er ändert sich nicht, Sir, ich sagte es schon. Die Post wird durch Militärhubschrauber besorgt. Um die Geheimhaltung vollends zu garantieren, geht Ihre Privatpost zusammen mit der Diplomatenpost per Kurier nach Deutschland und wird von unserer Botschaft oder dem Generalkonsulat in Hamburg an Ihre Gattin weitergeleitet. Ein etwas umständlicher, aber um so sicherer Weg.« Yarib Assban lächelte freundlich. »Zufrieden, Sir? Ich wäre glücklich, wenn Sie es wären, denn ich spüre, wie ich austrockne.«

»Und wenn ich mich trotzdem weigere, in dieses geheimnisvolle Wüstennest Bir Assi zu gehen?« fragte Alf Brockmann hart.

»Sir . . . wollen wir unsere wertvolle Zeit damit vergeuden, Maßnahmen zu erörtern, die nicht nötig sind?« Assban nahm Lore Hollerau die Zügel ihres Pferdes ab und reichte sie dem jungen Leutnant, der nähergetreten war. »Sie haben einen Vierjahresvertrag mit meiner Regierung, Sir.«

»In dem steht, daß ich meine Frau und mein Kind innerhalb eines Jahres nach Ägypten nachholen kann und daß man mir dafür eine Villa bei Kairo zur Verfügung stellt. Die Villa habe ich bekommen, aber noch keine Einreiseerlaubnis für meine Frau. Und das Jahr ist rum.«

15

»Ich werde es noch einmal denn Minister vortragen, Sir. Aber ob Kairo oder Bir Assi — macht es etwas aus? Kairo ist ein heißer, stinkender Steinhaufen. Wir, Sie und ich, wissen aber, wie schön die Wüste ist. Die Sterne an einem kalten, wie gemalten Himmel, der Ruf der Schakale, das Schweigen des Sandes, die Unendlichkeit, die uns andächtig werden läßt, und der Wind, der wie der Atem Allahs ist. Ihre Gattin wird sich wohl fühlen in Bir Assi. Wer in der Wüste lebt, merkt das Altern nicht. Man wird ein Teil der Ewigkeit.«

Alf Brockmann zögerte. Er blickte zu seinen beiden ägyptischen Begleitern. Von ihnen wußte er nichts, als daß sie wie er Physiker waren, in Deutschland, den USA und England studiert hatten, die Alltagsnamen Jussuf und Faruk trugen, begabte und dazu fleißige Gelehrte waren und der jungen Generation afrikanischer Fanatiker angehörten, deren Wahlspruch »Alles für das Vaterland« ihr gesamtes Dasein regelte. Seit seiner Ankunft in Kairo und seiner Einstellung in die Raketenforschung arbeitete Alf Brockmann mit Jussuf und Faruk zusammen, sie waren so etwas wie Freunde geworden; aber so eng der Kontakt auch war, immer blieb dieser Rest Geheimnis um sie. Er wußte nicht, woher sie kamen, ob sie noch Eltern besaßen, ob sie verheiratet waren. Sie waren einfach da und taten ihre Arbeit präzise und gut. Jetzt standen sie im Schatten unter den staubigen Palmen und warteten. Es schien ihnen unverständlich zu sein, warum der sonst so kluge Deutsche nicht begriff, daß die Staatsmacht, vertreten durch Yarib Assban, stärker war als alle unterschriebenen Papiere, Verträge oder humanitären Überlegungen.

Alf Brockmann drehte sich zu seiner Sekretärin Lore Hollerau um. Ein hübsches Mädchen von sechsundzwanzig Jahren mit langen, braunen Haaren und einem schlanken, sportlichen Körper. Auch sie war vor einem Jahr nach Ägypten gekommen. Vorher arbeitete sie als Laborsekretärin bei Prof. Hillebrechten in München. Warum sie sich nach Kairo anwerben ließ, konnte Brockmann nur ahnen. Ein paarmal hatten sie darüber gesprochen, so wie man über etwas Undelikates spricht. Ein Mann spielte im Leben Lore Holleraus einmal eine Rolle. Er hatte Benno geheißen. Eine große Liebe, die irgendwie zerbrach. Sehnsüchte, die vermoderten; Illusionen, die zerplatzten; Wünsche und Träume, die der Alltag zerriß. Sie flüchtete vor der Vergangenheit nach Ägypten, aber in dem Jahr, das sie nun mit Alf Brockmann zusammenarbeitete, hatte sie die Erinnerung noch nicht ersticken können. So sah man sie freundlich, aber reserviert; höflich, aber irgendwie kühl; selten lachend und meistens mit großen, nachdenklichen, braunen Augen.

»Was halten Sie davon, Lore?« Brockmann sah seinem Pferd nach, das jetzt von einem Soldaten weggeführt wurde. »Statt Mittagessen im ›Caid‹ verschleppt man uns in die Wüste. Nicht einmal die Zahnbürste dürfen wir holen.«

Lore Hollerau schüttelte den Kopf. »Es wird einen wichtigen Grund haben, Chef.«

»Können wir gehen, Sir?« fragte Assban dazwischen.

»Wir müssen uns Ihrem Willen unterwerfen. Aber ich werde doch noch protestieren, General.«

»Vielleicht. Wenn Sie Ihre neue Wirkungsstätte sehen, glaube ich, daß Sie selbst einen Protest für sinnlos halten.«

Vor dem geschlossenen Lastwagen blieben sie stehen. Brockmann fuhr zu Assban herum. Jussuf und Faruk saßen bereits unter dem sandfarbenen Autodach.

»Da hinein? Also doch Gefangener?«

»Aber nein, Sir. Der Wagen hat eine automatische Kühlung. Es geht uns nur darum, daß niemand Sie auf der Fahrt sieht. Sie haben in Ihrem Hirn eines der wichtigsten Staatsgeheimnisse unseres Volkes, das gilt es zu schützen. Bitte, verstehen Sie mich!«

Brockmann half Lore Hollerau beim Einsteigen. Dann schwang er sich selbst in den Wagen und setzte sich auf die

gepolsterte Bank. Ein auf dem Wagenboden festge-
schraubter Tisch war mit Kaffeekanne und Geschirr aus
Plastikmaterial gedeckt.

Die Tür schloß sich. Von außen klirrte ein Riegel vor. Die
grelle Mittagssonne erlosch; über ein schräges, vergittertes
Oberlicht fiel mildes Tageslicht, wie gefiltert, in das Innere
des Wagens. Ein Kühlaggregat begann leise zu summen.
Mit Rumpeln und Schnaufen sprang vorne der Motor an,
der Wagenboden zitterte, Räder knirschten, und der Tisch
mit dem Geschirr schwankte.

»Wir fahren, Chef«, sagte Lore Hollerau. »Wünschen
Sie einen Kaffee?«

»Danke. Nein.« Alf Brockmann sah zu seinen beiden
ägyptischen Kollegen hinüber. Sie saßen auf ihrer Bank
wie Puppen und starrten gegen die Wand. »Was halten Sie
von diesem merkwürdigen Umzug?« fragte er laut.

Jussuf, klein, raubtierhaft, mit tiefen Pockennarben auf
beiden Wangen, hob die Schultern.

»Allah wird es gut machen«, sagte er.

Allah, dachte Brockmann und lehnte sich zurück. Das
ist ihre ganze Waffe gegen das Rätselhafte. Oder kommt es
daher, daß sie wissen und erkennen, wie wenig sie auf dieser Welt wert sind?

Bir Assi heißt der neue Ort, dachte er weiter, während
die kleine Wagenkolonne gen Süden fuhr, El Fayum entgegen. Ob Birgit sich in einer kleinen Oase wohl fühlen
wird? Ein Schwimmbad soll sie haben, sagte der General
Assban. Das wird vielleicht das Wichtigste für Birgit sein.
Sie schwimmt so gern.

Alf Brockmann nickte seiner Sekretärin zu. »Lore, gie-
ßen Sie Kaffe ein. Es wird ja doch nicht anders, wenn man
darüber nachgrübelt. Lassen wir uns überraschen.«

Und im Inneren dachte er: In ein paar Wochen wird
Birgit kommen. Und mein Junge. Detlef-Jörg. Fünf Jahre
alt. Er wird auf einem Esel durch die Oase reiten und im
Wadi mit den Fellachenjungen spielen. Wir werden eine

kleine, glückliche Familie sein. Ist es da nicht gleichgültig, wo man lebt . . . wenn man nur glücklich sein darf?

Vom vorderen Jeep aus ließ General Yarib Assban einen Funkspruch in das sich immer mehr entfernende Gizeh durchgeben.

»Aktion Schwalbe erledigt. Befinden uns auf Route 9. Ende.«

Neben der Wagenkolonne her liefen einige wilde Hunde und bellten. Sie hatten Hunger. Ihr struppiges Fell war gelbweiß vom Staub, zwischen den Knochen klebten Geschwüre in der Haut.

Die Wüste ist nicht nur schön, sie ist auch grausam und mitleidlos.

Etwas außerhalb von Lübeck, am Elbe-Trave-Kanal, lag das Haus, das sich Alf Brockmann in geduldiger Arbeit Stück für Stück aufgebaut hatte, bis er es mit seiner Familie, die damals gerade aus seiner jungen Frau Birgit und ihm bestand, beziehen konnte. Nach dem plötzlichen Infarkttod ihres Mannes zog auch noch Birgits Mutter dazu. Detlef-Jörg wurde geboren und spielte später in dem blühenden Garten, der bis hinunter zu den Spundwänden des Kanals reichte, wo ein Boot an einem hölzernen Steg lag. Mit ihm war Alf Brockmann immer unter eine Brücke gefahren und hatte geangelt, wenn er übers Wochenende von Hamburg nach Lübeck kam.

Sein Weggang von der Hamburger Universität war abrupt gewesen. Eine ihm versprochene Dozentur für Physik hatte ein anderer bekommen, der gleichzeitig auch Schwiegersohn des Dekans der Universität wurde. Diese Schiebung allein aber war es nicht, was Alf Brockmann dazu bewog, ein Angebot nach Kairo anzunehmen, sondern vielmehr die Beurteilung seiner Person, die er durch Zufall in die Hände bekam. Darin schrieb der Dekan:

»Brockmann ist ein guter Arbeiter und ein besessener Wissenschaftler, aber ihm fehlt die Reife und Abgeklärtheit, um ein Lehramt anzutreten. Sein enormes fachliches Wissen kann nicht überdecken, daß er in seiner modernen Lebensauffassung einer akademischen Lebensart fast feindlich gegenübersteht. Es ist zu befürchten, daß sein Einfluß auf die Studenten eine gefährliche sozialistische Note in den Geist der Alma mater bringt. Man sollte vermeiden, solche Modernitäten nicht noch zu befruchten, indem man einer Dozentur zustimmt.«

Das war vor über einem Jahr.

Nun wohnten Birgit Brockmann und ihre Mutter, Berta Koller, mit dem kleinen Detlef-Jörg allein in der Villa am Kanal und verbrachten die langen Tage und vor allem Abende damit, sich zu streiten oder anzuöden.

»Was ist das für eine Ehe«, war die ständige Rede von Berta Koller. »Er in Ägypten, du hier, das Kind wächst ohne väterliche Autorität auf, gerade jetzt in einem Alter, wo es dringend einen Vater braucht. Jeden Monat kommt ein läppischer Brief mit nichtssagenden Phrasen und immer neuen Vertröstungen . . . Nein, mein Kind, das ist keine Ehe!« Und dann holte Berta Koller tief Luft und schoß ihre stärkste Rakete ab: »Und während du hier auf ihn wartest, vergnügt er sich in Kairo in Bars mit Bauchtänzerinnen und Bajaderen!«

»Alf nicht!« rief Birgit dann stets unter Tränen. »Er kann ja nichts tun, als warten. Er kann doch die Regierung nicht zwingen.«

»Weil er ein Weichling ist. Auf den Tisch hauen, das hilft immer. Schließlich brauchen die Ägypter ihn und er nicht die Ägypter. Aber er will ja gar nicht. Eine feurige Sudanesin im Arm, da lebt es sich besser als mit dir. Und das Kind? Anhängsel ist es für ihn, weiter nichts. Er ist froh, ein paar tausend Kilometer von euch weg zu sein.«

»Das sagst du nur, weil du ihn nicht leiden kannst.«

»Allerdings. Vom ersten Tag an war er mir unsympathisch.« Berta Koller wischte sich mit der Serviette über den Mund. »Natürlich, deinem Vater gefiel er, weil er mir über den Mund fuhr. Ich vergesse es nie, wie er sagte: ›Gnädige Frau, so gern ich Ihnen zuhöre — aber davon haben Sie gar keine Ahnung.‹ Ein grober Flegel, weiter nichts. Und dein Vater lachte sich fast schief. Nie, nie vergesse ich das!«

»Aber er hatte doch recht, Mutter. Du wolltest ihm etwas vorerzählen von Fernsteuerung und hast nie in deinem Leben . . .«

»Man kann eigene Meinungen haben. Und ich habe ein Recht, daß man mich respektiert.« Berta Koller warf die Serviette auf den Tisch. »Ich habe deinen Alf immer für ein Unglück gehalten.«

»Aber ich liebe ihn, Mutter.«

»Töricht, so etwas.«

»Und wenn ich zwanzig Jahre warte . . . ich liebe ihn. Er ist Jörgs Vater.«

»Um Vater zu werden, bedarf es keiner großen Qualitäten.«

»Du wirst frivol, Mutter!« Birgit Brockmann sprang auf. Im Garten tobte der kleine Detlef-Jörg mit einem bunten Ball und schoß mit kräftigen Beinchen gegen eine weiße Mauer. Er hatte schon gegessen und spielte, während Mutter und Oma noch einen Kaffee als Nachtisch tranken. Berta Koller winkte energisch.

»Bleib hier, Birgit! Weglaufen ist noch nie eine gute Lösung gewesen. Daß du nicht nüchtern denken kannst. Was ist, wenn dein Goldgatte dich nicht nach Kairo holt?«

»Er wird es, Mutter«, antwortete Birgit gequält. Immer diese Stachel, dachte sie. Immer dieses Behämmern: Alf ist der falsche Mann. Löse dich von Alf. Der amüsiert sich in Kairo mit braunen Püppchen, während du hier auf ihn wartest und jeden Morgen dem Briefträger entgegenläufst, um zu hören: ›Nee, wieder nix, Frau Brockmann. Kairo ist weit . . . der kommt nie, nie wieder.‹

»Gut. Er wird es.« Berta Koller setzte sich zurecht wie

ein verhörender Staatsanwalt. »Wann hat er zum letztenmal geschrieben?«

»Das weißt du ganz genau: vor sechs Wochen.«

»Aha. Man kann heute um die Welt in vierundzwanzig Stunden fliegen. Glaubst du, daß ein Brief da sechs Wochen braucht . . . wenn man einen geschrieben hat?«

»Alf wird sehr beschäftigt sein.«

»So sehr, daß er keine Postkarte schreiben kann? Wenn er Zeit hat zum Essen und Schlafen, ja, sogar um auf den Lokus zu gehen, hat er auch Zeit, ein paar Zeilen zu schreiben.«

»Du wirst wieder ausfällig, Mutter.«

»Nein, ich sehe die Dinge nur völlig nüchtern. Wenn jemand etwas will, kann er es auch. Aber er will ja gar nicht. Sechs Wochen keine Zeit, und das nennst du Liebe? Kind, Kind, ich habe mit dir doch keine Idiotin großgezogen.«

»Vielleicht ist eine Postsperre, Mutter.«

»Wozu? Warum? Rede dir doch nichts ein, Birgit. Nein, nein . . . da ist die Zuckerpuppe von der Bauchtanztruppe . . .«

»Du wirst geschmacklos, Mutter!« Birgit Brockmann trat ans Fenster und sah hinunter zu ihrem Sohn. Detlef-Jörg hatte Besuch bekommen, einen gleichaltrigen Jungen aus der Nachbarschaft. Sie saßen nun in der Gartenlaube und knüpften kleine Netze, die der Nachbarsjunge zerrissen mitgebracht hatte. »Wenn es nach dir ginge, sollte ich mich scheiden lassen und diesen Gerrath heiraten.«

»Konrad Gerrath ist erstens Rechtsanwalt und zweitens vermögend. Drittens liebt er dich —«

»— und viertens nennt er sich Alfs Freund. Ein schöner Freund, der der Frau des anderen nachrennt. Und Jörgi?«

»Gerrath ist sehr kinderlieb. Er wird den Jungen wie sein eigenes Kind großziehen. Und großziehen mit Autorität. Nicht wie der jetzige Vater, der sich um nichts kümmert und nur Geld schickt, als wenn allein daraus die Welt bestünde.«

»Konrad Gerrath ist mir widerwärtig!« rief Birgit Brockmann. »Seine Freundlichkeit ist schleimig und ekelt mich an!«

»Auch eine Auster ist schleimig und schmeckt ausgezeichnet.« Es war einer der niederschmetternden Vergleiche, die Berta Koller in immer neuer Folge gebar. Es blieb danach nur noch ein hilfloses Schweigen, das Berta Koller genoß als Ausdruck ihres rhetorischen Sieges.

Auch heute war es nicht anders. Birgit Brockmann verzichtete auf eine Entgegnung und lief aus dem Zimmer. In ihrem Schlafzimmer weinte sie eine halbe Stunde, zermartert von den Vorwürfen ihrer Mutter und verängstigt über die sechs Wochen Schweigen aus Ägypten.

So stand es im Hause Brockmann am Elbe-Trave-Kanal, als Konrad Gerrath am Nachmittag zu Besuch kam und von Berta Koller mit dem Ausruf. »Ah! Mein lieber, lieber Konrad!« empfangen wurde.

»Sie müssen Birgit einmal mit aller Klarheit auseinandersetzen, Konrad«, sagte Berta Koller, während Gerrath eine Tasse Kaffee trank und ein Stück selbstgebackenen Apfelstrudel aß, »daß Alf mit seinem Weggang nach Ägypten auch aus ihrem Leben gegangen ist. Sechs Wochen keine Nachricht, das ist der Anfang vom Ende.« Und, mit einem Augenzwinkern, setzte sie fast schamlos hinzu: »Finden Sie nicht auch, daß Sie und Birgit ein gutes Paar abgäben?«

»Das weiß ich seit langem, gnädige Frau.« Konrad Gerrath rührte versonnen in der Kaffeetasse. Er war mittelgroß, hatte lichte, braune Haare und trug eine Goldbrille. Seine Anwaltspraxis lief vorzüglich, er galt als geschickter Redner, hinterließ überall den Eindruck des absoluten Ehrenmannes und lebte auch nach außen hin bescheiden und traditionsbewußt. Er hatte Alf Brockmann auf der Universität kennengelernt, man hatte sich angefreundet, und als Brockmann heiratete, verliebte sich Gerrath insgeheim so stark in Birgit, daß er fortan wie ein Stück der Familie jede

23

freie Minute im Hause am Kanal auftauchte. Und wenn er nur herumsaß und Birgit sehen konnte — es genügte ihm völlig. »Ich habe das Pech, einen stärkeren Nebenbuhler zu haben«, sagte er fast traurig.

»Papperlapapp!« Berta Koller wedelte mit der Hand durch die Luft. »Sie wissen, wie ich über meinen Schwiegersohn, dieses Windei, denke. Er kommt nicht wieder aus Ägypten . . . aber Sie sind hier! Mein Gott, Konrad . . . vor Gericht können Sie hartgesottene Staatsanwälte zu Tränen rühren, und hier versagen Sie. Mut! Ich weiß, daß Birgit sich wehrt gegen die Einsicht, daß ich recht habe; aber einmal wird sie einsehen, daß alles wahr ist. Dann müssen Sie da sein, Konrad. Dann müssen Sie alle Türen einrennen. Wozu heißen Sie Konrad?«

Gerrath lächelte verbindlich. Er schnellte aus dem Sessel hoch, als Birgit den Raum betrat und ihm mit deutlicher Kühle die Hand reichte. Ehe er etwas sagen konnte, schnitt ihm Birgit alle Worte ab.

»Sagte Ihnen meine Mutter, daß Alf sechs Wochen nicht geschrieben hat? Es ist wahr. Aber Sie sehen mich nicht im geringsten beunruhigt, und ich brauche deshalb auch keinen männlichen Schutz oder Zuspruch. Guten Tag.«

Sie verließ sofort wieder das Zimmer. Berta Koller gab Konrad Gerrath einen Stoß in den Rücken.

»Hinterher«, flüsterte sie. »Glühendes Eisen schmiedet sich am einfachsten.« Und als sich Gerrath etwas konsterniert umdrehte, blinzelte sie ihm zu und sagte: »Ich mag Sie wirklich gern, Konrad. Und an meinen Enkel denke ich auch. Er soll einen richtigen Vater haben. Und nun — viel Glück.«

Gerrath traf Birgit Brockmann am Ende des Gartens. Sie harkte den Sandweg, der zum Bootssteg führte. Als er sie ansprach, zuckte sie zusammen, aber sie drehte sich nicht um, sondern glättete weiter den Sand. Nur die Bewegungen waren hastiger und abgehackter.

»Sie sollten sich nicht so vor aller Welt abschließen, Bir-

git«, sagte Gerrath. »Wir sind alle keine Kinder von Traurigkeit, auch Alf nicht. Bitte, lassen Sie mich ausreden,
Birgit. Ich möchte nicht, daß Sie die ehevermittlerische Art
Ihrer Frau Mutter mit meinen Wünschen verwechseln oder
gar verquicken. Ich liebe Sie, Birgit.«

»Konrad.« Birgit Brockmann führ herum und ließ den
Stahlbesen fallen.

»Nein. Kein Entsetzen. Ich werde es mir nie erlauben,
diese Liebe zu zeigen oder Sie damit zu belästigen. Ich will
nur, daß Sie wissen, wie es um mich steht. Und ich bitte
um eine Chance, wenn es das Schicksal will, daß Alf in
Ägypten . . .«

»Bitte, reden Sie nicht weiter, Konrad!« unterbrach ihn
Birgit schroff. »Alf kommt wieder.«

»Auch das zivilisierte Ägypten birgt Gefahren. Ein
Skorpionbiß, zu spät behandelt, eine Sandviper, Cholera,
Malaria, Gelbsucht, Fleckfieber . . . es sind so viele Fakto-
ren, die Schicksal spielen könnten. Bei Gott, wir wollen
Alf so etwas nie wünschen, aber wenn es eintreten soll-
te . . . darf ich hoffen, Birgit?«

»Es ist Frevel, über so etwas zu sprechen, Konrad.« Sie
bückte sich und nahm den Stahlbesen wieder auf. »Ich
hoffe ja noch immer auf die Einreise. Sie wissen nicht, wie
ich mich sehne, von hier wegzukommen.« Sie machte eine
weite Armbewegung. »Sehen Sie sich um, Konrad. Ein
blauer sonniger Himmel, ein blühender Garten, blaues
einladendes Wasser, ein weißes Haus im Grünen — man
sagt: Das ist ein kleines Paradies. Nein, es ist die Hölle!
Eine mit Blüten garnierte Hölle. Und — es ist schrecklich,
das zu sagen — der Teufel darin ist meine eigene Mutter.
Sie haßt Alf und daher haßt sie alles, was mit ihm zusammen ist. Ich muß hier raus, Konrad — oder Alf muß wiederkommen.«

»Er hat einen Vierjahresvertrag, Birgit.«

»Dann gehe ich nach Ägypten.« Sie strich sich einige in
die Stirn gefallene Strähnen ihrer hellblonden Haare nach

oben. »Ich habe es mir heute endgültig überlegt. Ich werde selbst an die ägyptische Regierung schreiben. Vielleicht ist es etwas anderes, wenn eine Frau und ein kleines Kind bitten.«

»Und wenn es wieder ein Nein ist?«

»Dann müssen wir weiter warten.«

»Warten? Worauf?«

»Ich weiß es nicht, Konrad.« Sie stützte das Kinn auf den Besenstiel. Am Garten vorbei glitt lautlos ein Lastkahn durch den Kanal. »Ich habe es aufgegeben zu fragen. Ich liebe Alf, und ich weiß, daß alles, was er tut, gut sein muß. Ägypten, seine Forschungen, alle Entsagungen . . . er macht es doch nur für mich und das Kind.« Sie lächelte tapfer, und Konrad Gerrath spürte, wie sein Herz schmerzhaft zuckte. »Wir beißen uns schon durch; gerade, weil alle gegen uns sind.«

Gerrath nickte. »Ich beneide Alf um seine Frau«, sagte er heiser. »Er ist reicher als der reichste Mann der Welt, und er weiß es nicht.«

Mit schnellen Schritten, fast wie eine Flucht vor seinem schmerzenden Gefühl, verließ er den Garten und vermied es, an diesem Tag noch einmal mit Berta Koller zusammenzutreffen.

2

Die Oase Bir Assi war ein grüner Fleck inmitten kilometerweiter Sanddünen. Als habe die Hand Allahs, müde von der Schöpfung, sich ausgeruht und mit einem Finger in den Sand gebohrt und ihn somit befruchtet, wuchs plötzlich in der Wüste, wo sie am einsamsten schien, ein Palmenhain, sprudelte eine Quelle aus der Erde, leuchteten Oleander und Riesenkamelien, reiften Oliven und Datteln und blieb so viel Grün übrig, um ein paar Kühe und Schafe zu nähren. Wo man das Wasser hinleitete, wuchs sogar wilder Weizen, und so hatte das Herz alles, was es ersehnte: Wasser, Mehlfladen, Datteln, Kamelmilch, Olivenöl. Allah hatte ein Paradies geschenkt.

Aber dieses Paradies fiel in Menschenhand. Es wurde vor einigen Jahren durch ein Militärflugzeug entdeckt, das vom Kurs abgekommen war und über der Wüste herumirrte, bis die Radarverbindung wieder klappte. Bisher kannten nur wenige Nomaden die Oase Bir Assi, diesen grünen Klecks auf dem sandgelben Teppich. Und genau dreiundvierzig Einwohner kannten sie; Bauern, die von Karawanen abgesprungen waren, um diese Insel im Sandmeer als ihr Reich zu gründen. Um so größer waren Erstaunen und Entsetzen, als vor zwei Jahren drei Hubschrauber außerhalb der Palmengürtel im Sand landeten und sogar ein General durch die Gärten ging, in die Hütten guckte, das Wasser untersuchen ließ und schließlich sagte: »Da hat Allah ein gutes Werk getan! Bir Assi wird Sperrgebiet!«

Was dann geschah, war ein neues Wunder. Es entstanden langgestreckte Gebäude aus richtigen Steinen, die alle per Flugzeug in die Oase geflogen wurden, Glasfenster, Jalousien, eine Trafostation, benzingetriebene Akkumulatoren und Turbinen. Ein Schwimmbad wurde in die Erde gegraben. Kleine Villen reihten sich darum. Eine Kompanie Soldaten bekam eine ganze Kaserne hingesetzt. Wasserfachleute bauten Kanäle und bewässerten neues Land, schlossen Pumpen an die Quelle und saugten das Lebensnaß aus dem Schoß der glühenden Erde. Eine Plantage blühte auf, ein Sendemast wurde errichtet, mit Flugzeugen kamen wertvolle Instrumente heran. Tag und Nacht summten die Hubschrauber wie Riesenhornissen über die Oase und luden aus.

Nach zwei Jahren war Bir Assi viermal so groß wie damals, als der erste Bauer seine Karawane verließ und sich

27

aus Palmenblättern das erste Haus baute. Jetzt wohnten fast zweitausend Menschen unter den Palmen und draußen in der unter der Sonne dampfenden Kaserne. Es waren fast nur Männer, und da ein Orientale ohne eine Frau nicht leben kann, wurde zwischen Kaserne und Oase noch ein langgestrecktes Haus gebaut mit einem schönen Innenhof und vielen, kleinen, von Vorhängen verschlossenen Zimmern. In ihnen wohnten Mädchen aus Nubien und dem Sudan, schlanke Weibchen aus Abessinien und dralle Katzen aus der Südprovinz, rehhafte Tschadmädchen und hochbeinige Kassa-Schöne. Wenn die Wüstennacht kam, wurden Zimbeln und Trommeln geschlagen, klagte die Flöte zu den Sternen und tanzten die Mädchen mit wiegenden Hüften und stampfenden Beinen. Und in den kleinen Zimmern rund um den Innenhof wurde die Liebe gekauft wie ein Liter Öl oder zwei Handvoll Datteln.

Die Oase Bir Assi lebte wie ein Geschwür. Aber es wurde nicht ausgedrückt, sondern gepflegt und behütet, abgeschirmt und abgesperrt. Und auf allen Karten vergessen. Dort, wo zweitausend Männer und vierzig Mädchen lebten, war nur ein gelber Fleck. Wüste. Sand. Einsamkeit. Urwelt. Glühende Sonne. Durst. Ein Todesstreifen.

Hier landeten, mit zwei Hubschraubern von Assiut kommend, Alf Brockmann, Lore Hollerau, Jussuf, Faruk, General Yarib Assban und drei andere Offiziere.

Es war alles, wie man versprochen hatte. Das Schwimmbad war da, die Villen standen darum, die Forschungsstätten waren mit den modernsten Apparaten eingerichtet, es gab sogar einen unterirdischen und einen überirdischen Raketenmeß- und Treibsatzentzündungsstand, eine Wetterstation, eine Präzisionswerkstatt zum Drehen feinster Kontrollinstrumente.

Sprachlos sah sich Alf Brockmann um, als General Assban ihn durch die Hallen und Werkstätten führte und er schließlich an seinem Arbeitsplatz stand, dem Chefbüro im Konstruktionsbungalow.

»Ich bin überwältigt, General«, sagte Brockmann ehrlich. »Das alles mitten in der Wüste. Und wie ich sehe, bekannte Gesichter im Mitarbeiterstab.«

»Wie Sie, Sir, eingeflogen aus Kairo und den anderen Instituten. Wir dienen alle der einen Sache: dem Fortschritt. Es werden in den nächsten Monaten noch andere Landsleute von Ihnen nach Bir Assi kommen, Fachleute aus den früheren Forschungsanstalten in Peenemünde und Rechlin. Sie werden nicht einsam sein, Sir.«

»Und meine Frau?«

»Wird so schnell wie möglich herübergeholt. Ich verspreche es Ihnen mit meinem Ehrenwort.«

»Ich danke Ihnen, General.«

Die erste Nacht in Bir Assi, in einem anderen Bett, in einer nur von ihm allein bewohnten Villa, in der völligen Stille einer anscheinend toten Wüste, war für Alf Brockmann wie ein Alptraum. Er zog sich nach drei Stunden Herumwälzen unter dem sich leise surrend drehenden Ventilator wieder an, hängte sich eine wollene, arabische Dschellaba um die Schultern und verließ das Haus.

Wie überall in der Wüste war die Nacht kalt, während im Inneren des Hauses die Wände die gespeicherte Wärme abgaben und es unerträglich schwül war. Der Sternenhimmel flimmerte millionenfach, und wieder sagte sich Brockmann, daß der Himmel nirgendwo so schön sei wie in der Nacht über der Sahara.

Langsam ging er um das große Schwimmbecken herum und verließ den Villenbezirk, schritt die neue Straße hinab zum Eingeborenenbrunnen und beugte sich über die Sonnen- und Wasseruhr, mit der peinlich genau, nach jahrhundertealtem Ritus, die Wasserverteilung auf die einzelnen Kanäle und Gärten geregelt wurde.

Etwas außerhalb der weißen, durch elektrische, hohe Zäune gesicherten Laborbauten setzte er sich auf einen Stapel Palmenholz und blickte hinüber zu den Kasernen und dem jetzt auch schlafenden Dirnenhaus. Er schrak zusammen, als ihn eine weiche Hand berührte. Vorher hatte er nichts gehört, keinen Schritt, kein Knirschen im Sand, nicht einen Hauch von Nähe. Er fuhr herum und sah in ein lächelndes, bezaubernd schönes Mädchengesicht. Die Lippen leuchteten rot, die schwarzen Augen blitzten, und die langen, schwarzen Haare hatte sie mit zwei roten Schleifen gebunden. Trotzdem flossen sie über ihre Schultern und reichten bis zu den Kniekehlen. Die Haut war bronzefarben mit einem Braunstich, der Körper schlank und doch voll ausgeprägter Formen. Sie ging barfuß und trug ein weißes, enges Kleid, ein billiges Fähnchen, das gerade von der Schulter bis etwas oberhalb der Knie das Nötigste verbarg. Sie war keine Nomadin, das sah Brockmann sofort. Sie mußte aus Arabien kommen oder aus dem Sudan. War letzteres der Fall, hatte sie sogar weißes Blut in sich. Ihre Haut war zu braun und verleugnete das südliche Schwarz.

Sie setzte sich neben Brockmann auf den Holzstapel und legte den Kopf etwas zur Seite, so wie man einen fremden, aber interessierenden Gegenstand kritisch betrachtet. Und sie schwieg.

»Wer bist du?« fragte Alf Brockmann auf englisch, in der Hoffnung, sie könne ihn verstehen. Das Mädchen nickte.

»Ich bin Aisha«, sagte sie mit einer melodischen, singenden Stimme. »Ich wohne dort!« Sie zeigte auf das langgestreckte Freudenhaus. Brockmann lächelte zurück.

»Du bist nicht aus der Wüste?«

»Nein. Ich komme aus Jordanien.«

»Ach. Und was machst du in Bir Assi?« Brockmann lachte leise. »Dumme Frage, Aisha, nicht wahr? Du wohnst also dort drüben. Hast du früher in Kairo gearbeitet?«

»Ja —« Es klang zögernd. Aisha senkte die Augen und sah auf ihre schlanken Finger. »Ich muß Geld verdienen. Viel Geld. Mein Vater hat Schulden gemacht, sie haben uns alles genommen. Ich habe noch sechs kleine Geschwister, für sie arbeite ich hier. Hier kann man viel verdienen, weißt du. Täte ich etwas anderes, müßten meine Geschwister verhungern.« Sie erzählte es stockend, so, als solle Brockmann merken, daß sie log. Aber er glaubte ihr. Er machte sich nicht die Mühe, ihren Worten nachzusinnen. Armes Ding, dachte er. Aber so ist der Orient. Ein jeder sorge für sich selbst, dann ist Allah bei ihm. Das Faule und Kranke verdirbt — beim Obst ist es so, bei den Tieren und auch bei den Menschen. Und es ist alles Handelsware . . . ein Korb voll Granatäpfel, eine Hammelkeule oder ein Mädchenleib. Allah ist bei den Tüchtigen.

»Und was machst du hier?« Brockmann sah Aisha fragend an. Ihre Schönheit war verwirrend, aber hinter diesem Glanz von Jugend und Körperlichkeit stand die abwehrende Faust! Sie kommt aus dem »großen Haus«. »Du weißt doch, daß der Europäerbezirk gesperrt ist für euch.«

»Ich konnte nicht schlafen. Und du?« Aisha lehnte den Kopf zurück. Ihr roter Mund war wie eine gespaltene Granatfrucht. »Wie heißt du?«

»Alf Brockmann.«

»Ein lustiger Name. Olf-Oulf Brouckman . . .«

»Alf Brockmann.«

»Ich werde ihn nie behalten.« Aisha lachte leise. Ihr Oberkörper wiegte sich dabei wie nach einer unhörbaren Melodie. »Wo kommst du her?«

»Aus Deutschland.«

»Wo liegt das?«

»Hoch oben im Norden. Da, wo im Winter die Störche herkommen zu euch.«

»Wo es weißen Regen gibt?«

»Ja.« Brockmann lächelte versonnen. »Weißer Regen . . . das hast du schön gesagt, Aisha.«

»Ich habe davon gehört. Von Soldaten, und die haben es auch nur gelesen. Ist es schön dort im Norden?«

»Sehr schön.«

»Schöner als hier?«

»Manchmal auch.«

»Und du hast dort ein Mädchen?«

»Ich habe eine Frau und einen kleinen Jungen, fünf Jahre alt.« Brockmann sah Aishas Augen nahe vor sich. Sein Atem wurde schwerer, und er wandte den Kopf zurück. »Sie werden bald hierher nach Bir Assi kommen.«

»Eine blonde Frau, nicht wahr? Blond wie du.«

»Ja. Blond wie leuchtendes Gold.«

»Du liebst sie?«

»Sehr.«

Aisha erhob sich von dem Holzstoß und reichte Brockmann ihre schmale Hand. »Gute Nacht, Oulf«, sagte sie leise. »Als ich dich allein in der Nacht sitzen sah, dachte ich: Dort ist einer so einsam wie du. Aber ich habe mich geirrt . . . du hast immer deine Frau bei dir, deine schöne, blonde Frau. Du trägst sie immer mit dir herum, im Herzen. Es muß schön sein, Oulf, wenn man so geliebt wird . . . und nicht nur für ein Silberstück. Gute Nacht.«

»Gute Nacht, Aisha.« Alf Brockmann sprang auf. »Eine Frage noch: Willst du aus dem ›großen Haus‹ heraus?«

»Zu gerne. Aber wohin? Ich muß Geld verdienen, Oulf.«

»Ich werde mit dem General sprechen. Ich zahle dir die Woche fünf Pfund, wenn du zu mir als Wirtschafterin kommst.«

»Fünf Pfund, Oulf?« Aishas Lächeln wurde tief und selig. »Vergiß deine Frau nicht, Oulf . . . ihr goldenes Haar —«

Alf schüttelte den Kopf. »Ich will nur, daß dir geholfen wird. Ich habe noch kein Personal im Haus, ich wohne erst seit heute hier. Willst du kommen?«

»Wenn es erlaubt wird, Oulf.«

»Ich werde es versuchen. Kommst du morgen wieder hierher?«

»Nein. Erst in einer Woche. Ich habe drüben Küchendienst. Es ist alles wie in den Kasernen, nur daß wir Mädchen sind.«

»Dann in einer Woche, Aisha. Hier am Holzstapel.«

»Ja, Oulf. In einer Woche. Allah segne dich.«

Alf Brockmann sah ihr nach, wie sie lautlos, als schwebe sie, zwischen den Palmen wegglitt und im Gewirr der Gartenmauern und Hütten des Eingeborenenviertels verschwand. Es war, als löse sich Ihre zarte Gestalt zwischen Sand und Sternenhimmel auf.

An der Tür einer alten Hütte, die noch mit Palmblättern gedeckt war wie zu der ersten Siedlerzeit, blieb Aisha stehen wie ein sicherndes Wild. Sie wartete im Schatten der Gartenmauern über eine halbe Stunde. Dann erst betrat sie durch das schiefe Holztor das Haus und kam in einen großen Raum, der völlig leer war und nach Schafmist stank. Aus einer Ecke, unter altem Gerümpel, holte sie eine Kerze hervor, brannte sie mit einem Streichholz an und wühlte aus einem Haufen faulenden, stinkenden Heus einen kleinen Metallkasten. Sie klappte ihn auf, zog eine Antenne heraus und drehte an einigen kleinen Knöpfen. Einen winzigen Kopfhörer steckte sie sich ins rechte Ohr und suchte durch millimeterweises Drehen der Knöpfe die Frequenz.

Nach einigen Minuten tickte es in ihrem Kopfhörer. Ganz leise, weit weg, kaum verständlich.

»Gamma eins — Gamma eins — Gamma eins —«

Aisha, das Mädchen aus dem »großen Haus«, drückte einen Hebel in dem Kasten herum. Eine Morsetaste wurde sichtbar.

»Hier Gamma eins«, tippte sie. »Gamma eins ... Gamma eins ... Auftrag läuft an ... Er heißt Alf Brockmann, ist Deutscher und verheiratet, mit einem Kind ... Frau soll nachkommen ... Gehe zu ihm als Wirtschafterin ... Gamma eis ... Gamma eins ... Gamma eins ... Ende ...«

Dann saß sie im Dunkeln, nachdem sie alles wieder versteckt hatte, und starrte in die völlige Schwärze der Nacht.

Er ist ein lieber Mensch, dachte Aisha. Es wird mir schwerfallen, ihn zu verraten. Aber ich werde es tun, denn ich hasse seine goldhaarige Frau, ohne sie zu kennen. Ich hasse sie, weil sie seine Frau sein kann.

Sie legte sich zurück in das Heu und dachte daran, wie zärtlich ein Mann sein könnte, der Oulf hieß und helle, blaue Augen hatte.

Vier Tage später landete unverhofft General Yarib Assban in Bir Assi. Er kam völlig unplanmäßig und unangemeldet. Alf Brockmann arbeitete gerade in der Treibsatzversuchsstation, wo ägyptische Techniker einen neuen Prüfstand zu bauen begannen.

»Welche Überraschung!« rief Alf und kam Assban mit ausgestreckten Händen entgegen. »Ich wollte Ihnen schon schreiben. Ich habe ein Anliegen. Nichts Geschäftliches, nein, ein privates Anliegen. Sie werden mich nachher groß anstarren und sich wer weiß was denken, aber — das im voraus — so ist es nicht.«

General Assban zog das Kinn an und sah Brockmann lange und wie forschend an. Dann sagte er mit gepreßter Stimme: »Sir, ich muß Sie allein sprechen. Am besten in Ihrem Haus. Können wir gehen?«

»Aber ja, General. Und so ernst? Sagen Sie bloß, mein neuer Antrag, Frau und Kind nachkommen zu lassen, ist wieder abgelehnt.« Brockmann blieb stehen. »General«, sagte er ernst, »dann allerdings werde ich bösartig, ganz gleich, was für Folgen es hat. Ich habe jetzt ein Jahr lang Frau und Kind nicht mehr gesehen. Ich mache das nicht mehr länger mit.«

»Um Ihre Gattin handelt es sich.«

General Yarib Assban winkte ab. »Zu Hause, Sir. Nicht auf der Straße.«

In der kleinen Villa am Schwimmbecken ließ sich Assban in einen Korbsessel fallen und holte ein Schreiben aus der Brieftasche. Alf Brockmann spürte, daß etwas Gefahrvolles auf ihn zukam. Die Feierlichkeit Assbans war alarmierend.

»So reden Sie doch schon, General!« rief er.

»Es ist ein trauriger Anlaß, der mich nach Bir Assi führt, Sir. Wir haben gestern ein Telegramm aus Deutschland bekommen, aus Lübeck. Sofort nach Erhalt haben wir durch unseren Generalkonsul die Wahrheit nachprüfen lassen. Sie stimmt leider.« General Assban erhob sich feierlich. »Im Namen meiner Regierung versichere ich Ihnen unser herzinnigstes Beileid.«

»Beileid . . .?« stammelte Alf Brockmann. Er spürte, wie Blei in seine Glieder rann.

»Bei einem Verkehrsunfall ist gestern Ihre von uns allen verehrte Gattin ums Leben gekommen.« General Assban hielt ein Telegrammformular vor Brockmann hin. »Hier unser Kabel aus Hamburg. Das Generalkonsulat bestätigt es.«

»Birgit . . . Verkehrsunfall . . . tot . . .« Brockmann wischte sich über die Augen, aber das Flimmern blieb. Kreise und Punkte und tanzende rote und gelbe Flecken vor den Augen.

»Das ist doch nicht wahr. Das kann doch nicht . . .« Und plötzlich schrie er mit greller Stimme: »Das ist doch nicht wahr?! Birgit! Sie ist nicht tot. Nein, nein, nein!«

General Yarib Assban ließ das Telegramm sinken. »Haltung, Sir«, sagte er mit schwankender Stimme. »Die Wege Allahs sind unerforschlich. Ich empfinde Ihren Schmerz als meinen Schmerz.«

»Birgit — tot —« sagte Alf Brockmann mit ertrinkender Stimme. »Ich bin kein Held, General . . . verzeihen Sie.«

Er wandte sich um, lehnte die Stirn gegen die Wand und weinte.

Leise verließ General Assban das Zimmer.

Nach einer halben Stunde trat Alf Brockmann aus dem Haus. Sein Gesicht war versteinert. General Assban saß auf der Terrasse in einem Korbsessel und rauchte still.

»Wann kann ich fliegen?« fragte Brockmann.

»Fliegen?« Assban wippte mit der Reitgerte.

»Zur Beerdigung.«

»Es wird nicht möglich sein.«

Brockmann lehnte sich gegen die getünchte Wand. »Sie werden mich doch wohl nicht zurückhalten wollen, meiner Frau das letzte Geleit zu geben, General?«

»Die politische Lage, Sir!«

»Ihre politische Lage kümmert mich einen Dreck!« schrie Brockmann. »Meine Frau ist tot, und ich will sie zu Grabe tragen. Ich muß mich um meinen kleinen Jungen kümmern, ich werde den Haushalt in Deutschland auflösen und . . .«

»Später, Sir, später. In einigen Wochen. Jetzt ist es unmöglich. Um Ihren Sohn wird sich die Großmutter kümmern, Ihre verehrte Gattin wird den Weg zu Gott ohne Ihre Hilfe finden müssen. Wir können Sie nicht weglassen. Und Sie wissen genau, warum. Ägypten kann es sich nicht leisten, jahrelange erfolgreiche Forschungen durch solche absolut menschlichen Schicksale auf das Spiel zu setzen. Sie wissen, daß Agentengruppen unterwegs sind, um unser Raketenprogramm zu stören. Mit allen Mitteln — und wenn es Ihr Leben ist, Sir. Ihr Leben aber ist uns wertvoller als der Kranz, den Sie am Grabe Ihrer Gattin niederlegen.«

Alf Brockmann sah über die im Wüstensand wippenden Palmen. Die runde Kuppel der kleinen Moschee blendete in der Sonne. Kindergeschrei wehte zu ihm, das helle Aufkreischen eines Lastesels, Stimmengewirr jenseits der hohen Mauer, die das Villenviertel abschloß von der Oasenstraße.

Birgit. Lange, blonde Haare. Die Segelbootfahrt vor Grömitz. Der Wind trieb sie über die spiegelnde, glatte Ostsee. Am Abend Tanz im Seehotel. Vor der Tür der Pension, in der sie wohnte, der erste schüchterne Kuß. »Ich weiß nicht, ob ich morgen kommen kann«, sagte sie zum Abschied. Aber sie kam doch. Drei herrliche Wochen im warmen Sand, unter blauem Himmel, am Rande eines golden überhauchten Meeres. Dann die Verlobung, die

Hochzeit, das unfaßbare Glück in einer kleinen, eigenen Welt. Die Geburt von Detlef-Jörg. O Gott, wie einmalig herrlich ist das Leben! O Gott, Glück ist wie ein Gebet, man kann in ihm versinken.

Vorbei. Alles vorbei. Ein Unglücksfall. Ein Auto schleuderte, warf sie gegen eine Hauswad und zerquetschte sie. Und in Sekundenschnelle zerbarst ein Paradies.

»Ich werde hier in meinem Haus in Streik treten, General, wenn Sie mich nicht sofort nach Deutschland fliegen lassen«, sagte Alf Brockmann heiser. »Ihre Regierung ist sonst nicht so phantasielos. Stellen Sie mir einen falschen Paß aus, lassen Sie mich in einem Koffer als Diplomatengepäck reisen, erfinden Sie irgend etwas . . . aber schaffen Sie mich nach Lübeck.«

»An die Möglichkeit eines Streiks haben wir gedacht, Sir.« Assban zerdrückte seine Zigarette. »Von anderen Maßnahmen abgesehen, können wir entgegnen, daß wir Ihren kleinen Sohn nicht herüberholen.«

»Das ist eine gemeine Erpressung.«

»Sir, denken wir doch nüchtern.« General Assban erhob sich und ging auf der überdachten Terrasse hin und her. »Für eine Stunde Pietät die Sicherheit unserer Nation aufs Spiel zu setzen — das ist keine Relation. Wir möchten Sie bitten, uns und Ihrer Arbeit dieses Opfer zu bringen und in Bir Assi zu bleiben.«

»Und meinen Sohn?«

»Holen wir herüber.«

Alf Brockmann trat vor und hielt sich am Geländer fest. Er sah in das blaue Wasser des Schwimmbeckens. Sie schwamm so gerne, dachte er. Dort von dem Startblock wäre sie mit einem Kopfsprung ins Wasser geglitten. Wie ein silberner Fisch konnte sie tauchen, ein Pfeil, der durchs Wasser glitt, und wenn sie auftauchte, lachte sie hell und schüttelte das nasse, goldene Haar. »General!«

»Sir?«

»Ich möchte meine Frau bei mir haben. Veranlassen Sie

eine Überführung.« General Yarib Assban schwieg. Dann klemmte er die Reitgerte wieder nach englischer Art unter die Achsel. »Es wird nur möglich sein, nach einer Einäscherung die Urne nach Bir Assi bringen zu lassen, Sir.«

»Sie versprechen mir, daß dies möglich ist?«

»Mit meinem Ehrenwort, Sir.«

»Ich danke Ihnen, General.« Alf Brockmann senkte den Kopf. Er ging vor und ließ die Tür zum Inneren des Hauses offen. Assban folgte ihm und öffnete im Wohnzimmer den holzverkleideten Eisschrank.

»Sie sollten jetzt etwas trinken, Sir«, sagte er.

»Danke, General.« Brockmann sah auf seine gefalteten Hände. »Wann könnte die Urne hier sein?«

»In zehn Tagen vielleicht. Ich werde sie mit dem Kurierdienst der Botschaft überbringen lassen.«

»In zehn Tagen. Wie schnell es jetzt geht.« Er schlug die Hände vor die Augen und beugte sich weit vor. »Und so sehen wir uns wieder, Birgit . . .«

3

Fünfmal hatte Birgit nach Ägypten geschrieben. An die Deckadresse, wie seit einem Jahr. Herrn Alf Brockmann, Kairo I, Postbox 176.

Dreißigmal, jeden Morgen, stand sie hinter der Gardine und starrte auf die Straße, über die der Briefträger kam.

Fährt er vorbei? Hält er? Läutet er?

Nein, er verlangsamt nicht die Fahrt. Vorbei. Wieder ein Tag ohne Nachricht.

Oder! Er bremst. Er kommt über den Vorgartenweg zur Tür. Er läutet! Alf! Alf! Alf! Endlich, endlich. Mein lieber, lieber Alf.

Aber es ist nur ein Brief von Tante Martha. Oder eine

Reklame. »Die gutangezogene Dame läßt bei Hembrecht arbeiten.« Oder eine Postwurfsendung. »In vierzehn Tagen nehmen Sie durch Ruckzuck zehn Pfund ab. Ruckzuck ist ungefährlich. Die Kurpackung nur 49 DM.«

Aber kein Brief aus Ägypten. Keine Marke mit den Pyramiden oder den breitsegeligen Dhaus auf dem Nil. Kein vorheriges Lächeln des Briefträgers. »Die Marken, Frau Brockmann. Mein Junge sammelt Briefmarken, und wenn Sie sie nicht gebrauchen können . . . ich weiche sie selbst ab, das Kuvert . . .«

Nichts. Dreißigmal nichts.

Und dann ihre Briefe. »Warum schweigst du, Alf? Bist du krank? Gestern habe ich mit der Botschaft telefoniert. Sie sagen, daß nun alles läuft. Sie machen mir große Hoffnungen. Bitte, bitte, schreib nur ein paar Worte, nur eine Karte, und wenn nur Birgit daraufsteht. Aber ich weiß, daß du lebst. Bitte, bitte Alf!«

An einem Vormittag — Berta Koller war nach Lübeck gefahren, um sich ein Kostüm zu kaufen, es war der 3. im Monat und sie hatte ihre Pension bekommen — klingelte es. Instinktiv sah Birgit auf die Uhr. Nein, kein Briefträger. Der kam erst in einer Stunde. Aber vielleicht ein Eilbotenbrief?

Sie warf das Staubtuch hin, mit dem sie gerade die Möbel abgewischt hatte, und rannte zur Haustür.

Auf der Straße, das sah sie durch das Dielenfenster zwischen den Blumen hindurch, parkte ein großer weißer, ausländischer Wagen. Ein amerikanisches Modell. Vor der Tür wartete in einem dunklen Anzug ein Mann mit hellbrauner Gesichtsfarbe und einem dünnen, schwarzen Schnurrbart.

»Bitte?« sagte Birgit Brockmann, als sie die Tür aufriß. Ihr Herz pochte wild. Die Botschaft, dachte sie sofort. Er kommt von der Botschaft. Es geht um meine Einreise. Nun ist es soweit, nun kommt alles so plötzlich, daß man schwindelig wird. Taumelig vor Glück.

»Bitte!« wiederholte sie. »Treten Sie näher.« Sie hörte

einen Namen, den sie nicht verstand und auch nicht behielt, sie roch ein herbes Herrenparfüm und folgte dem Mann, der fast lautlos vor ihr herging, ins Zimmer. Dort blieb er stehen und sah Birgit etwas melancholisch aus großen, runden, dunkelbraunen Augen an.

»Sie . . . Sie kommen wegen meines Antrages?« fragte sie tapfer, als der Besucher noch nach einigen Sekunden schwieg und sie nur traurig wie ein Hund ansah.

»Nein, Madame.« Der Besucher sprach eine Mischung von Deutsch und Französisch mit englischem Tonfall. Es klang eigenartig und irgendwie faszinierend. »Ich komme vom Ambassadeur, Madame. Eine Nachricht. Eine sehr böse Nachricht . . .«

»Böse?« Birgit Brockmann setzte sich schnell auf den nächsten Stuhl. Ihre Beine zitterten auf einmal heftig. »Wieder abgelehnt? Aber warum denn? Wir, Detlef-Jörg und ich, sind gesund. Wir haben alle Formalitäten erfüllt, wir sind bereits geimpft.«

»Ihr Mann —«, sagte der Besucher.

Eine dunkle, schwere Wolke senkte sich über sie. Die Sonne vor dem Fenster erlosch, die Luft vereiste, sie fror, wie in einem Eisblock eingeschlossen.

»Was ist mit Alf?« fragte sie mühsam.

»Er ist tot, Madame.«

»Tot?« wiederholte sie hohl, als habe sie das Wort noch nie gehört, als gäbe es dieses Wort überhaupt nicht.

»Ja, tot, Madame.«

Stille. Lange Stille.

Eine große Scheibe begann zu kreisen, durchs Zimmer, rot und golden und grün und orange. Die Sonne fällt vom Himmel. Die Welt geht unter. Es wird Nacht, ewige Nacht. Wir erfrieren alle. Alle. Auch Jörgi. O Jörgi. Jörgi, wo bist du? Komm her, Jörgi. Laß uns zusammen sterben. Dein Papa ist tot. Und jetzt explodiert die Sonne. Wie die Fetzen fliegen. Alles ist rot. Rot wie Blut. Die ganze Welt blutet aus. Oh, Jörgi . . . dein Papa —

Sie wachte auf und lag auf der Couch. Der fremde Besucher hatte ein Handtuch geholt, mit Wasser getränkt und es ihr auf die Stirn gelegt. Ein Küchenhandtuch, rotweiß gestreift. Durch das offene Fenster hörte sie Jörgis Stimme. Er schrie »Hau-ruck! Hau-ruck!« und spielte mit einem Freund Tauziehen.

»Bleiben Sie ruhig liegen, Madame«, sagte der Fremde. »Atmen Sie tief. Ganz tief . . .«

Birgit Brockmann schloß wieder die Augen. Die Welt war nicht untergegangen, sie bestand weiter. Die Sonne schien weiter, auf dem Kanal hörte sie das Rauschen der Lastkähne, irgendwo in der Ferne hupte ein Auto. Das Leben war nicht ausgelöscht. Und doch war alles anders. Eine fremde Welt war um sie. Eine grenzenlose Verlassenheit. Eine bedrängende Einsamkeit.

»Wann?« fragte sie. Es klang, als hauche sie in eine riesige Röhre.

»Vor drei Tagen, Madame.« Der Besucher, dessen Namen Birgit nicht behielt, setzte sich neben sie auf die Couch. »Vom Ministerium in Kairo kam die Nachricht zur Botschaft und von dort zu uns ins Generalkonsulat. Ich bin sofort zu Ihnen gefahren.«

»Sie kommen aus Hamburg?«

»Ja, Madame.«

»Und wie? Wie ist es geschehen?«

»Ein dummer Unglücksfall. Ein Lastwagen setzte zurück, um zu wenden. Der Fahrer sah im Rückspiegel nicht den Herrn Doktor; er stand in einem toten Winkel. Er wurde umgestoßen, fiel unter das linke Hinterrad und — Madame, wir haben alles versucht in der Klinik, glauben Sie mir.«

Birgit Brockmann schloß wieder die Augen. Vor drei Tagen. Aber vorher hat er wochenlang nicht mehr geschrieben. Warum? Durfte er nicht? Wollte er nicht? Und ihre Briefe? Fünf Stück, flehentlich, bettelnd? Alf, nur ein Wort. Ein einziges Wort. Und er schwieg. Und jetzt war er tot. Lag in einem Keller einer Kairoer Klinik. Das Rad eines Lastwagens. Über die Brust.

»Wir haben den Fahrer sofort verhaftet. Aber ihn trifft wirklich keine Schuld, Madame.«

Sie nickte. Dann nahm sie das Handtuch von der Stirn und schob die Beine mühsam von der Couch auf den Boden. Vor dem Fenster lachte Jörgi. Seine Ahnungslosigkeit brannte in ihr wie Feuer.

»Darf ich jetzt . . . jetzt endlich nach Kairo, um meinen Mann zu begraben?« fragte sie hart.

»Nein, Madame.« Der Besucher hob die Schultern, als sie herumfuhr und ihn anstarrte. »Es ist keine persönliche Angelegenheit, es ist die politische Lage.«

»Dann stelle ich den Antrag, daß mein Mann nach Deutschland überführt wird.«

»Daran ist gedacht worden, Madame. Die Urne wird . . .«

»Keine Urne. Ich will keine Asche, ich will meinen Mann!«

Der Besucher strich sich nachdenklich mit dem rechten Zeigefinger über das Bärtchen. Seine dunklen Augen musterten Birgit, und es war kein Ausdruck von Mitleid mehr in ihnen.

»Der Transport einer Leiche ist nach unseren Gesetzen verboten, Madame. Wir können die Urne schicken.«

»Nein. Ich möchte meinen Mann noch einmal sehen. Ich fliege morgen nach Kairo.«

»Man wird Sie auf dem Flugplatz internieren und mit der nächsten Maschine zurückschicken. Warum diese Schwierigkeiten, Madame? Ein Toter sieht nie schön aus.«

»Er war mein Mann!« schrie Birgit.

»Wir empfinden Ihren Schmerz auch mit. Bitte, beruhigen Sie sich, Madame.« Der Besucher verbeugte sich und ging rückwärts zur Tür. »Ich werde die Urne selbst überbringen. Sie wird mit Diplomatengepäck in den nächsten Tagen eintreffen.«

Als der Besucher gegangen war und der weiße amerikanische Wagen zwischen den Birken und dem Sonnenglast verschwand, stand sie am Fenster und sah hinaus auf den Kanal, den Garten und den Indianer spielenden Jörg.

Das Bewußtsein, plötzlich eine Witwe zu sein, so plötzlich wie ein Kurzschluß, war lähmend und angefüllt von einem bleischweren Unglauben. Es ist unmöglich. Es kann nicht wahr sein. Es ist alles nur eine Verwechslung. Alf lebt. So etwas gibt es ja gar nicht. Gedankenfetzen, die sich im Hirn festsetzten und wieder weggetrieben wurden durch neue Gedanken. Ein Lastwagen. Er setzt zurück. Alf steht im toten Winkel. Ein Stoß. Ein Fall. Ein dumpfer Aufschrei. Aus. Vorbei. So einfach ist das alles. So logisch. So schnell. Ja, fast so selbstverständlich.

Aber wer kann es glauben? Wer kann sich von einer Minute zur anderen daran gewöhnen, allein zu sein? Wer kann begreifen, daß der Tod eine grausame Wahrheit ist? Etwas Endgültiges? Etwas, das nicht zu ändern ist, wo sich alles auf der Welt verändert?

Sie hatte nicht die Kraft, Jörg ins Haus zu rufen. Was sollte sie sagen, wie sollte sie es sagen? Papi ist tot ... er würde es nicht begreifen. Was weiß ein fünfjähriges Kind, was tot ist? Papi ist ein Engel ... das würde er verstehen. Aber er würde nie erfassen, daß Papi nie mehr wiederkam.

Sie lehnte den Kopf gegen die Fensterwand und weinte still. Nach der ersten Erschütterung, nach der Starre des Begreifens kamen nun die Tränen.

Am Nachmittag erschien Konrad Gerrath. Er trug einen dunklen Anzug und eine schwarze Krawatte. Berta Koller hatte ihn angerufen. »Mein Schwiegersohn ist in Kairo tödlich verunglückt. Bitte, kommen Sie sofort. Reden Sie Birgit aus, daß sie nach Kairo fliegt. Sie ist fest dazu entschlossen. Und den Jungen will sie mitnehmen. Das ist doch Wahnsinn!«

Gerrath traf Birgit allein im Garten. Sie saß am Kanal und starrte mit leeren Augen über das Wasser.

»Es ist schrecklich, Birgit«, sagte er ohne alle Pathos und setzte sich neben sie ins Gras. »Aber man muß sich damit abfinden.«

»Ich werde es nie können, Konrad. Und ich glaube es auch noch nicht.« Sie blickte auf und schüttelte den Kopf. »Es ist alles so merkwürdig. Ich habe, je länger ich darüber nachdenke, immer weniger das Gefühl, allein zu sein. Ich bin fast sicher, daß er lebt.«

»Ihre Nerven haben in den letzten Stunden zuviel Belastungen gehabt, Birgit.« Gerrath nahm ihre Hand und streichelte sie. »Es geht uns allen so, wenn wir einen Menschen verlieren, den wir sehr lieben. Manchmal dauert es Wochen oder Monate, ehe man sich daran gewöhnt, daß er nicht wiederkommt. Man wartet immer auf ein Zeichen, auf seinen Schritt, auf seine Stimme. Bis man weiß: Es hat keinen Sinn mehr. Bis man den Tod akzeptiert. Darf ich Ihnen helfen, Birgit?«

»Ja. Helfen Sie mir, daß ich nach Ägypten komme.«

»Das dürfte so ziemlich ausgeschlossen sein.«

»Sehen Sie, Konrad, wie allein ich in Wirklichkeit bin?«

»Was wollen Sie in Ägypten, Birgit?«

»Alf suchen.«

»Mein Gott, er ist tot. Sie werden seine Urne bekommen.«

»Noch ist sie nicht hier.«

Aber sie kam.

Der weiße amerikanische Wagen des Generalkonsuls brachte sie. In einem schönen, hellbraunen Kamellederkoffer. Eine reich mit arabischen Zeichen verzierte, aus Kupfer getriebene Urne. Der Deckel war rundum verschweißt und die Schweißnaht als Schnurschmuck behämmert worden. Ein anderer ägyptischer Diplomat überbrachte noch einmal die Kondolenz der Botschaft, ließ sich einen Empfangsschein unterschreiben und legte auch den amtlichen Totenschein bei. Ein Papier in ägyptischer Sprache und Schrift, unterschrieben von einem Dr. Zaharedi.

Birgit Brockmann saß vor der Urne und starrte sie an.

Man hatte Detlef-Jörg ins Bett gebracht. Wer konnte ihm sagen, daß in dem schönen, blinkenden Kupfergefäß sein Vater war? Zwei Handvoll Asche als Überbleibsel von einem Menschen, der denken und lieben konnte, der zärtlich war und an die Zukunft glaubte, der träumen konnte und die Flugbahn einer Rakete von Kontinent zu Kontinent berechnete?

Birgit war allein. Berta Koller war schlafen gegangen, und Konrad Gerrath hatte sich verabschiedet, als er merkte, daß seine Gegenwart unerwünscht war. Seine Zeit kam noch, ja, die Zeit arbeitete für ihn. Jeder Schmerz weint sich einmal müde. Dann erfolgt die Neugeburt. Aus Stümpfen sprießen junge Triebe. Es brauchte nur Zeit und Geduld. Er nahm sich vor, beides für sich zu pachten.

Immer wieder sah sie auf den Totenschein und die Urne. Daß sie Alf gegenübersaß, daß dieses kupferne Gefäß keinen Sand, sondern den pulverisierten Körper ihres Mannes enthielt, daß daneben die amtliche Bestätigung seines Todes lag, kam ihr nicht einen Augenblick zum Bewußtsein. Sie wehrte sich dagegen, es zu glauben.

Sie nahm den Totenschein und überflog die arabischen Schriftzeichen. Sie sah Ornamente und Punkte und Kreise, kunstvoll verschlungene Gebilde, und dann, völlig fremd auf dieser Zaubertafel, das Wort Cairo, ein Datum und die Unterschrift Dr. Zaharedi.

Cairo, 14. Juli.

14. Juli?

Birgit Brockmann stutzte. Sie beugte sich herunter, nahm die Zeitung aus dem Zeitungsständer und sah auf das Datum.

20. August. Einen Irrtum gab es nicht. Heute war der 20. August.

Alf Brockmann war vor zehn Tagen gestorben. So hatte man es ihr gesagt. Seine Urne stand jetzt auf dem Tisch. Aber der Totenschein bewies, daß er bereits vor sieben

Wochen gestorben sein mußte. Vor sieben Wochen hatte in Kairo ein Arzt Dr. Zaharedi bestätigt, daß Alf Brockmann nicht mehr lebte.

Das Gefühl, in einer eisigen Halle zu sitzen, überfiel sie wieder. Sie umfaßte die Urne mit beiden Händen, und auch sie war kalt, glatt und feindlich.

Was ist die Wahrheit? dachte sie. Was verheimlicht man mir? Was ist in Kairo geschehen? Warum belügt man mich? Dieses Datum auf dem Totenschein ist kein Schreibfehler mehr, so sehr verrechnen kann man sich nicht. Wenn Alf gestorben ist, so war es am 14. Juli und nicht am 10. August.

Wenn . . . Sie stand auf und wollte, einer plötzlichen Eingebung folgend, ein Taxi rufen, um mit Urne und Sterbeurkunde zur Polizei zu fahren, als sie in der offenen Terrassentür zum Garten eine Gestalt stehen sah. Stumm, unbeweglich. Wie lange sie schon dort stand, wußte sie nicht, sie hatte mit dem Rücken zur Tür gesessen. Gegen den mondhellen Himmel hob sie sich scharf ab. Eine schmale, fast zierliche Gestalt. Ein Mädchen mit kurzen Haaren.

»Was . . . was wollen Sie hier?« stotterte Birgit Brockmann. Sie drückte die Urne an sich und spürte, wie sie zitterte. »Wo kommen Sie her? Ich . . . ich schreie um Hilfe.«

»Bitte nicht!« Die Stimme des Mädchens war dunkel. Ihre Worte sprach sie in einem singenden Tonfall. »Darf ich näher kommen?«

»Ja.«

Ein paar unhörbare Schritte. Sie kam in den Lichtkreis der Tischlampe. Ein junges, dunkelhaariges Mädchen, fremdländisch, hübsch, schlank, knabenhaft fast, in einem dunklen Kleid. Große Augen blickten auf Birgit Brockmann, die immer noch die Urne an sich gepreßt hielt.

»Ich heiße Zuraida«, sagte das Mädchen. »Bitte, haben Sie keine Angst. Wir sind Freunde.«

»Freunde?«

»Man hat Ihnen heute die Urne Ihres Mannes gebracht.« Zuraida setzte sich an den Tisch. Sie holte mit einem schnellen Griff den Totenschein zu sich und las ihn. »Ein seltener Tod. Jede Sanitätsstation hat heute Schlangenserum vorrätig.«

»Schlangengift?« stammelte Birgit. Die Urne wurde schwer wie ein Felsblock. Sie setzte das kupferne Gefäß ab und hatte immer noch das Gefühl, einen Berg wegzutragen.

»Hier steht es. Todesursache: Exitus durch Intoxikation eines Vipernbisses in die Beinschlagader.«

»Sie müssen sich irren«, stotterte Birgit.

»Ich lese Arabisch wie meine Muttersprache.« Zuraida schob den Totenschein von sich über den Tisch. »Was hat man Ihnen gesagt?«

»Ein Verkehrsunfall. Ein Lastwagen . . .« Birgits Stimme zerbrach. »Wer sind Sie denn?« fragte sie noch mühsam.

»Ich werde es Ihnen nachher ganz genau erklären.« Das Mädchen Zuraida stand auf und trat an die schöne kupferne Urne. Pietätlos nahm sie sie hoch und schüttelte sie. Im Inneren klapperte es. Mit einem Schrei hielt sich Birgit beide Ohren zu. Sie ließ die Hände erst sinken, als Zuraida die Urne zurückstellte auf den Tisch.

»Ich will Ihnen helfen«, sagte Zuraida. »Unsere Zeit ist grausam. Sie nimmt keine Rücksicht auf Liebe. Was ist ein Mensch? Er erfüllt einen bestimmten Zweck, und diesem Zweck wird er untergeordnet. Auch ich. Sie sind meine Freundin, weil Sie lieben. Ihr Mann aber ist unser Feind, weil er in einem Land arbeitet, das uns haßt und uns vernichten will. Und er macht es mit seinem Geist möglich, uns zu vernichten. Wir müssen uns wehren . . . nicht wie die Helden — das gibt es nicht mehr, dieses Heldentum unserer Schulbücher, sondern aus dem Dunkeln. Wollen Sie mir vertrauen?«

»Ich kenne Sie nicht, Fräulein . . .«

»Zuraida.« Das Mädchen lächelte. Ihre Augen glänzten wie polierter Onyx. »Ich komme aus Tel Aviv.«

»Und was . . . was wollen Sie von mir?«

»Ihnen helfen. Ich glaube nicht, daß Ihr Mann Alf tot ist.«

»Sie glauben nicht?« Birgit Brockmann stützte sich an der Wand ab. »Aber die Urne . . .«

»Haben Sie einen Hammer hier? Einen Meißel?«

»Was — was wollen Sie damit?« Sie fragte es und wußte genau, was geschehen sollte. Grauen sprang in ihre Augen.

»Den Deckel der Urne aufmeißeln.« Zuraida beugte sich über das kupferne Gefäß. »Sie ahnen nicht, wie grausam die Menschen sind.«

Mit starren Augen sah Birgit Brockmann zu, wie das Mädchen Zuraida die Urne wieder aufhob und sie erneut schüttelte. Jetzt hatte sie nicht mehr die Kraft, sich die Ohren zuzuhalten. Sie mußte das Klappern ertragen, das helle Trommeln von Knochen gegen die kupferne Wand.

»Es könnten Steine sein«, sagte Zuraida und legte ihr Ohr an die Urne. »Ganz einfach Steine und Wüstensand.«

»Nein . . .«, stammelte Birgit Brockmann. »Nein! Nein! Nein! Lassen Sie die Urne zu. Ich bitte Sie!«

Was jetzt folgte, waren die schrecklichsten Minuten im Leben Birgits. Zuraida verließ schnell das Zimmer durch die Terrassentür. Einen Moment durchzuckte Birgit der Gedanke, hinzuspringen und die Tür zu verriegeln. Der nächste Schritt war dann zum Telefon. Polizei! Hilfe! Was geht mich Tel Aviv an? Was Kairo? Was Raketen? Alf ist tot! Oder ist er nicht tot? Nur Alf will ich wiederhaben!

Aber der Weg zur Terrassentür führte an der Urne vorbei. Wie eine gepanzerte Faust stand sie zwischen Tür und Birgit. Und sie hatte nicht die Kraft, an ihr vorbeizugehen und die Tür zuzuschlagen.

Zuraida kam zurück. Sie hatte die Säge geholt, die im Gartenschuppen lag. Sie mußte sich genau auf dem Brockmannschen Grundstück auskennen, um im Dunkeln sofort eine Säge zu finden.

»Bitte nicht«, stotterte Birgit und hob flehend die Hände. »Bitte . . . wenn es kein Sand ist. Wenn keine Steine . . .«

Zuraida schüttelte den Kopf. Sie kantete die Urne, setzte die Säge auf die Lötnaht des Deckels und begann, die Urne aufzusägen. Das Kreischen der Sägezähne auf dem Metall zerriß fast Birgits Gehirn. Es war ihr, als hörte sie einen Menschen in gräßlichen Schmerzen schreien. Immer und immer wieder fuhren die Sägezähne in das Metall, die kurzen Haare Zuraidas verklebten sich mit Schweiß, ihr Atem hechelte wie bei einem gehetzten Hund.

Kreischen! Kreischen! Kreischen!

»Jetzt . . . gleich . . .«, keuchte Zuraida.

Noch ein Durchzug. Der getriebene Deckel schwankte. Zuraida warf die Säge weg, faßte mit beiden Händen in den Sägeschlitz und riß den Deckel von der Urne. Dann blies sie den Metallstaub vom Tisch und stülpte die Urne um.

Ein armseliges Häufchen graubraunen Staubs wölbte sich auf dem Tisch, als sie die Urne weghob. Zwischen dem Staub einige weißgelbe Teilchen, Stäbchen, Kügelchen. Wie der ausgeschüttete Inhalt eines Staubsaugers. Ein Haufen Asche.

Mit spitzen Fingern zerteilte Zuraida die Asche, nahm eines der weißen Stäbchen hoch, hielt es unter die Lampe, legte es zurück, scharrte die Asche zusammen und hielt die Urne an den Tischrand. Mit drei Handbewegungen hatte sie die Asche wieder hineingeschoben und stellte die Urne auf den Tisch zurück. Vorsichtig, als könne sie jetzt noch etwas zerbrechen, legte sie den abgesägten Deckel wieder auf.

»Was . . . was ist?« fragte Birgit Brockmann kaum hörbar. Sie kauerte in der Ecke wie eine getretene Katze.

Zuraida klopfte die Handflächen gegeneinander. Ihre

schönen, glänzenden Augen blickten ein wenig traurig. Auf dem Tisch lag noch etwas Asche und wurde von dem Windzug der Hände aufgewirbelt.

»Es ist ein Mensch«, sagte sie laut.

In der dunklen Zimmerecke fiel Birgit Brockmann ohnmächtig zu Boden.

Drei Tage lang erschien Alf Brockmann nicht in den Labors. Man hatte Verständnis dafür, Jussuf und Faruk, die beiden ägyptischen Wissenschaftler, kontrollierten den Bau des neuen Treibsatzerprobungsstandes. Brockmann saß während dieser drei Tage stumpfsinnig in seiner einsamen, schönen weißen Villa oder wanderte rund um das Schwimmbecken herum. Immer rundherum, in einem tötenden Gleichmaß, wie eine absurrende Maschine... fünfzehn Schritte, halbe Wendung. Und von neuem... stundenlang... immer rundherum. Arm auf dem Rücken, Blick auf die Steinplatten, mit verschleierten Augen, keine Antwort auf Fragen, keine Reaktionen auf einen Anruf. Nur gehen... gehen... gehen...

Am schlimmsten waren die Nächte. In der ersten Nacht lief er herum wie ein tollwütiger Tiger, hieb mit den Fäusten gegen die Mauern und brüllte: »Ihr Schweine! Ihr Schweine!«

In der zweiten Nacht war er ruhiger.

Lore Hollerau sorgte jetzt für ihn. Sie kochte, sie hielt die Villa mit zwei Fellachenmädchen sauber, sie brachte Alf Brockmann Kaffee oder geeisten Orangensaft, wenn er, vom Schweiß überströmt, tiefatmend am Beckenrand stand und seine Beine zitterten. Sie sprach ihn kaum an, aber als die zweite Nacht begann, blieb sie im Haus und legte sich neben Brockmann auf das Doppelbett.

Fast eine Stunde lagen sie stumm nebeneinander. Über ihnen kreiste noch der vierpropellerige Ventilator und wehte die Nachtkühle der Wüste zwischen die Hitze ausatmenden Mauern. Am Rande der Oase, zwischen den halb

50

vom wandernden Sand vergrabenen Palmen und Stein-
mauern, bellten heiser die Schakale. Niemand wußte, woher sie kamen und wie sie die einsame Oase Bir Assi gefunden hatten. Aber wo Leben in der Wüste entstand,
waren auch sie plötzlich da und mit ihnen die Geier. Die
Wüste ist sauber; es liegt kein faulender Müll herum.

»Bitte, gehen Sie nach Hause, Lore«, sagte Alf Brockmann nach einer Stunde. »Sie haben heute genug mit mir
zu ertragen gehabt.«

»Ich bleibe«, antwortete sie schlicht.

Schweigen.

Alf Brockmann wälzte sich aus dem Bett und trat an
das Fenster. Der Garten mit dem Schwimmbad lag im fahlen Mondschein. Am Rande des Beckens kauerte eine
dunkle, schmale Gestalt und strich mit den flachen Händen über das Wasser, als wolle sie es streicheln. Lange
schwarze Haare umhüllten den hockenden Körper wie mit
einem Schleier.

Aisha.

Alf Brockmann wandte sich in das Zimmer um. Er sah
schemenhaft die Gestalt Lore Holleraus auf dem weißen
Laken.

»Sie sind ein guter Kerl, Lore«, sagte er traurig. »Ich
danke Ihnen.«

»Ich habe Angst um Sie«, antwortete sie leise.

»Angst?«

»Man darf Sie jetzt nicht allein lassen. Sie wären dazu
fähig, eine Dummheit zu begehen.«

»Jetzt nicht mehr, Lore.« Brockmann schüttelte müde
den Kopf. »Am Tage, als Assban mir die Nachricht brachte, da war ich fast soweit, das Leben wegzuwerfen. Aber
dann dachte ich an Jörgi. Im letzten Moment. Ich hielt
schon die Pistole in der Hand. Und ich habe mir überlegt,
daß es mein Ziel sein sollte, zurück nach Deutschland zu
gehen und mich um mein Kind zu kümmern. Ich will meine Aufgaben hier abbrechen.«

»Weiß General Assban das schon?«

»Nein. Ich werde schriftlich um meine Entlassung bitten.«

»Und wenn sie uns nicht weglassen?«

Brockmann ging zur Tür. Am Schwimmbecken hatte Aisha die geflochtenen Sandalen ausgezogen und die Beine in das Wasser gesteckt. Sie ließ sie hin und her pendeln und hatte ein kindliches Vergnügen dabei.

»Wir sind keine Gefangenen, Lore«, sagte Brockmann.

»Aber ich habe das Gefühl, Chef, daß wir auch keine Freiheit mehr haben . . .«

Als Brockmann in den Garten trat, sah er Aisha nicht mehr am Beckenrand. Nur ein kleines Bündel Kleider lag zusammengeknüllt im Mondschein. Dafür schwamm wie schwarzer Tang ihr langes Haar durch das Wasser. Ab und zu blinkte eine nackte Schulter auf, zwei Arme, helle Fußsohlen . . . fast ohne Laut, wie eine schwimmende, durch das Wasser gleitende Schlange bewegte sich Aisha im Schwimmbecken.

Brockmann trat aus dem Schatten der Büsche. Aisha sah ihn, winkte unbefangen aus dem Wasser, schwamm mit schnellen Stößen zur Einstiegsleiter und kletterte aus dem Becken. Sie war nackt, und als der Mondschein über ihren nassen, braunen, herrlichen Körper fiel, war er wie aus frisch gegossener Bronze. Die langen Haare klebten an ihm und lösten ihre Nacktheit in Streifen auf. Wie eine getigerte Katze kam sie lautlos auf Brockmann zu und hielt ihm ungeniert ihre wassertriefende Hand hin.

»Guten Abend, Oulf.« Ihre samtweiche Stimme war wie ein Streicheln. »Du hast vergessen die arme Aisha? Es sind sieben Tage um.«

Brockmann nickte. »Es stimmt. Ich habe nicht mehr an dich gedacht, Aisha.«

»Aisha ist sehr traurig.« Sie setzte sich zu seinen Füßen auf die Beckeneinfassung und stützte den Kopf in beide Hände. Von ihrem nackten Körper lief das Wasser in kleinen Rinnsalen ins Becken zurück. Einen Griff weiter lagen ihre Kleider, aber sie zog sie nicht heran, sondern blieb entblößt, als sei das selbstverständlich. »Hast du mit General gesprochen?«

»Nein. Ich . . .« Brockmann wandte sich ab. Ihn irritierte die nackte Nähe des Mädchens. »Meine Frau ist tot«, sagte er heiser.

»Deine schöne, stolze Frau mit den goldenen Haaren?«

»Ja.«

»Allah wird sie liebhaben, wenn sie in den siebenten Himmel kommt.«

»Das hast du schön gesagt, Aisha.« Brockmann biß die Zähne zusammen. Das Gefühl, weinen zu müssen, stieg wieder in ihm hoch. Er zuckte zusammen, als Aishas nasse Hand sein Bein berührte.

»Jetzt brauchst du mich erst recht, Oulf«, sagte sie und streichelte seinen Fuß. Ihre Unterwürfigkeit, der Samtton ihrer Stimme, ihre kalte, nasse Hand, ihre nackte Nähe, diese Körperlichkeit zu seinen Füßen machte ihn unsicher. Aber sie war wie eine plötzlich heilende Medizin. Der fürchterliche innere Druck, der seit der Nachricht von Birgits Tod nicht mehr aus ihm gewichen war, verflüchtigte sich wie Gas, das einen Ausweg gefunden hatte. Der große Schmerz, der ihn lähmte, löste sich auf. Die Verzweiflung fiel von ihm ab, die Ausweglosigkeit, in der er glaubte, zu verharren; die völlige Hilflosigkeit gegenüber dem Schicksal; alles, was in den letzten beiden Tagen sein Herz wie mit Eisenklammern umschlossen hielt, wurde plötzlich gegenstandslos. Er wandte sich um und sah Aisha an und er sah auch ihre nackte Schönheit, ohne sich innerlich dagegen zu wehren.

Aisha verstand seinen Blick. Ihr ausgeprägter weiblicher Instinkt spürte es. Sie strich die Haare zurück von ihrem schlanken Körper und legte sie auf den Rücken. Über die festen Brüste glitt der Mondschein. Das nasse Braun ihrer Haut wirkte wie frisch gemalt.

»Hat dich jemand gesehen?« fragte Alf Brockmann.

»Nein, Ouluf. Ich bin über die Mauer geklettert. Ich weiß, daß niemand von uns hier herein darf. Aber in Bir Assi schläft schon alles.« Sie legte den Kopf in den Nakken. Als sie lachte und die Lippen ihre weißen Zähne freigaben, sprang etwas Raubtierhaftes von ihr zu Brockmann über. »Darf ich bei dir bleiben, Oulf? Morgen kommt General wieder. Du kannst es ihm gleich sagen.«

»Woher weißt du, daß General Assban morgen kommt?«

Aisha hob die schmalen Schultern. »Man spricht darüber drüben im ›großen Haus‹. Auch Offiziere kommen zu den Mädchen. Es wird so viel erzählt bei uns, Oulf.«

Brockmann nickte. Er wandte sich ab. Plötzlich war es ihm unerträglich, auf einen nackten, wunderschönen Körper sehen zu müssen, der für ein paar Silberstücke käuflich war. Jeder konnte ihn besitzen, wenn er das Geld auf den Tisch legte . . . vom ägyptischen Schuhputzer bis zum Kamelhändler, vom schwitzenden Wasserradtreter bis zum Fellachenbauern.

»Zieh dich an!« herrschte er Aisha an. »Und geh zurück ins ›große Haus‹. Ich lasse dich rufen, wenn es soweit ist.«

Aisha nahm ihre Kleider und rollte sie in ein baumwollenes, buntbedrucktes Tuch. Plötzlich ergriff sie Brockmanns Hand und küßte sie. Mit einem Ruck zog er sie zurück. Aisha taumelte und klammerte sich an ihm fest. Durch sein dünnes Hemd spürte er den Druck ihrer Brüste. Ihr schmales, glänzendes Gesicht, ihre schwarzen, glühenden Augen, ihre halbgeöffneten Lippen waren ihm ganz nah. Er spürte ihren Atem, roch ihr nasses Haar.

»Du bist böse, Oulf?« fragte sie leise. »Warum bist du böse mit Aisha?«

»Du sollst gehen!« rief Brockmann grob. »Man erwartet dich im ›großen Haus‹!«

»Oh, wie ungerecht du bist.« Aisha trat einen Schritt

54

zurück. Ihr Kopf sank nach vorne. Es war eine demütige, eine klägliche Haltung. »Ich werde nie wieder kommen, Oulf.«

»Gute Nacht!« Alf Brockmann wandte sich ab und ging ohne sich umzusehen ins Haus zurück. Im Vorraum traf er Lore Hollerau. Sie hatte ein Taschentuch zwischen den Fingern und zerriß es in kleine Fetzen.

»Wer war das, Chef?« fragte sie mit mühsamer Beherrschung. »Eine Eingeborene . . .«

»Ein Mädchen — Aisha.« Brockmann ging ins Schlafzimmer. Er sah aus dem Fenster. Aisha war verschwunden, wie ein Zaubervogel, der weitergeflogen war. »Sie will bei uns als Haushälterin anfangen.«

»Bei uns?«

»Ich hatte den Gedanken, daß Sie und ich uns das Mädchen teilen.«

»Nie! Nie!«

»Aber warum denn nicht, Lore? Sie kennen Aisha ja noch gar nicht.« Brockmann drehte sich um. Lore Hollerau stand in der Schlafzimmertür und warf die Taschentuchfetzen auf den Boden. Ihr Gesicht zuckte. »Ich habe gesehen, wie sie ist. Ich könnte nicht fünf Minuten mit ihr zusammensein.«

Brockmann legte sich seufzend zurück auf sein Bett und verschränkte die Arme hinter dem Kopf. Der Ventilator über ihm summte noch immer, die Propeller blitzten sekundenschnell auf, wenn ihre metallischen Flügel durch den Mondschein kreisten.

»Sie wird nicht zu uns kommen, Lore«, sagte er müde. »Ich weiß überhaupt nicht, wie alles noch werden soll. Im Augenblick bin ich müde, bin ich am Ende. Mir ist alles gleichgültig. Gute Nacht.«

»Gute Nacht, Chef.«

Lore Hollerau ging auf die Terrasse und setzte sich dort in einen der Korbsessel.

Ein Jahr lang arbeite ich mit ihm, dachte sie. Jeden Tag

sind wir zehn Stunden zusammen. Und wie viele Nächte saßen wir nebeneinander in den Labors. Immer war ich um ihn, näher als jeder andere, und nie hat er mich als eine Frau angesehen. Ich war sein Stenogrammblock, sein Diktiergerät, sein Termingedächtnis, seine dritte Hand. Ich war geschlechtslos für ihn. Er hat nie gefragt, was ich fühle. Er hat immer nur gesagt: ›Lore, vergessen Sie nicht . . . erinnern Sie mich daran . . . denken Sie an . . .‹ Ich war sein Ideenspeicher, weiter nichts.

Aber ein kleines, braunes Eingeborenenmädchen, das sieht er. Ein nacktes Tier. Aisha.

Lore Hollerau hielt den Atem an. Aus dem Fenster des Schlafzimmers hörte sie die tiefen Atemzüge Brockmanns. Da zog sie eine Decke um sich, wickelte sich hinein und blieb auf der Terrasse sitzen wie ein Wachhund.

Am Rande der Oase, zwischen den Kasernen und dem »großen Haus«, heulten noch immer die Schakale.

Es wurde eine kurze Nacht.

Gegen 3 Uhr früh erschütterte eine Explosion die Oase Bir Assi. Eine hohe Stichflamme zuckte in den Sternenhimmel, die Druckwelle der Explosion zerdrückte alle Fensterscheiben, der Boden schwankte, als schwämme die Oase wie ein Floß auf einem Meer, und dann erst hörte man das donnernde Einstürzen von Mauern und das vielstimmige Geschrei von Menschen.

Alf Brockmann fuhr hoch und rannte ans Fenster. Er schnitt sich die Fußsohlen an den Glassplittern auf, aber er spürte es nicht in der Aufregung. Auf der Terrasse schalte sich Lore Hollerau aus einem Gewirr von Decken und Korbmöbeln. Die Explosionswelle hatte sie umgeworfen.

»Das ist am neuen Meßstand!« schrie Brockmann. »Da muß ein Treibsatz vorzeitig hochgegangen sein. Um Himmels willen, die ganze Abteilung II kann ja in die Luft geflogen sein.«

Die Oase Bir Assi war ein einziges Geschrei. Von der

Straße her durch die Einfahrt lief der ägyptische Forscher Faruk in den Garten und rannte um das Schwimmbecken auf Brockmanns Haus zu.

»Sabotage!« brüllte er, als er Alf am Fenster stehen sah. »Kommen Sie sofort!« Er blieb mit röchelndem Atem stehen und hielt die Hand auf das hämmernde Herz gepreßt. »Labor III hat man in die Luft gejagt. Alles ist hin! Das Feuer greift über auf die Sprengkammern mit dem Treibstoff. Wenn der hochgeht . . .«

Faruk rannte weiter. Alf Brockmann stürzte zu seinen Kleidern. Mein Gott, dachte er, soll das die Lösung aller Probleme sein? Wenn das Feuer an die Treibstoffbehälter herankommt, gibt es keine Oase Bir Assi mehr. Dann wird es hier mitten in der Wüste aussehen wie in Hiroshima nach der ersten Atombombe. Dann gibt es keine Palmen mehr, keine Häuser, keine Gärten, keine Mauern, keine Menschen, keine Tiere. Selbst der Sand wird schmelzen und wie Glas erstarren.

Und auch Aisha wird es nicht mehr geben. Nur ein verkohlter Klumpen wird übrigbleiben.

Barfuß, weil er seine Stiefel nicht mehr über die zerschnittenen Füße ziehen konnte, rannte er aus dem Haus. Lore Hollerau folgte ihm. Er spürte die Schmerzen an den Füßen nur wie einen dumpfen Druck.

Als er auf die Oasenstraße kam und sich zum Wadi wandte, dem breiten ausgetrockneten Flußbett, durch das seit Menschengedenken kein Tropfen Wasser mehr geflossen war, umbrandete ihn das wilde Geschrei der Araber und die Panik eines Weltunterganges. Von den Kasernen her hörte er das Heulen von Sirenen. Lastwagen rasten zur Oase, die ersten Truppeneinheiten sperrten bereits den Labordistrikt ab und drängten die schreienden Eingeborenen zurück.

Jenseits der Mauern, die das Forschungsgebiet umgaben, lagen auf Decken die ersten Toten. Zerfetzte Leiber, unkenntlich zerrissene, blutige Fleischklumpen ohne Form.

Unerträgliche Hitze schlug Brockmann entgegen, als er den Bereich des Labors III betrat. Hier standen zwei Feuerwehrwagen der Armee. Die Soldaten hielten die Schläuche und Spritzen fest, aber kein Tropfen Wasser kam heraus. Ein Offizier brüllte wie ein Irrer. Die Verschraubungen zwischen Schlauch und Tankwagen paßten nicht zusammen. Man hatte Wasser, aber man konnte es nicht in die Flammen spritzen. Die Feuerlohe erhellte den Nachthimmel. Wie riesige Fackeln standen brennende Palmen neben den auseinandergerissenen Gebäuden. Unter Lebensgefahr brachten Sanitäter immer neue Tote oder Verwundete aus den glühenden Trümmern und legten sie neben der Mauer in den Wüstensand.

Vierzig Meter neben dem brennenden Labor III lag, durch die Explosion schwer beschädigt, Labor II. In seinem Keller lagerte unter einer meterdicken Betondecke der flüssige Treibstoff für die Raketenversuche.

Und das Feuer kroch heran durch das ausgedörrte Gras, über die Palmen, durch die Nachtluft, getragen vom leichten Wüstenwind.

Major Saduk Ibn Belachem stand mit zerrissener Uniform neben dem unnützen Tankwagen und raufte sich die Haare.

»Diese Korruption!« schrie er. »Immer diese Korruption! Liefern die unpassenden Schläuche. Bestimmt sind sie billiger als die passenden.« Er sah Brockmann, der mit blutenden Fußsohlen durch den Sand rannte, und winkte mit beiden Armen. »Doktor! Doktor!« brüllte Major Saduk. »Wir sind ein Opfer der Geldgier geworden! Allah verfluche alle Kaufleute!«

»Lassen Sie das Labor III brennen!« keuchte Brockmann. Er lehnte sich gegen den Feuerwehrwagen und starrte auf die Verwüstung. »Holen Sie Eimer, Fellsäcke, Töpfe, alle erreichbaren Gefäße! Labor II darf kein Feuer fangen, sonst geht hier die Welt unter! Das ist alles, was wir tun können!«

Er rannte weiter und traf am Eingang des Betonstollens auf Jussuf. Hilflos stand der Ägypter in der glühenden Hitze des zu ihm herüberwehenden Brandes, als könne er mit seinem kleinen Leib das Übergreifen des Feuers auf die Treibstofflager verhindern. Und die Flammen krochen auf ihn zu, der Tod wälzte sich ihm zischend und qualmend entgegen.

Alf Brockmann rannte zurück zu dem noch immer schreienden und um Allahs Fluch flehenden Major Saduk. »Einen Graben müssen wir ziehen!« rief er. »Lassen Sie alles, was Hände hat, graben! Und die Dächer mit Wasser besprengen!«

Ohne eine Antwort abzuwarten, hetzte er erneut zum Stolleneingang. Dort stand noch immer Jussuf, klein, krummbeinig, wie von der Hitze zusammengeschrumpft. Neben ihm standen jetzt zwei Ledereimer mit Wasser. Zwei Eimer Wasser für eine auf ihn zukommende Feuerwand.

Durch die Flammen rannten jetzt Soldaten mit Spaten, Schaufeln, Hacken und sogar zwei Pflügen. Ein Offizier mit einem Trupp, der eine Handsaugspritze trug, besprengte das brennende Gras. Über eine Kette von Händen flogen die Eimer zu der einsamen Spritze. Zischen, und Qualm quoll auf, aber um den Trupp herum brannte das Gras weiter.

Major Saduk tauchte wieder auf. Er war außer sich. Die Bauern von Bir Assi weigerten sich, zu helfen. »Das ist Allahs Fluch!« schrien sie und liefen weg, wenn sie zupacken sollten. Sie verrammelten die Türen ihrer Häuser, und die Soldaten mußten sie auftreten und sich mit Gewalt die Schaufeln und Hacken, die Eimer und Krüge holen.

In ihrem verfallenen Haus, unter das faulende Stroh gekrochen, lag Aisha und gab mit zitternden Fingern den letzten Funkspruch durch.

»— Gamma eins — Gamma eins — Gamma eins — Auftrag 2 ausgeführt Ende — Gamma eins — Gamma eins — Gamma eins ...«

Dann versteckte sie das kleine Funkgerät wieder und hockte sich gegen die bröckelnde Wand.

Ihm wird nichts geschehen, dachte sie. Ich hab ihn aufgehalten, bis der Zeitzünder der Bombe detonierte. Nie soll ihm etwas geschehen. Nie. Ich liebe dich, du großer, blonder Oulf ...

Eine neue Explosion ließ die Erde beben. Die Flammenwand hatte zwei Benzintanks erreicht.

Nun flossen zwanzigtausend Liter brennendes Benzin und Dieselöl über den Wüstenboden. Eine lodernde, in schwarze Wolken gehüllte Hölle wälzte sich auf Jussuf und Alf Brockmann zu.

»Allah sei uns gnädig«, sagte Jussuf gläubig und verneigte sich nach Osten. Für ihn hatte das Leben bereits aufgehört.

Zweihundert Soldaten schaufelten und gruben wie die Irren. Das Wasser aus den Eimern wurde nun nicht mehr auf das Gras geschüttet, sondern man begoß die Soldaten damit, um die glühende Hitze erträglich zu machen und die fliegenden Funken auf den Uniformen zu löschen.

»Schneller, ihr Mißgeburten!« schrie Major Saduk. »Schneller! In die Hölle kommt ihr sowieso, aber ihr könnt das Leben verlängern! Schneller, ihr Söhne einer Hyäne!«

Der Himmel über Bir Assi war glutrot. Wer es von ferne sehen konnte, mußte an ein geheimnisvolles Naturschauspiel glauben, denn dort, wo der Himmel brannte, wußte man ja nichts von einem Leben, sondern dort konnte nur Sand sein, Sand ... unendlicher Sand.

Aber niemand sah es bis auf ein paar Beduinen, die am Fuße einer Sanddüne übernachteten. Und sie verstanden es nicht.

In dieser Nacht kämpften zweitausend Menschen um ihr nacktes Leben.

4

Zareb Ibn Omduran war ein bescheidener, immer höflicher, gerngesehener und sogar ehrlicher Kaufmann. Er hatte im Hamburger Hafen ein bescheidenes Lagerhaus und in der Stadt ein Büro, importierte ägyptische Rohbaumwolle und ägyptische Riesenzwiebeln, fuhr einen alten VW und fiel nie durch lautes Wesen auf. Er war ein grauer Punkt in der Millionenmasse der Hamburger Bürger, bezahlte deutsche Steuern, saß abends vor dem Fernsehgerät, ging ab und zu aus, erst in ein Speiselokal, dann in ein Varieté und am Ende in eine Bar, trank überall als strenger Gläubiger nur Apfelsaft oder Limonade, suchte sich ein käufliches Mädchen aus und vergnügte sich. Warum auch nicht? Er war Junggeselle, und Mohammed verbot vieles, nur die Liebe nicht. Im Gegenteil, ihr widmete er die Mehrzahl seiner Suren. Und so lebte Zareb Ibn Omduran geruhsam und unauffällig, verdiente leidlich an Baumwolle und Zwiebeln und hatte wenig Freunde, weil er ein stiller, verschlossener Mensch war.

Ab und zu empfing er den Besuch eines Landsmannes, der einen Laden für ägyptisches Kunsthandwerk betrieb. Sie saßen dann zusammen, rauchten Wasserpfeife, aßen mit Honig gefülltes Schmalzgebäck und tauschten Erfahrungen aus.

Auch an diesem Abend kam der Freund zu Besuch. Er brachte einige Papiere mit, und Zareb blätterte sie durch, während der Besucher heißen Kaffee mit Honig trank.

»Es ist eine dumme Sache, wirklich«, sagte Zareb, als er die Papiere zurückgab. »Diese Frau glaubt einfach nicht, daß ihr Mann verunglückt ist. Und das Datum auf der Urkunde. Ich kann mir denken, daß der Botschafter getobt hat. Soviel Dummheit ist, bei Allah, tödlich. Und nun will sie nach Ägypten. Und ich sage dir: Sie kommt hin. Es gibt genug Verräter, die für Geld das Vaterland opfern.

Was sind Grenzen, Freund? Kann man vom Mittelmeer bis zum Roten Meer die Küsten Meter für Meter absperren? Und Sinai ist da und die tunesische Grenze. Nein . . . diese Frau darf überhaupt nicht fahren.«

Der Besucher hob die Schultern und knabberte an seinem süßen Gebäck. »Wie willst du das verhindern, Zareb?«

»Sie hat ein Kind.« Zareb sah nachdenklich auf das Mundstück seiner Pfeife.

»Ja. Detlef-Jörg. Fünfeinhalb Jahre alt.«

»Kinder sind die beste Fessel.« Zareb Ibn Omduran goß sich eine kleine Tasse des öligen, schweren Kaffees ein. »Ich werde morgen nach Lübeck fahren. Du kannst es melden. Und du kannst dem General sagen, daß die Frau nicht fahren wird.«

Eine Weile lag Schweigen in dem halbdunklen Zimmer. Kaffeeduft und Honigsüße durchzogen die Luft.

»Und das Kind?« fragte der Besucher. Zareb reichte ihm das Mundstück der Wasserpfeife.

»Weiß ich es? Man muß abwarten, Freund. Im schlechtesten Falle . . .«, er blies den Rauch gegen die Decke. »Der Schoß einer Frau ist fruchtbar und trägt nicht nur einmal. Wir sollten nicht soviel denken, sondern unserem Vaterland dienen.«

Am nächsten Morgen brummte der alte VW des Baumwoll- und Zwiebelimporteurs Zareb Ibn Omduran über die Autobahn nach Lübeck.

Ein Ungeheuer ohne menschliches Gefühl war auf dem Weg, das Leben Birgit Brockmanns zu vernichten.

Konrad Gerrath hatte sich bereit erklärt, Birgit nach Hamburg zu begleiten, um die rätselhaften Widersprüche zwischen Todesnachricht und Totenschein zu klären. Während auf der entgegengesetzten Autobahnseite Zareb Ibn Omduran nach Lübeck fuhr, raste der große Wagen Gerraths der Nordseeküste und der Elbe zu.

Die Zweifel am Tod Alf Brockmanns waren immer größer geworden. Nach Birgits Erwachen aus der tiefen Ohnmacht, in die sie nach der gewaltsamen Öffnung der Urne gefallen war, fand sie sich auf der Couch wieder. Zuraida saß neben ihr, trank ein Glas Wasser und hatte ihr die Bluse aufgeknöpft. Wieder überfiel Birgit das kalte Grauen, als ihr erster Blick auf die Urne fiel, die noch immer auf dem Tisch stand. Der Gedanke, daß vor wenigen Minuten das, was von Alf Brockmann übriggeblieben war, als grauer Aschehaufen auf der Tischplatte gelegen hatte, lähmte alles an ihr. Selbst sprechen konnte sie nicht. Sie starrte Zuraida nur mit großen, flehenden Augen an.

»Können Sie aufstehen?« fragte das Mädchen aus Tel Aviv und legte den Arm unter Birgits Hals.

Birgit schüttelte den Kopf. Sie versuchte, die Beine zu bewegen. Es war, als gehörten sie gar nicht zu ihrem Körper.

»Der Schock war zu groß.« Zuraida ging zu einem kleinen Tisch, rauchte eine Zigarette an und kam mit ihr zurück. Sie steckte sie Birgit zwischen die zitternden Lippen. Als Birgit husten mußte, löste sich der innere Krampf. Sie hob die rechte Hand und krallte sie in Zuraidas Kleid.

»Es . . . es war furchtbar«, stammelte sie.

»Gewiß.« Zuraida rauchte die Zigarette weiter und blies den Rauch gegen die Decke. »Aber auch wenn es die Asche eines Menschen ist — ich glaube nicht, daß es sich um Ihren Mann handelt.«

»Aber warum . . . warum denn«, stotterte Birgit. Sie spürte, wie sich das Zimmer wieder um sie zu drehen begann. Mit letzter Kraft stemmte sie sich gegen die neue Ohnmacht und atmete ein paarmal tief durch.

»Was wissen Sie von Ihrem Mann?« fragte Zuraida.

»Daß er in Ägypten einen Forschungsauftrag hat.«

»Und daß er Raketen entwickelt, die einmal unser Land und unser Volk auslöschen sollen . . .«

»Nein!« sagte Birgit Brockmann schwach.

»Ihr Mann entdeckte einen neuen Treibstoff mit dem man Raketen mühelos über Tausende von Kilometern schießen kann. Es ist ein Treibstoff, der den Raketenbau auf den Kopf stellt. Früher brauchte man vier Fünftel der Rakete für den Treibstoff, und nur ein Fünftel war für die eigentliche Sprengladung. Dank Ihres Mannes kann man jetzt vier Fünftel Sprengladung laden und für den Antrieb nur einen kleinen Raum ausnutzen. Was das bedeutet, ahnen Sie. Man wird Raketen schießen können, von denen eine einzige genügt, um Haifa oder Tel Aviv oder ein ganzes Kibbuzgebiet restlos zu vernichten.« Zuraida nahm beide Hände Birgits. Sie waren eiskalt. »Begreifen Sie nun, wie wertvoll Ihr Mann für Ägypten und für uns ist? Wir alle sind der Ansicht, daß Alf Brockmann nicht durch einen Unfall gestorben ist, sondern daß man seinen Tod nur ausgestreut hat und er selbst an einem geheimen Ort weiterarbeitet. Er muß tot sein, damit niemand die letzten Arbeiten stört. Noch hat man nämlich keinen Stahl, der die Brennhitze des neuen Treibstoffs aushält.«

»Alf lebt?« stammelte Birgit mit weiten Augen. »Und der Totenschein?«

»Gefälscht.«

»Und . . . und die Urne . . .«

Zuraida erhob sich und umkreiste den Tisch wie ein Geier. »Asche eines anderen Menschen. Liebe Frau Brockmann, Sie wissen nicht, wie wenig wert ein Mensch im Orient ist. Es gibt Tote genug, die man verbrennen kann . . . ein alter Fellache, ein verhungerter Bettler, ein unbekannter Beduine . . . sie liegen herum wie trockenes Holz oder sterben in den Massensälen der staatlichen Auffangkliniken, und keiner kümmert sich um sie. Nicht mal ihren Namen kennt man. Was bedeutet da schon eine Urne voll Asche?«

Wenig später war Zuraida gegangen, auf dem gleichen Weg, den sie gekommen war. Über die Terrasse und durch den Garten. »Ich und meine Freunde helfen Ihnen immer«, hatte sie zum Abschied gesagt. »Rufen Sie nur diese Nummer an.«

Sie gab Birgit Brockmann einen Zettel mit einer Hamburger Telefonnummer. Birgit steckte ihn ein wie etwas Ekelerregendes, das man einem aufdrängt und das man nicht wegwerfen kann, solange der andere zusieht.

Als Zuraida in der Dunkelheit der Nacht zwischen den Büschen und dem gluckernden Kanal verschwunden war, lief Birgit zurück ins Zimmer und rief Konrad Gerrath an. Sie mußte lange durchläuten lassen, bis sich die verschlafene Stimme Gerraths meldete.

»Bitte, komm sofort, Konrad!« rief sie mit zitternder Stimme. »Es ist dringend. Ich . . . ich habe Angst.«

»In einer Viertelstunde bin ich draußen!« Er fragte nicht lange, sondern warf den Hörer auf die Gabel zurück. Birgit Brockmann atmete auf. Sie verriegelte die Terrassentür, ging durch alle Zimmer, knipste überall das Licht an, schaltete die Außenbeleuchtung ein und verkroch sich dann in die Couchecke, bis sie draußen das knirschende Bremsen eines Autos hörte und die Haustürglocke durch die Stille der Nacht schrillte.

Immer und immer wieder, wie gebannt, hatte sie in den Minuten des Wartens die blinkende Urne angestarrt. Es ist nicht Alf, dachte sie dabei und hämmerte es sich ein, weil sie es selbst glauben wollte. Es ist nicht Alf . . . nicht Alf . . . nicht Alf . . .

»Himmel, was ist los, Birgit?« rief Gerrath, als er in der kleinen Diele stand. Er hatte sich nur halb angezogen, wie ein Arzt, der nachts zu einem Patienten gerufen wird, bei dem es auf die Minute ankommt. Über seinen Schlafanzug hatte er seinen Anzug gezogen. Auf Kinn und Wangen sprossen stachelige Bartstoppeln. Auch die Haare hatte er nur flüchtig gekämmt, einige Strähnen hingen ihm über die Augen.

»Die Urne —«, stammelte Birgit und lehnte sich an ihn. »Ich hatte vorhin Besuch —«

»Besuch?«

»Ein Mädchen. Zuraida heißt sie. Sie hat . . . sie hat die Urne aufgesägt.«

»Mein Gott!«

»Und sie sagt, daß Alf gar nicht tot ist . . . Man hat seinen Tod nur vorgetäuscht. Und Alf soll Raketen bauen. Wußtest du das?«

»Ja«, antwortete Gerrath gepreßt. Er faßte Birgit um die Schulter und schob sie in das Wohnzimmer. Mit einem Blick sah er den abgesägten Urnendeckel und die Säge, die noch immer am Tischbein lehnte.

In diesem Augenblick wußte er genau, daß Birgit Brockmann und damit auch er in das Spannungsfeld internationaler Agenten geraten waren. Er war Realist genug, um zu begreifen, was das bedeutete: Erbarmungslosigkeit, Skrupellosigkeit, Mord und Erpressung. Zunächst aber höchste, allerhöchste Gefahr für Birgit. Er sah ihr an, daß sie nicht erkannte, in wessen Mittelpunkt sie ab heute stand. Das grausame Spiel der Geheimdienste war ihr fremd. Sie hatte ein paarmal davon gelesen, in Zeitungen und Illustrierten, vielleicht auch einen Film gesehen, und dann wieder das phantastische Geschehen vergessen, das sich ein Schreiber da ausgedacht hatte. Wie konnte sie wissen, daß die Wirklichkeit viel grausamer war? Hier wurde nicht laut geschossen und gerauft, hier geschah alles in der Stille, im Geheimen, wie hinter einem schwarzen Vorhang. Ein Tod in Filzpantoffeln.

Birgit Brockmann trat an das Terrassenfenster und starrte hinaus. Obgleich es schwül war, fror sie und zog die Schultern hoch.

»Alf arbeitet also für die Rüstung?« fragte sie leise.

»So darfst du es nicht sehen.« Gerrath trat an die Urne, hob den Deckel ab, sah hinein und setzte den Deckel schnell wieder auf. »Für Alf geht es darum, seine großen Ideen verwirklicht zu sehen. Er ist durch und durch Forscher; politisch ist er ein Säugling. Ob er seine Forschungen in der Wüste oder auf dem Nordpol betreibt, das ist ihm gleich. Hauptsache ist für ihn, daß man ihm die Möglichkeit gibt, seine Ideen in die Tat umzusetzen. Er denkt nicht an Bomben, sondern an einen Flug zu fernen Sternen. Für ihn ist sein Treibstoff nicht Antrieb einer Vernichtungsrakete, sondern die Erfüllung des Traumes, im Weltenraum herumzufahren wie ein Taxi auf den Straßen.« Konrad Gerrath trat hinter Birgit und legte seine Hände auf ihre zuckenden Schultern. »Solche Träumer sind gefährlich, Birgit. Sie selbst wissen es nicht, aber ihre Umgebung weiß es zu nutzen. Ein Mann wie Alf Brockmann ist mehr wert als Millionen; er kann ein ganzes Volk auslöschen, wenn er in die Hände ehrgeiziger Politiker fällt.« Er machte eine Pause und fügte mit plötzlich heiserer Stimme hinzu: »Und wir sind in diesen Teufelskreis jetzt hineingezogen worden, Birgit.«

»Dann ist Alf also wirklich nicht tot? Dann ist die Asche in der Urne wirklich von einem anderen Menschen?«

»Ich weiß es nicht.« Gerrath hob die Schultern. »Ich weiß nur eines: *Wenn* Alf noch lebt, ist auf jeden Fall die Ruhe unseres Lebens dahin.«

Bis zum frühen Morgen saßen sie zusammen und beratschlagten, was zu tun sei. Berta Koller stieß einen hellen Schrei aus, als sie zum Frühstück herunterkam und die aufgesägte Urne sah.

»Was soll das, Konrad?« rief sie und weigerte sich, das Zimmer zu betreten. Auch wenn es nur Asche in einem Kupfergefäß war, so lag doch der Geist eines Toten über allem. »Wer hat denn . . .«

»Später, Frau Koller.« Gerrath sah auf die Uhr. Im Generalkonsulat in Hamburg wurde jetzt die Büroarbeit aufgenommen. Er ging zum Telefon und sprach ein paar Minuten mit einem Konsularbeamten.

»Ja, wir kommen«, sagte er zum Abschluß. »Und ich bestehe darauf, den Herrn Generalkonsul persönlich zu

sprechen. Erst nach dieser Aussprache wird es sich entscheiden, ob ich die deutsche Polizei einschalte. Gut, wir
sind gegen Mittag in Hamburg.«

»Was wollt ihr in Hamburg?« fragte Berta Koller aus
der Diele. »Ihr könnt mich doch nicht mit der offenen Urne allein lassen —«

»Aus ihr wird kein Geist entweichen«, sagte Gerrath
laut.

»Sie sind geschmacklos, Konrad.« Beleidigt stieg Berta
Koller die Treppe hinauf zu ihren Zimmern. Aber auf dem
Treppenabsatz blieb sie stehen und sah zurück. »Warum
wollt ihr nach Hamburg?« wiederholte sie.

»Alf ist nicht gestorben«, sagte Gerrath fest. »Hier ist
etwas Geheimnisvolles geschehen.«

»Aber die Urne . . .«

»Ist jemand anders.«

Berta Kollers Augen wurden starr vor Entsetzen. Mit einem lauten Seufzer rannte sie die letzten Stufen hinauf, riß
die Tür ihrer Wohnung auf, warf sie hinter sich zu und
drehte den Schlüssel zweimal herum.

Auf der Fahrt nach Hamburg brachten Gerrath und Birgit Brockmann den kleinen Detlef-Jörg in den Kindergarten. Der Schwester sagten sie, daß Jörgi am Abend nach
Hause gebracht werden sollte, wenn man aus Hamburg
noch nicht zurück sei. Dann fuhren sie auf die Autobahn
und rasten zur Elbe.

Der ägyptische Generalkonsul empfing sie sofort, nachdem der Sekretär sie telefonisch angemeldet hatte. Man
führte Birgit und Gerrath in einen großen, mit Ledermö-
beln, dicken Orientteppichen und wunderschönen orientalischen Mosaiktischen ausgestatteten Raum.

Der Generalkonsul war ein kleiner, dicker, sehr bewegli-
cher Mann mit beginnender Glatze. Seine übergroße Höf-
lichkeit wirkte etwas zu süß und klebrig, und Birgit über-
wand sich, ihre Hand nicht abrupt zurückzuziehen, als der
kleine Dicke sie an sich zog und küßte.

»Darf ich Ihnen im Namen meiner Regierung noch einmal persönlich unser aufrichtiges Beileid . . .«, begann er. Dann schwieg er, wie es schien, sehr betroffen, als Birgit ihn unterbrach.

»Wozu?«

»Madame, Ihr Gatte ist . . .«

»Um die Wahrheit zu erfahren, sind wir hier.« Der Generalkonsul blickte sichtlich fassungslos Konrad Gerrath an, der diesen Satz wie einen Peitschenhieb hingeworfen hatte.

»Die Wahrheit? Ich denke . . .«

»Der von Ihrer Regierung übersandte amtliche Totenschein hat ein falsches Datum. Als am 14. Juli der Tod festgestellt wurde — Tod durch einen Vipernbiß —, lebte Alf Brockmann noch, denn laut anderer amtlicher Version verunglückte er erst am 10. August tödlich. Was stimmt nun?«

Der Generalkonsul war verblüfft, und diesmal war es nicht gespielt. Eine schöne Schweinerei, dachte er. Der Botschafter wird toben, in Kairo wird man sich die Haare raufen und einige Dummköpfe wieder in die Gefängnisse werfen. So eine Blamage.

»Darf ich den Totenschein sehen?« fragte er höflich.

»Ich habe ihn sofort in einem Tresor sichergestellt«, log Konrad Gerrath. »Er soll der deutschen Polizei . . .«

»Polizei? Aber, Herr Doktor! Warum muß der Deutsche gleich drohen? Immer gleich mit dem Kopf gegen die Mauer.« Der Generalkonsul lächelte und wies höflich auf die Ledersessel. »Ein Schreibfehler ist doch kein Verbrechen. Wir werden sofort in Kairo nachforschen lassen, wie es zu dieser Dummheit gekommen ist.« Er beugte sich vor und sah Gerrath aus dunklen, brennenden Augen an. Augen, in deren Hintergrund die kalte Gefahr lauerte. »Oder trauen Sie unserer Regierung zu, falsche Papiere auszustellen?«

»Nein. Natürlich nicht.« Gerrath setzte sich. »Aber eine Erklärung ist trotzdem notwendig.«

»Wir werden sie Ihnen so schnell wie möglich geben.«

Es wurde ein unverbindlicher, verplauderter Besuch. Der Generalkonsul ließ starken, dampfenden Kaffee kommen, man aß einige Stückchen süßes Gebäck, und beim Abschied versicherte der kleine Dicke, daß die Regierung ehrlich bedauere, einen solchen Mitarbeiter wie Alf Brockmann auf so tragische Art verloren zu haben.

Verwirrt, wieder etwas unsicher geworden, verließ Birgit das alte Patrizierhaus. Kann ein Mensch so lügen? Kann man so mit der Seele einer Frau spielen? Konrad Gerrath schwieg. Er hatte die Augen seines Gegenübers gesehen ... musternde, lauernde, gefährliche Raubtieraugen in einem freundlich lächelnden Gesicht — eine Maske mit gnadenlosem Blick.

Als unten vor dem Haus der Wagen Gerraths anfuhr, winkte der Generalkonsul seinem an der Tür stehenden Sekretär.

»Rufen Sie Zareb an«, sagte er mit plötzlich kalter Stimme. »Oder nein ... schicken Sie Nagib zu ihm. Es muß verhindert werden, daß die Öffentlichkeit davon erfährt. Wie, das überlasse ich Zareb. Er soll einmal mit Ideen handeln.«

Noch einmal fuhren Gerrath und Birgit Brockmann nach Hamburg. Der Generalkonsul hatte sie zur Entgegennahme einer Erklärung zu sich gebeten.

Es war der Tag, an dem auf der Autobahn ihr Wagen dem VW Zarebs begegnete und die bisher ruhige Welt der Birgit Brockmann auseinanderbrechen sollte.

In Hamburg erfuhren sie, daß der Generalkonsul in Bonn sei, aber ein Sekretär war beauftragt, einen Brief zu überreichen. Konrad Gerrath riß das Kuvert auf und las sprachlos einen neuen Totenschein, diesmal auf englisch und mit dem richtigen Datum vom 10. August. Als Todesursache war außerdem auch »Folgen eines Verkehrsunfalls« angegeben.

Gerrath faltete das Schreiben zusammen und hielt es dem höflich lächelnden Sekretär hin.

»Das soll doch wohl ein Witz sein?«

»Ich weiß nicht, warum, Sir.« Der Sekretär hob die Schultern.

»Ich nehme eine solche Erklärung nicht entgegen. Man kann doch nicht einen Menschen zweimal an verschiedenen Tagen und an zwei Todesursachen sterben lassen. Ich verlange eine Auskunft, ob Alf Brockmann noch lebt.«

Der Sekretär streckte beteuernd die Hände vor. »Ich kann Ihnen nur übergeben, was mir aufgetragen wurde, Sir. Ich weiß nichts anderes.« Und dann sagte er etwas, was Gerrath aufhorchen ließ: »Sie haben einen Totenschein. Sie haben die Urne mit der Asche bekommen. Jede deutsche Behörde wird dies als Beweis des Verstorbenseins anerkennen. Wie sollte man sonst noch beweisen, daß jemand gestorben ist?«

Gerrath nickte. Er faßte Birgit unter, ließ den neuen Totenschein auf dem Mahagonitisch des Besucherzimmers liegen und verließ das Generalkonsulat. Erst im Wagen wischte er sich über die Augen, und es war eine Geste der Resignation.

»Alf ist amtlich tot«, sagte er leise. »Daran ist jetzt nichts mehr zu ändern. Es wird keine deutsche Dienststelle geben, die auf einen Verdacht hin ermitteln wird. Warum auch? Sie wird nichts anderes erreichen als wir: Papier und Urne. Der Vorhang ist endgültig über Alf gefallen.«

»Nein!« sagte Birgit Brockmann laut. Sie starrte auf die Straße, auf die Menschen, die an dem Auto vorübergingen, auf die anderen Fahrzeuge, die sich in Dreierreihen vorwärtsschoben, auf die Auslagen in den Schaufenstern, und doch sah sie das alles nicht. Sie sah eine unendliche Wüste, Sanddüne hinter Sanddüne, ein paar Palmen, eine kleine Oase um einen verlorenen Brunnen, vom wolkenlosen, blaßblauen Himmel brannte eine gnadenlose Sonne. Ein großer, schlanker Mann, nur mit weißem Hemd und

Hose bekleidet, saß unter dem schützenden Verandadach eines armseligen Hauses und starrte hinaus in die flimmernde gelbe Wüste.

»Nein!« sagte sie noch einmal fest und sah Gerrath an. Die Wüstenvision versank, der Hamburger Alltag umbrauste sie wieder.

»Was heißt nein?« fragte Gerrath.

»Ich werde Alf selbst suchen.«

»Du?«

»Ja.«

»Erlaube, aber das ist Wahnsinn. Das ist, gelinde gesagt, einfach blödsinnig.«

»Ich habe, als ich von Alfs Tod Nachricht bekam, der Botschaft geschrieben, daß ich nach Ägypten kommen werde. Man hat das abgelehnt. Und ich habe noch einmal angerufen und gesagt: ›Wenn Sie mich nicht legal hereinlassen, komme ich durch die Hintertür.‹ Und genau das werde ich tun. Ich weiß jetzt fast sicher, daß Alf lebt. Und wenn alle nicht den Mut haben, die Wahrheit aufzudecken — ich habe ihn! Wenn alle Behörden dem amtlichen Schreiben und der Urne nachgeben — ich gebe nicht nach! Ich lasse mich nicht betrügen. Und ich weiche auch keinen Komplikationen aus. Gut, man mag mich für verrückt halten . . . mir tut's nicht weh. Was sind das für Menschen, die eine Urne mit Asche schicken und sagen: ›Das ist Alf Brockmann!‹ Soll ich mich damit zufriedengeben?«

»Wir haben keine andere Möglichkeit, als zu warten, daß uns der Zufall hilft.«

»Zufall? Nein, ich fahre diesem Zufall entgegen. Ich fordere ihn heraus, Konrad.« Sie fuhr herum und faßte Gerrath an den Rockaufschlägen. »Ganz ehrlich: Glaubst du, daß Alf tot ist?«

Gerrath zögerte. Er wußte, was von seiner Antwort abhing. Aber dann sah er die großen, flehenden Augen Birgits und schüttelte leicht den Kopf.

»Nein, Birgit. Jetzt nicht mehr.«

Sie lehnte sich zurück und legte den Kopf weit in den Nacken. Während sie sprach, schloß sie die Augen und faltete die Hände.

»Ich werde in die Wüste fahren«, sagte sie ganz langsam.

»Das wird eine Utopie bleiben, Birgit.«

»Nein. Ich habe eine Telefonnummer bekommen. Von dort aus wird man mir helfen. Und auf Jörgi mußt du aufpassen, Konrad!« Sie setzte sich gerade, griff zur Handtasche und begann, in ihr nach dem Zettel zu suchen, den ihr Zuraida gegeben hatte. Dabei sprach sie weiter, als handle es sich um Anweisungen für einen Sonntagsausflug. »Mutter ist ja auch im Hause, aber sie ist etwas komisch, du weißt ja. Sie wird auf Jörgi auch aufpassen, aber mir ist es lieber, wenn du dich jeden Tag um ihn kümmerst. Du hast doch gesagt, daß du immer für mich da bist.«

»Ja.« Gerraths Stimme klang gepreßt. »Ich werde mich um Jörgi kümmern, als sei er mein Junge. Aber, Birgit, ich flehe dich an: Schlag dir diesen Wahnsinn aus dem Kopf. Nach Ägypten, allein in die Wüste, nach einem Toten suchen . . . Birgit, man sollte dich mit Gewalt davor zurückhalten.«

Birgit Brockmann schwieg. Sie hatte den Zettel mit der Telefonnummer gefunden. Ihre ganze Hoffnung ruhte in dem kommenden Gespräch. Zuraida hat versprochen, zu helfen, dachte sie. Ich weiß, ich werde nie allein nach Ägypten kommen, und wenn es wirklich gelingt, werde ich elend in diesem weiten, heißen Wüstenland untergehen. Aber wenn Zuraida mir helfen kann, kann aus einem wahnwitzigen Plan Wahrheit werden.

»Bitte, fahr mich zum nächsten Postamt, Konrad«, sagte sie leise.

»Birgit —«, versuchte Gerrath noch einmal, sie davon abzuhalten.

Sie legte die Hand auf seinen Arm und lächelte ihn an. In ihren großen blauen Augen schimmerten Tränen.

»Bitte!«

In der Fernsprechzelle ließ Gerrath sie allein. Er sah, wie sie die Nummer wählte, wie sie wartete, wie sie Antwort bekam. Er sah mit eisigem Erschrecken, wie Freude und Hoffnung über ihr Gesicht zogen, wie es von innen heraus zu leuchten begann.

»Ich habe Ihren Anruf erwartet«, sagte in diesem Augenblick Zuraida. »Wir wissen, daß Sie in Hamburg sind. Kommen Sie heraus zu uns. Elbaussicht 17. Eine alte Villa aus Backsteinen. Wir werden Ihnen weiterhelfen, denn auch für uns ist Alf Brockmann der wichtigste Mann geworden.«

Am Nachmittag brachte die Kinderschwester des Kindergartens den kleinen Detlef-Jörg wieder nach Hause.

Auf der Straße gab sie ihm einen kleinen Stoß in den Rücken, kraulte ihm die Haare und sagte: »Nun lauf, Jörgi. Und grüße die Oma schön.«

Detlef-Jörg nickte und lief auf das weiße Haus zu. Die Kinderschwester wartete, bis Jörgi die Gartenpforte des Vorgartens hinter sich zugehakt hatte, schwang sich dann auf ihr Rad und fuhr zufrieden in die Stadt zurück.

Anstatt durch die Haustür betrat Jörgi durch den Garten und über die Terrasse das Haus. Dazu mußte er einen Bogen durch den Obstgarten machen. Nach ein paar Schritten durch die Rabatten der Beerensträucher blieb er verwundert stehen, denn auf dem alten, abgeschnittenen Benzinfaß, in dem man das Regenwasser sammelte, saß ein braunhäutiger Mann und rauchte eine Zigarette, die er in der hohlen Hand verbarg.

»Was machst du denn hier?« fragte Jörgi laut. Unbefangen kam er näher. Angst kannte er nicht. Das hier war sein Garten, sein Benzinfaß.

Zareb Ibn Omduran sprang auf die Erde und zertrat seine Zigarette. Er lächelte breit und nickte dem kleinen Jungen vertrauenerweckend zu.

»Wer bist du denn?« fragte er.

»Detlef-Jörg Brockmann.«

»Ein schöner Name.«

»Und wer bist du?«

»Ein Prinz aus dem Märchenland«, sagte Zareb romantisch. Dabei ließ er seine Zähne blitzen und rollte mit den dunkelbraunen, fast schwarzen Augen. Jörgi legte den Kopf etwas schief und sah den fremden, braunen Mann kritisch an.

»Was willst du hier?«

»Ich habe draußen gesehen, wie rot die Johannisbeeren leuchten. So etwas gibt es bei uns nicht. Und da bin ich über den Zaun gestiegen und habe ein paar von deinen Johannisbeeren gegessen. Durfte ich das?«

Jörgi überlegte eine Sekunde. Er ist freundlich, dachte er. Und er ist wirklich ein Mann aus dem Land, wo die Menschen braun sind. Er ist nicht angemalt, wie ich mich zu Karneval anmale, wenn ich Indianer sein will. Er ist echt.

»Ja«, sagte er. »Willst du noch ein paar?«

»Danke. Ich habe genug. Wir essen in unserem Land nur süße Sachen. Die Beeren aber sind sauer.«

»Aber gesund.«

»Wer hat dir das gesagt?«

»Meine Mami.«

»Und wo ist deine Mami?«

»Ich weiß nicht. Sie ist mit Onkel Konrad weggefahren.«

»Wer ist Onkel Konrad?«

»Ein Freund von Papi.«

»Und wo ist dein Papi?«

»Weit weg. In Ägypten. Kennst du Ägypten?«

»Nein.« Zareb sah sich um. Auf der Terrasse erschien jetzt eine weißhaarige Frau. Berta Koller nahm die Tischdecke von dem Gartentisch ab und faltete sie zusammen.

»Das ist Omi«, sagte Jörgi und streckte den Zeigefinger aus »Soll ich sie rufen?«

»Nein. Warum?« Zareb duckte sich etwas. Er war bereit, Jörgi an sich heranzuziehen und ihm die Kehle zuzudrücken, wenn der Junge rufen würde. Das Erscheinen Berta Kollers machte es ihm auch unmöglich, Jörgi schon jetzt mitzunehmen. Er war sicher, daß der Junge sich wehren würde. Wichtiger war es, das Vertrauen Jörgis zu gewinnen und ihn morgen oder übermorgen wegzulocken. Zareb hatte Zeit. Es kam nicht auf Tage an. Noch war nicht sicher, ob Birgit Brockmann wirklich versuchen würde, nach Ägypten einzusickern. Schon der Weg bis zum Mittelmeer würde ihr schwer werden. Überall auf der Strecke von Lübeck bis zum Meer waren die nötigen Maßnahmen bereits getroffen worden, sie aufzuhalten. Vom Schuß aus dem Hinterhalt bis zum Hinauswerfen aus dem fahrenden D-Zug waren alle Möglichkeiten erwogen. Man kannte keine Skrupel. Es ging um mehr als um einen einzigen Menschen.

»Ich muß jetzt gehen«, sagte Zareb und gab Jörgi die Hand. »Soll ich morgen wiederkommen? Ich kann dir viel erzählen aus fernen Ländern. Ich habe Räuber gesehen und Menschenfresser.«

»Richtige Menschenfresser?« staunte Jörgi. Seine Augen glänzten.

»Ja. Mit angespitzten Zähnen. Jeder trug einen Kochtopf am Gürtel.«

»Au fein!« Jörgi klatschte in die Hände. »Willst du nicht ins Haus kommen und Omi auch von den Menschenfressern erzählen?«

»Nein. Omis haben ja immer Angst. Aber wir sind ja Männer, was? Ich komme morgen wieder, um die gleiche Zeit. Hier an die Tonne.«

Zareb streichelte Jörgi über die hellblonden Haare. Er empfand dabei keinerlei Regungen, es war nur eine mechanische Bewegung, die zu seiner Rolle gehörte. Er winkte sogar zurück, als er sich im Schutze der Büsche über den Zaun zurück auf die Straße schwang und dann, etwas geduckt, davonlief. In einem Nebenweg, der zum Kanal führte, parkte sein alter VW.

Jörgi ging tief in Gedanken versunken zur Terrasse. Menschenfresser, Räuber, angespitzte Zähne, Kochtöpfe am Gürtel, O lieber Gott, wenn es doch schon morgen abend wäre!

Berta Koller rückte die Terrassenmöbel gerade unter das vorgezogene Dach, als Jörgi durch den Garten kam.

»Guten Abend, Herr Brockmann«, sagte sie fröhlich. »So in Gedanken? Was brütest du wieder aus, du Schlingel? Wie war's im Kindergarten? Sag bitte nicht wieder doof, sonst bekommst du keinen Schokoladenpudding. Was hast du auf dem Herzen?«

»Nichts, Omi. Gar nichts.« Jörgi betrat das Haus. Es roch nach Rührei, bis auf die Terrasse. Rührei mit Speck, was Jörgi überhaupt nicht mochte. Er sah sich um, legte die Hände gegen den Mund, blinzelte mit den Augen und sagte leise: »Und es war doch doof. Ätsch!«

In Hamburg, Elbaussicht 17, saßen Birgit Brockmann und Konrad Gerrath nicht allein Zuraida, sondern vier anderen Männern gegenüber. Zuraida hatte sie vorgestellt mit ihren wirklichen Namen. Oberleutnant Ben Abraham, Leutnant Moshe Gav'riel, Major David Goldsohn — Konrad Gerrath hatte das Gefühl, in einer Sauna zu sitzen und heftig zu schwitzen. Er sah, daß er in einer Zentrale des Geheimdienstes saß, und das offene Vertrauen, das man ihnen entgegenbrachte, bewies, daß er und Birgit wichtige Figuren in einem blutigen, unterirdischen Kampf geworden waren. In diesem Augenblick verfluchte er Alf Brockmann und seinen genialen Erfindergeist. Der Fortschritt, den Alf Brockmanns Ideen der Menschheit versprachen, wurde, wie so vieles Gute, zum drohenden Untergang der Völker.

»Unser Plan steht fest«, sagte Major Goldsohn und ließ seinen Zeigefinger über eine Karte Südeuropas und Vorderasiens gleiten. »In Hamburg steht ein Privatflugzeug bereit, eine zweimotorige, sichere Maschine, die Sie nach Rom bringen wird. Von Rom aus reisen Sie mit einem Wagen an die Adriaküste, nach Coppafolio, einem kleinen Fischernest südlich von Bari. Dort erwartet Sie ein großes Motorboot, das Sie nach Malta bringt. In Malta steigen Sie auf eine Privatjacht um, die nach Bengasi in Libyen fährt. Dort gehen Sie an Land und werden erwartet.«

»Und was geschieht dann?« fragte Gerrath heiser vor Erregung.

»In Bengasi wird man unterdessen wissen, wo die Grenze nach Ägypten so weich ist, daß man einsickern kann.« Major David Goldsohn sah kurz hinüber zu Zuraida. Soll man ihr sagen, daß Alf Brockmann tatsächlich noch lebt, hieß dieser Blick. Sollen wir gestehen, daß eine unserer Agentinnen mit Namen Aisha in seinem Haus ist?

Zuraida schüttelte unmerklich den Kopf. Nein. Wir brauchen die Sensation dieser Reise, um die Welt auf dieses perfide Spiel aufmerksam zu machen. Wenn Birgit Brockmann in Ägypten ist, wird die Weltpresse davon unterrichtet werden. Schlagartig. Und es wird für Ägypten keinen Ausweg mehr geben, als die Wahrheit zu bekennen.

Major Goldsohn verstand und schwieg. Er rollte das Kartenblatt zusammen und goß rundum Fruchtsäfte in die geleerten Gläser.

»Noch eins«, sagte er und sah dabei ostentativ Gerrath an. »Sie haben heute Einblick in ein Haus bekommen, das als Wohnsitz eines Großhändlers für Matratzen gilt. Ich brauche nicht zu betonen, daß Sie bei mir Matratzen bestellt haben, wenn Sie jemand fragen sollte.«

»Selbstverständlich.« Konrad Gerrath lächelte bitter. »Zwei Schaumgummimatratzen mit Schondecken. Großblumig. Ich liebe Blumen.«

»Ich auch, Herr Dr. Gerrath.« Leutnant Gav'riel lächelte höflich. »Aber über der Erde . . .«

Gerrath verstand und senkte den Blick.

Es gab kein Zurück mehr.

5

Etwas außerhalb Kairos, nach Gizeh zu, wo die Villenviertel der Reichen beginnen, die zauberhaften, vom Nilwasser bewässerten Gärten, die Luxusschwimmbäder und die blühenden, betäubend duftenden Jasmin- und Kamelienhecken, und wo die Wüste heranreicht an die hohen Mauern, hinter denen ein Paradies beginnt, toter, von der Sonne ausgelaugter Boden neben fruchtbarster Muttererde, in diesem Viertel der weißen Zinnen und orangenen Markisen, der leuchtendroten Tennisplätze und der lautlosen, in weiße Pluderhosen gekleideten, nubischen oder sudanesischen Diener lag auch das Haus »Roseneck«. Umgeben, wie alle diese Villen, mit hohen Mauern, einem bunten Garten, einem Schwimmbassin aus grünen Kacheln und einer großen, überdeckten Terrasse, unter deren Dekke sich unaufhörlich die Propeller der Ventilatoren drehten.

Haus »Roseneck« gehörte einem Mann, der sich Jussuf Ibn Darahn nannte. Trotz der dunklen Sonnenbräune und eines Bärtchens, wie es die vornehmen Ägypter mit Vorliebe tragen, sah jeder, daß Jussuf Ibn Darahn kein Sohn der Wüste war, sondern ein Weißer. Er hatte früher einmal Josef Brahms geheißen.

Das erste Leben des Hauptmanns Josef Brahms hörte am Morgen des 31. August 1942 auf. An diesem Tag wurde sein Tigerpanzer in der Wüste lahmgeschossen, und während die Rommel-Armee vergeblich gegen die britischen Stellungen bei El Alamein anrannte, holten halbverdurstete Tommies Hauptmann Brahms und vier von seiner Tigerbesatzung aus dem glühenden Stahlkasten und fuhren sie nach Alexandrien in die Gefangenschaft.

Dort wurde Josef Brahms gut verpflegt, dort traf er auf andere Offizierskameraden, und als er nach Kriegsende erfuhr, daß man ihn einschiffen und nach England bringen wollte, verschwand er von einem Außenkommando spurlos in der Wüste. Und mit ihm sieben andere Offiziere und ein Feldwebel der ehemaligen »Wüstenfüchse«.

Damals suchte man nicht lange nach diesen acht Flüchtenden. Die Wüste würde sie bald wieder ausspucken, dachte man. Und wenn nicht . . . gefährlich werden konnten sie nicht. Sie konnten Datteln ernten, die Sterne anstarren, die Sonne verfluchen, das schale Wasser trinken, sich nachts am getrockneten, angezündeten Kamelmist wärmen, sich gegen die Sandflöhe wehren, von Schakalen anheulen lassen, die Fäuste gegen die kreisenden Geier schütteln. Es war ein Hundeleben, in das sie geflüchtet waren. Warum sollte man sich die Mühe machen und sie suchen?

Fünf Jahre lebte Hauptmann Brahms mit seinen Männer in der Oase Dachla, einem grünen Gebiet inmitten der Libyschen Wüste von der Größe des Rheinlandes. Das kleine Dorf Ain Chebir wurde ihre Heimat. Dort bauten sie moderne Bewässerungsanlagen, versuchten den ersten Orangenanbau und handelten mit Vieh und Frauen, einem begehrten Artikel für die Beduinen, die junge Mädchen in ihren weltvergessenen, winzigen Wüstendörfern so nötig brauchten wie Salz und Töpferwaren.

Dieses einfache und oft mühsame Leben von Kolonisatoren änderte sich schlagartig, als General Nasser im März 1954 ägyptischer Ministerpräsident wurde.

In Suez, bei einer Kanalbesichtigung, wurde Hauptmann Josef Brahms mit seinen sieben Mannen dem General vorgestellt.

»Was können Sie beitragen zum Aufbau Ägyptens?« fragte Nasser. Und Hauptmann Brahms antwortete mit zusammengeknallten Hacken:

»Wir können alles, Herr General.«

Seit diesem Tage wurde aus Brahms Darahn, aus Josef das arabische Jussuf. Hauptmann Brahms und seine Freunde besuchten in Alexandrien eine Schule, hielten sich als Militärberater in der Negev-Wüste, an der israelischen Grenze auf. Schließlich bekam Brahms das Haus »Roseneck« außerhalb Kairos, einen Geheimsender und den Auftrag, Spionageabwehr zu betreiben.

In den Augen Hauptmann Brahms' sah das folgendermaßen aus: Geld aus Ägypten, Aufträge aus Deutschland, Sabotagematerial aus England. Oft war es eine Kunst, alle drei Seiten gleichmäßig zu befriedigen und nicht durcheinander zu kommen. Ganz kompliziert wurde es, als der deutsche Handelsvertreter Hans Ludwigs nach Kairo kam, um für eine deutsche Eisenfirma eine Nahostniederlassung zu gründen. Es blieb nicht aus, daß Ludwigs eines Tages im deutschen Club mit Jussuf Ibn Darahn zusammentraf und man nach einer Stunde vorsichtigen Abtastens entdeckte, daß Hans Ludwigs Leutnant einer Flakeinheit gewesen war, die bei Tobruk zehn englische Panzer abgeschossen hatte.

Bei dieser Gelegenheit stellte sich aber auch heraus, daß Ludwigs nicht nur Röhren verkaufte, sondern auch für den Staat Spionage betrieb, der als Erzfeind Ägyptens galt und auf dessen Agenten die Gruppe Brahms angesetzt war.

»Das ist eine schöne Sauerei«, sagte Hauptmann Brahms in einer Ecke des deutschen Clubs und prostete Ludwigs zu. »Theoretisch müßte ich Sie jetzt verhaften lassen. Praktisch ist das aber nicht möglich, denn wir alten Rommel-Kameraden — Prost, Ludwigs! Überlegen wir mal, ob wir nicht zusammenarbeiten können.«

Es war möglich. Nur wurde das Kreiselspiel immer komplizierter. Keiner durfte dem anderen weh tun, und doch erwarteten alle Auftraggeber Erfolge.

Als das Labor am Nilufer gesprengt werden sollte und durch den Nachtwächter Hassan Ibn Mahmut gerettet wurde, empfing Hauptmann Brahms mit saurer Miene seinen Freund Ludwigs.

»Was denkst du dir eigentlich?« sagte er. »Wenn Abu Zabal in die Luft gegangen wäre, hätten auch wir das Fliegen gelernt. Wir hatten abgemacht, daß die Bombe nicht stärker ist als eine normale Granate. Was da hochgegangen ist, war aber eine Mine.«

Hans Ludwigs nickte. »Die Packung kam direkt aus der Zentrale. Ich hatte selbst keine Ahnung.« Er legte die Beine auf den Tisch und trank einen Schluck stark verdünnten Whiskys. »Du kannst dich revanchieren. Morgen nacht geht von Dahab auf Sinai ein kleines Schiff mit Waffen ab, fährt durch den Golf von Akaba und soll in Eilat, Israel, landen. Das Schiff hat Baumwolle an Bord, aber unter der Baumwolle liegen Gewehrgranaten.«

»Das ist gut.« Hauptmann Brahms notierte sich die Route, verließ schnell das Zimmer und ging hinüber in den Funkraum. Als er zurückkam, sah er Ludwigs an der großen Karte Oberägyptens stehen. Sein Zeigefinger kreiste über einem hellen Fleck.

»Das ist nackte Wüste, mein Lieber«, sagte Brahms.

»Irrtum. Hier irgendwo liegt die Oase Bir Assi.«

»Bir Assi? Nie gehört.« Brahms trat neben Ludwigs. Wo dessen Finger hinzeigte, war auf der Spezialkarte eine gelbe Fläche. Brahms schüttelte den Kopf. »Unmöglich. Da gibt es keinen Brunnen. Da hat selbst noch niemand hingespuckt. Auf dem Mond ist es freundlicher als dort.«

Ludwigs wandte sich ab und ging in dem großen Zimmer hin und her. Brummend kreisten die Ventilatoren und saugten die heiße Luft aus dem Raum.

Hauptmann Brahms verfolgte diese Unruhe mit stummer Erwartung. Er kannte Ludwigs. Die Angabe des Waffenschiffs zog noch etwas nach sich, was wesentlich unangenehmer war als die Bombe von Abu Zabal.

»Du weißt also nichts von Bir Assi?« fragte Ludwigs.

»Nein. Ich höre den Namen von dir zum erstenmal.«

»Ehrenwort?«

»Natürlich.«

»Bir Assi soll ein neues Forschungszentrum für Raketentreibsätze sein. Dort arbeitet eine Spezialgruppe unter Leitung eines Europäers.«

Hauptmann Brahms schwieg. Er wußte es wirklich nicht. Sein Gebiet war Kairo und die Küste. Was in der Wüste geschah, unterstand einer anderen Gruppe.

»Ein Landsmann?« fragte er deshalb zurück.

Ludwigs hob die Schultern. »Das hat man mir nicht gesagt. Aber ich glaube es nicht, sonst hätte den Auftrag ein anderer bekommen.«

»Ein Auftrag?« Brahms machte ein säuerliches Gesicht. »Wieder eine Bombe?«

»Nein.« Ludwigs setzte sich. »Wir haben in Bir Assi eine Agentin. Sie soll ein Sprengstoffpaket in das Haus dieses Europäers tragen.«

»Und wenn er es aufmacht, knallt es und zerlegt ihn in einzelne Knochensplitter.«

»Genau.« Ludwigs öffnete das Hemd über der nackten Brust. »Ich dachte, du kennst Bir Assi und kannst mir sagen, ob es ein Deutscher ist oder nicht.«

»Keine Ahnung. Ehrenwort.« Hauptmann Brahms trat wieder an die große Karte und sah auf den gelben, leeren Fleck. Eine Oase, dort, mitten im Sand? Rätselhaft, daß man ihm gegenüber davon geschwiegen hatte

»Wenn es ein Deutscher ist«, sagte Ludwigs langsam, »lasse ich das Paket nämlich vorher verunglücken.«

»Das wäre in jedem Falle gut. Ich würde deine Agentin vorher danach fragen.«

»Ich habe keine Verbindung zu ihr.«

»Und das Paket?«

»Nimmt ein ägyptischer Soldat mit, der Urlaub hatte und zurück nach Bir Assi geht. Gestern ist ein Labor gesprengt worden, aber sie haben das Feuer abfangen können. Der Ring um Bir Assi ist jetzt verdreifacht worden. Es hat keinen Zweck mehr, Gebäude zu vernichten. Jetzt geht es um den Kopf der ganzen Sache, um diesen Europäer. Und da ist ein Paket mit Reißzünder immer noch das Beste.«

Hauptmann Brahms schob die Unterlippe vor. Er wußte auch keinen Rat. Fragen konnte er nicht. General Assban würde sofort aufmerksam werden, wenn ein so heiliges Staatsgeheimnis zum Wissen der Gruppe Brahms gehörte.

»Ich kann dich nicht hindern, Hans«, sagte er. »Außerdem kann ich nichts verhindern, von dem ich offiziell nicht weiß, daß es überhaupt besteht.«

»Du hast also keinerlei Schwierigkeiten dadurch?«

»Nein.« Brahms schüttelte den Kopf. »Mich geht die Wüste nichts an. Das ist allein Assbans Gebiet.«

»Danke.« Hans Ludwigs griff nach einem Glas Eiswasser. »Dann kann das Paket übermorgen abgehen.« Er nahm einen tiefen Schluck und wischte sich mit dem Handrücken den plötzlich ausbrechenden Schweiß ab. »Man darf gar nicht darüber nachdenken, wie wir unser Geld verdienen«, sagte er leise. »Mensch, Hauptmann, was ist aus uns geworden?«

Um das Labor II brannte es noch immer, seit zwei Tagen. Aber das Feuer war unter Kontrolle, die Gräben schützten die wertvollen unterirdischen Bunker, mit Hubschraubern waren jetzt auch passende Schläuche eingeflogen worden und große Schaumlöscher. Um sie für etwaige neue Brände aufzusparen, ließ man das Benzin in den Gräben verbrennen und verhinderte nur den Funkenflug. So stand zwei Nächte lang eine lodernde Fackel über der Wüste, und die Beduinen, die sie aus der Ferne sahen, glaubten an ein Naturwunder und flehten Allah an, sie vor dem Feuer, das vom Himmel regnete, zu verschonen.

Das Attentat hatte sieben Tote gekostet. Bis zur Unkenntlichkeit zerfetzt und verbrannt lagen sie nun in Blechsärgen aufgebahrt in der kleine Moschee. Zehn Soldaten hielten die Ehrenwache. Am nächsten Tag sollte die Beerdigung sein. Am Rande der Oase hob man die Gräber aus. Aber es blieb eine geheime Beerdigung. Die Toten durften nicht tot sein, noch nicht. Kein Angehöriger wurde benachrichtigt. Strengste Geheimhaltung war ange-ordnet worden. Dafür flogen aber schon am nächsten Morgen nach der Sprengung fünf Offiziere des Geheim-dienstes nach Bir Assi und begannen, jeden zu verhören.

Die Soldaten, die Fellachen, die Techniker, die Arbeiter, Frauen und Kinder, Greise und Krüppel. Auch die Mäd-chen im »großen Haus« wurden verhört. Auch Aisha.

Am dritten Tag nach dem Attentat landeten wieder ei-nige Hubschrauber auf dem Platz vor der Kaserne von Bir Assi. Sie brachten aus dem Urlaub kommende Soldaten zurück.

Und noch zwei andere Dinge landeten.

General Yarib Assban traf ein. Eine Ordonnanz trug ihm einen Holzkasten nach.

Die Urne Birgit Brockmanns war eingetroffen. Mit fei-erlichem Ernst trug Assban sie zum Haus Alf Brock-manns.

Und aus einer der Transportmaschinen stieg der junge Soldat Hassan Ben Alkir. In seinem Militärgepäck befand sich ein kleines Paket. Ein Pappkarton, umwickelt mit Packpapier und einer normalen, alltäglichen Kordel.

Es gibt keine Oase, die so einsam ist, daß der Tod sie nicht findet.

Aisha saß in ihrem kleinen Zimmer auf der kargen, nur mit zwei Wolldecken bedeckten Bettstatt und las in einem schon sehr zerfledderten Comic-Heft, das irgendwann ein-mal ein Soldat aus dem Urlaub mitgebracht hatte und das nun von Hand zu Hand ging, als es dreimal kurz und ein-mal lang an der Tür klopfte.

Das kleine, stickige Zimmer, in dem außer dem Bett nur noch ein Spind, eine Waschschüssel und zwei Lederkissen den Eindruck eines »Wohnraumes« ausmachten, lag nicht in dem »großen Haus«, von dem Aisha erzählt hatte. Sie wußte, daß Alf Brockmann niemals das Dirnenhaus besu-chen würde, und hatte deshalb gerade diesen Platz als ihre

Wohnung angegeben. In Wahrheit hauste sie in einem Fellachenhaus am Rande der Oase und knüpfte Matten aus Palmfasern. Das war ihr offizieller Beruf. Sie war als »unbedenkliche Eingeborene« bei den Überwachungsstellen registriert und galt als Oasenbewohnerin, die nicht überwacht zu werden brauchte.

Aisha wartete, bis sich das Klopfen an der Tür wiederholte, dreimal kurz — einmal lang. Dann öffnete sie die Tür einen Spalt und sah hinaus.

Der Soldat Hassan Ben Alkir stand draußen und grinste sie freundlich an. Aisha trat zur Seite und ließ Hassan ins Haus schlüpfen.

»Einen schönen Gruß, Schwester«, sagte er, pellte einen Leinensack von dem mitgebrachten Paket und legte es auf den Tisch. Aisha sah es kurz an und trat dann zwei Schritte zurück, so schnell, als sei sie in einen Feuerkreis geraten.

»Was soll das, Hassan?«

»Welche Frage.« Hassan setzte sich ans Fenster, zündete sich eine Zigarette an und blies den Rauch gegen die Decke.

»Für wen?« fragte Aisha leise. Das Entsetzen stand deutlich in ihren Augen. Sie brauchte die Antwort nicht mehr, sie ahnte sie schon.

»Der Weiße.«

»Alf Brockmann?«

»Wie er heißt, weiß ich nicht. Man sagte mir nur: Aisha weiß Bescheid.«

»Und . . . und wann?«

»So schnell wie möglich. Zwei Fehlschläge haben wir jetzt gehabt. In Kairo und hier. Man will nicht länger warten. Wir müssen jetzt an die Wurzel gehen.«

»Alf Brockmann ist nicht die Wurzel.« Aisha bemühte sich, ganz ruhig zu sprechen. Sie starrte das harmlose Paket an und wußte, was geschehen würde, wenn jemand die Verschnürung aufknotete. »Er ist nur ein kleines Rädchen in dieser gewaltigen Maschinerie. Glaubt man etwa, daß

86

sich etwas ändert, wenn Brockmann durch dieses Paket in die Luft fliegt?«

»Anscheinend ja. Sonst hätte man es mir nicht gegeben.« Hassan Ben Alkir sah hinaus auf sie sonnenheiße Oasenstraße. Kinder spielten mit einem luftlosen Gummiball. Wenn sie ihn gegen die Wände schossen, klang es wie klatschende Ohrfeigen.

»Verschwendung ist das!« rief Aisha.

Hassan hob die Schultern. »Weiß ich es? Wir sollen gehorchen, weiter nichts. Denken tun die anderen, Schwester.«

»Sie denken nichts — sie hassen blind.«

»Ist das nicht ihr gutes Recht?« Hassan zerdrückte die Zigarette auf der festgestampften Erde. »Warum bist du sonst hier in Bir Assi?«

Aisha schwieg. Sie wußte, es gab keine Möglichkeit, dem Auftrag auszuweichen. Führte sie ihn nicht aus, war es Verrat, und es gab Möglichkeiten genug, das dann ausgesprochene Todesurteil zu vollstrecken. Auch Hassan würde es tun, bedenkenlos. Er war ein Mensch, der nur gehorchte und deshalb auch nicht fragte.

»Ich werde das Paket abliefern«, sagte Aisha heiser. »Aber vorher spreche ich noch mit der Zentrale.«

»Auch das wird nicht möglich sein. In den nächsten vierzehn Tagen nicht.« Hassan erhob sich und ging zur Tür. »Die Zentrale verlegt den Standort. Die neue Position wird noch bekanntgegeben.«

»Dann warte ich so lange.«

Hassan hob wieder die Schultern. »Wie du willst. Aber man erwartet, daß du das Paket in den nächsten Tagen ablieferst.«

Aisha sah durch das Fenster Hassan nach, wie er über die Straße ging, zwei Soldatenkameraden traf und mit großem Hallo begrüßte. Untergefaßt und laut redend verschwanden sie um die Ecke in die Hauptstraße, wo zwei Läden der Limonadenverkäufer waren.

Ich muß Alf warnen, dachte Aisha und sah haßerfüllt auf das braune Paket. Ich muß ihn irgendwie warnen. Er darf nicht sterben.

General Assban ließ Brockmann allein, nachdem er ihm feierlich die Urne überreicht hatte. Nur Lore Hollerau blieb zurück und setzte sich neben Alf auf die geflochtene Liege.

»Das bleibt von einem Menschen also übrig«, sagte Brockmann nach einer langen Zeit des Schweigens. Er hatte den Kopf in beide Hände gestützt und sah unverwandt die Urne an. »Ein Häufchen Staub und Asche. Es ist mir unfaßbar, daß das Birgit gewesen sein soll. Ich kann es einfach nicht begreifen . . .«

Lore Hollerau legte ihre Hand auf seinen Arm. Es war eine scheue, zärtliche Geste.

»Der Tod ist immer etwas Unfaßbares, Chef. Ich weiß, wie auch ich es nicht begriff, als ich meine Mutter aus den Trümmern unseres Hauses ausgrub. Volltreffer. Luftmine. Das Haus war zusammengefallen wie ein Kartenhäuschen . . . aber alle Keller waren unversehrt. Als wir in sie hineinkamen, lag Mutter auf ihrem Luftschutzbett, die Hände gefaltet, und schlief. ›Mutter, wach auf!‹ habe ich gerufen. Ich habe sie geschüttelt und gerüttelt, ich habe immer wieder gerufen: ›Nun wach doch auf. Du mußt aus dem Keller raus! Mein Gott, wie kann man nur so tief schlafen!‹ Ich konnte es einfach nicht begreifen, daß Mutter so friedlich dalag und nicht mehr lebte. Lungenriß, sagten die Ärzte. Der ungeheure Druck der Luftmine. Was verstand ich davon? Ich wollte es ja gar nicht verstehen. Sie schlief ja nur. Und selbst, als man sie begrub, stand ich noch am Grab und schrie: ›Was macht ihr denn? Sie schläft doch nur! Holt sie zurück! Holt sie zurück!‹« Lore legte den Kopf an Brockmanns Schulter. »Es hat lange gedauert, bis ich mich daran gewöhnt hatte, allein zu sein. Ich habe ein Jahr lang jeden Morgen für Mutter ein Gedeck auf den Tisch gelegt. Einen Blechlöffel und eine große NSV-Porzellanschüssel. Das war damals schon Luxus. Aber das wissen Sie ja alles selbst, Chef.«

Alf Brockmann nickte. Er legte den Arm um Lores Schulter, und so saßen sie, umschlungen und stumm, vor der in der Sonne glitzernden Urne und dachten zurück an ihr vergangenes Leben.

»Wo wollen Sie die Urne beisetzen?« fragte Lore nach einer langen Zeit. Brockmann zuckte zusammen.

»Assban läßt im Garten ein Grabmal bauen.«

»Und bis es fertig ist?«

Brockmann schwieg. Wo soll ich Birgits Asche hinstellen, dachte er. Was macht man mit einer Urne? Man kann sie doch nicht einfach aufs Büfett stellen wie eine Vase oder in dem Kleiderschrank verstecken wie alte Schuhe. Die Ehrfurcht vor dem Tode gebietet einen heiligen Ort . . . wo aber war in der Wüstenoase Bir Assi ein solcher Platz?.

»Ich werde die Urne in den Garten stellen, unter den großen Malvenbusch«, sagte Brockmann heiser. »Birgit mochte immer blühende Sträucher, sie war ein Blumennarr. Unter den Malven wird sie einen würdigen Platz haben.«

Er stand auf, ergriff mit beiden Händen die Urne, drückte sie an die Brust und verließ langsam das Haus. Lore Hollerau ließ ihn allein gehen. Sie trat ans Fenster und sah zu, wie er die Urne unter den großen blühenden Busch stellte, wie er mit den Händen Sand zusammenkratzte und ihn anhäufte, damit die Urne nicht umfiel, wie er dann mit gesenktem Kopf davor stand und die Hände gefaltet hielt.

Er muß sie sehr geliebt haben, dachte sie, und dieser Gedanke tat dummerweise ein bißchen weh. Und gleichzeitig dachte sie: Wie schön muß es sein, von einem Menschen solche Liebe zu empfangen. Ich habe nie dieses Glück gehabt. Ich wurde immer nur enttäuscht. Ich habe die Männer hassen gelernt, bis ich auf Alf Brockmann traf. Ohne daß er es merkte, bekam ich die Achtung wieder. Ich wuchs innerlich mit ihm zusammen; ich dachte, was er dachte; ich wußte im voraus, was er tun würde; ich hatte Angst um ihn und war doch glücklich, nur um ihn zu sein, ihn nur zu sehen, zu hören, seine Körpernähe zu spüren. Ich habe mich verliebt wie ein junges Mädchen in seinen ersten Mann, und es war schwer, es immer vor ihm zu verbergen.

Aber jetzt wird es anders werden. Jetzt braucht er einen neuen Halt im Leben. Was ist ein Mann ohne die Liebe einer Frau? Ein ewig Herumirrender, ein Landstreicher auf der Suche nach dem Sinn des Lebens. Das klingt verteufelt romantisch — aber das Gefühl hat man bisher noch nicht modernisieren können.

Am Abend saßen Alf Brockmann und Lore Hollerau auf der Terrasse und tranken süßen Wein. Aus einem Transistorradio klang leise, zärtliche Musik.

»Sie sollen nicht so viel grübeln, Chef«, sagte Lore Hollerau und strich Brockmann über die blonden Haare. »Unser Leben geht weiter, und wir haben noch nicht einmal einen Einfluß darauf. Die Heimat ist weit, und wir sitzen mitten in der Wüste. Wäre ich ein Mann, würde ich sagen, es ist alles Mist, wenn wir uns nicht hätten.«

Alf Brockmann lächelte schwach. »Sie sind ein tapferes, starkes Mädchen, Lore.« Er beugte sich vor und küßte sie auf den Haaransatz. »Es stimmt. Ich wäre jetzt schrecklich einsam, wenn Sie nicht wären.«

Aus dem Mauerschatten, in dem sie schon eine ganze Zeit gestanden hatte, glitt lautlos Aisha in die Nacht hinaus und rannte im Schutze der Büsche geduckt davon. Ihre schwarzen Augen glühten.

Er hat sie geküßt, schrie es in ihr. Er hat sie geküßt.

Sie rannte zu ihrem Haus, riß das Paket vom Tisch und glitt wieder in die Nacht hinaus.

Es war keine Schwierigkeit, in den kleinen Bungalow

Lore Holleraus einzudringen. Die Verandatüren standen offen, wie jede Nacht. In Bir Assi brach niemand ein, stahl niemand etwas. Wo sollte er denn hin mit dem Gestohlenen?

Mit spitzen Fingern legte Aisha das kleine Paket auf den Tisch, mitten in einen kleinen Berg Post, der mit dem Morgenhubschrauber gekommen war und den Lore Hollerau noch nicht durchgesehen hatte. So war es selbstverständlich, daß Lore auch das Paket als mit der Post gekommen betrachten und es ahnungslos aufschnüren würde.

Ebenso lautlos und unsichtbar, wie Aisha gekommen war, verschwand sie auch wieder. Sie lief zu ihrem Versteck, holte den kleinen Sender aus dem Stroh und tastete wieder den Äther nach einem Gespräch mit der Zentrale ab.

»Gamma eins . . . Gamma eins . . . Gamma eins . . . Bitte rufen! Bitte rufen!«

Zur größten Verblüffung meldete sich sofort die Gegenseite. Die Zentrale. Man schien dort sehr aufgeregt zu sein, denn die Worte überstürzten sich so, daß Aisha sie nicht verstand. Erst nach einer Rückfrage bekam sie eine klare Auskunft.

»Paket zurückhalten — Paket zurückhalten —«, hörte sie. Ein Zittern durchlief ihre schlanke Gestalt. »Paket nicht abliefern. Neue Meldungen abwarten. Sie werden ab sofort zum Schutz des Betreffenden eingesetzt. Paket zurückhalten. Ende.«

Aisha antwortete nicht mehr. Sie warf den Funkapparat in das Stroh und hetzte durch die Oasenstraßen und quer durch die Gärten zu der weißen Villenkolonie. Keuchend erreichte sie die hohe Mauer, die die Bungalows umgab. Mit letzter Kraft erkletterte sie die Mauer, ließ sich in den Garten fallen und rannte mit taumelnden Beinen zum Bungalow Lore Holleraus.

Im Zimmer brannte Licht.

Lore stand am Tisch und sah die Post durch. Die Briefe

hatte sie schon sortiert, nun hielt sie das kleine Paket in den Händen und drehte es mit leichtem Kopfschütteln.

»Nein!« wollte Aisha schreien. »Nein! Nicht aufmachen! Halt!«

Aber die Stimme versagte ihr. Sie stand wie gelähmt im Garten und starrte auf die Frau im hellen Licht, die jetzt eine Schere nahm und die Bindfäden durchschnitt.

Noch einmal versuchte Aisha einen Schritt vorwärts, aber es war zu spät zur Rettung. Als Lore an dem Knoten zog, der nach innen mit der Reißleine der Bombe verknüpft war, warf sich Aisha seitlich auf die Erde, drückte das Gesicht in die Erde und hielt sich die Ohren zu.

Im Zimmer quoll aus dem Paket ein helles Zischen, als Lore Hollerau an dem Knoten gezogen hatte. Geistesgegenwärtig warf sie das Paket von sich, es prallte gegen eine Kommode — aber es blieb ihr keine Zeit mehr, aus dem Zimmer zu rennen oder sich hinzuwerfen. Eine hohe Stichflamme schoß aus dem Paket, etwas Heißes fuhr Lore Hollerau über Gesicht und Augen, die Welt ging in einem grellen Feuer unter. Den Knall der Explosion hörte sie nicht mehr. Mit dem Gefühl, zu verbrennen, fiel sie in Bewußtlosigkeit.

Im Militärhospital von Assiut am Nil wachte Lore Hollerau auf. Sie fühlte sich wie auf weichen Daunen schwebend, ein dicker Verband umhüllte ihren Kopf. Auf beiden Augen spürte sie einen leichten Druck, als habe man Wattebäusche darauf gelegt. Schmerzen hatte sie keine, nur ein Brennen und Jucken an den Augen war unangenehm.

Als sie sich bewegte und den Arm hob, um den Kopf abzutasten, ergriff jemand ihre Hand und legte sie auf die Bettdecke zurück. Eine Stimme — die Stimme Alf Brockmanns — sagte tröstend:

»Ganz ruhig liegen, Lore. Und keine Angst. Das Teufelsding hat Sie nur leicht verletzt. Sie haben ungeheures Glück gehabt.«

»Das Paket« sagte Lore schwach. »Ich machte die Verschnürung auf . . .«

»Ganz ruhig. Nicht so viel sprechen.« Alf Brockmann
hielt ihre über das Bett tastende Hand fest. »Es war eine
jener grausamen Todesfallen, mit denen die Geheimdienste arbeiten. Bis heute wissen wir nicht, wie das Paket zu Ihnen auf den Tisch kam.« Brockmann zögerte,
dann fügte er hinzu: »Im übrigen sollte das Paket mir
gelten.«

»Wer sagt das?«

»Assban.« Brockmanns Stimme klang bitter. »Ich habe
immer geglaubt, für den Fortschritt zu arbeiten. Aber es
gibt keinen Fortschritt, der nicht zugleich auch Vernichtung sein kann. Das ist das Teuflische an der Zivilisation.
Ich habe mich auf dieses Abenteuer eingelassen — nun
werde ich sehen müssen, wie ich es überlebe. Aber daß
Sie, Lore, darunter zu leiden haben, ist für mich fürchter-
lich.«

Der dickverbundene Kopf Lores drehte sich langsam zu
Alf Brockmann. Es war, als könne sie ihn durch die dicken
Bandagen sehen.

»Es war gut so«, sagte sie kaum hörbar. »Sie sind gesund geblieben. Um mich ist es nicht schade . . . wer bin
ich denn schon?«

»Das dürfen Sie nicht sagen, Lore.« Brockmann beugte
sich über sie. Ganz leicht streichelte er über ihren Hals und
spürte, wie sie unter dieser Berührung erschauderte.
»Wenn Sie wieder gesund sind, werden wir uns überlegen,
wie unsere gemeinsame Zukunft aussehen soll.«

Lore Hollerau schwieg. Die Augenhöhlen brannten.
Auch ließ das wohlige Gefühl des schwerelosen Schwebens
nach. Über ihr Gesicht zuckten Schmerzen wie in das
Fleisch einschneidende Blitze.

»Wo bin ich jetzt?« fragte sie und drehte den Kopf wieder zu Alf Brockmann.

»In Assiut. Die besten Ärzte haben Sie versorgt.«

»Und was habe ich?«

»Ein paar Verbrennungen, weiter nichts.«

»Im Gesicht? Ich werde also später häßlich aussehen? Bitte, sagen Sie nicht nein. Ich habe im Krieg diese Verletzungen gesehen. Es war furchtbar.«

Alf Brockmann schluckte. Kraft, sagte er zu sich. Ich brauche Kraft, um jetzt weiterzusprechen.

»Es waren nur ein paar Splitter, Lore, weiter nichts. Die Narben kann man später wegoperieren, und man sieht nichts mehr davon.«

»Und die Augen?«

»Was soll mit den Augen sein?« fragte Brockmann dumpf.

»Sie brennen so.«

»Das wird vorübergehen. Mit den Augen ist gar nichts, Lore.«

Er ergriff wieder ihre Hand und hielt sie tröstend fest. Dabei dachte er an die Worte, die der Chefchirurg, Major Bakal, ihm vor einer Stunde erst gesagt hatte. »Sie wird auf beiden Augen blind bleiben. Hornhaut und Netzhaut sind zerstört. Es gibt da überhaupt keine Hoffnung mehr . . .«

»Bleiben Sie jetzt hier, Chef?« Die Stimme Lores wurde wieder müde. Sie spürte, wie sie wegglitt, klammerte sich an das Bewußtsein und konnte es doch nicht festhalten.

»Ja, ich bleibe hier, bis ich Sie wieder mitnehmen kann.«

»In die Oase?«

»Nein. Hoffentlich nach Deutschland. Wir wollen den Rest unseres Lebens ohne die ständige Angst vor dem Tode verbringen.«

»Und . . . was . . . was sagt Assban dazu?«

»Er schweigt. Aber er sagt auch nicht nein.« Er beugte sich über ihren unförmigen Kopf und küßte ihre Halsbeuge. »Wir können jetzt nur warten, Lore. Und tapfer mußt du sein, ganz tapfer. Ich bin jetzt immer bei dir.«

Mit einem glücklichen Lächeln schlief sie ein. Aber niemand sah dieses Lächeln . . . es lag verborgen unter den Binden.

Vergeblich wartete Detlef-Jörg auf seinen neuen Freund, der die Menschenfresser kannte. Über eine Stunde wartete er an der Regentonne, dann ging er enttäuscht ins Haus, hatte keinen Hunger zum Abendessen und legte sich schmollend ins Bett.

Zareb Ibn Omduran hatte, als er nach Hamburg zurückkehrte, eine andere Order bekommen.

»Nur beobachten«, sagte der Mittelsmann zu ihm. »Das Kind läuft uns nicht weg. Erst wenn die Frau wirklich abreisen sollte, greifen wir zu diesem letzten Mittel. Solange man Aufsehen vermeiden kann, sollte man es tun. Also abwarten!«

Zareb war es recht. Er hatte neue Zwiebelimporte unterwegs und verhandelte mit einigen Großeinkäufern und Supermärkten. Ein ganzes Schiff voller Zwiebeln schwamm heran, und je eher Zareb die Ladung verkaufte, um so geringer war natürlich der Verlust durch Fäulnis oder Austrocknung.

In diesen Tagen wurde auch die Urne Alf Brockmanns beigesetzt. Es geschah in aller Stille, es war nur eine Formsache. Weder Jörgi noch andere Verwandte erfuhren etwas davon, denn für Birgit war in der Urne nicht ihr Alf, sondern eine fremde Asche. Nur Berta Koller, Konrad Gerrath, Birgit und ein Friedhofswärter, der ihnen den Platz auf dem Urnenfriedhof zeigte, begleiteten das schöne kupferne Gefäß, das man wieder zugelötet hatte. Obgleich es unnötig war, aber um den Schein der Trauer zu wahren, legte Birgit sogar ein Blumengebinde neben die Urne und verharrte wie im stummen Gebet.

Berta Koller war in den vergangenen Tagen ganz still geworden. So wenig sie ihren Schwiegersohn gemocht hatte, so sehr ergriff sie die Trauer und doch Auflehnung gegen das Schicksal. Gerrath hatte zu Berta Koller gesagt: »Es ist völlig sinnlos, Birgit von der Wahrheit zu überzeugen. Sie glaubt es einfach nicht.« Und später, nach der Rückkehr aus Hamburg und dem Besuch des mysteriösen Hauses an der Elbaussicht, meinte er: »Es gibt Dinge, die man wirklich nicht glauben kann; man muß sie einfach hinnehmen.« Das klang geheimnisvoll, Berta Koller begriff es nicht, aber sie hörte auf, Alf Brockmann zu beschimpfen. Ein Toter hat das Recht auf Ruhe.

Plötzlich, an einem lauen Sommerabend, stand wieder Zuraida im Zimmer. Sie trug ein Reisekostüm und begrüßte Birgit wie eine alte Freundin.

»Es ist soweit«, sagte sie. »Das Flugzeug wartet auf uns.«

Birgit spürte, wie ihr Herz aussetzte. »Wann?« fragte sie zurück.

»Sofort.«

»Aber das geht doch nicht . . .«

»Warum denn nicht? Ach, wegen der Kleider? Ein kleiner Koffer genügt. Was wir in Afrika brauchen, kaufen wir in Bengasi. Wir haben noch eine Stunde Zeit, dann erreichen wir das Flugzeug rechtzeitig.«

Birgit blieb mitten im Zimmer stehen, ihre Arme hingen schlaff an ihrem Körper.

»Aber es ist doch gar nichts geregelt. Meine Mutter . . . mein Kind . . . Ich kann doch nicht einfach wegfahren . . .«

»Es geht uns darum, daß möglichst wenig Aufsehen gemacht wird. Schreiben Sie an Ihre Mutter und an Herrn Gerrath einen Brief.« Die Stimme Zuraidas war plötzlich kalt und herrisch. Sie sprach nicht mehr, sie befahl. »Wir müssen uns nach den Gegebenheiten richten, und diese werden nicht hier bestimmt.«

»Was . . . was kann ich mitnehmen?« fragte Birgit leise.

»Einen kleinen Koffer mit dem Nötigsten. Kommen Sie, ich helfe Ihnen packen.«

Eine halbe Stunde später hatte Birgit ihren kleinen Reisekoffer gepackt und zwei kurze Briefe geschrieben. Dann ging Zuraida mit ihr hinauf in Jörgis Zimmer.

Der Junge schlief tief und fest mit geballten Fäusten. Durch Birgits Körper zuckte es. Sie hielt sich am Fußende des Bettes fest und atmete tief und laut.

»Wecken Sie ihn nicht auf«, flüsterte Zuraida. »Das mag alles ein wenig grausam und unverständlich klingen, aber wir haben unsere Gründe dafür.«

Birgit nickte stumm. Sie beugte sich über Jörgi und küßte ihn behutsam auf die Stirn und die trotzigen Lippen. Dann zog Zuraida sie vom Bett weg und schloß hinter ihr die Tür. Sie spürte den Widerstand Birgits und bemerkte in ihren Augen den Willen, nicht zu fahren.

Und jetzt, in dieser kritischen Minute, sagte Zuraida, was in Birgit allen Widerstand niederriß:

»Kommen Sie . . . wehren Sie sich nicht . . . Wir wissen, daß Ihr Mann noch lebt.«

Mit steifen Beinen, wie eine aufgezogene Puppe, stieg Birgit vor Zuraida die Stufen der Treppe wieder hinunter. Sie nahm ihren Koffer, ging nicht mehr ins Zimmer zurück, sondern öffnete die Haustür. Erst draußen, als sie durch den Vorgarten gingen, fand sie ihre Sprache wieder.

»Er lebt?«

»Ja. Wir wissen es ganz genau.«

»Und ich werde ihn wiedersehen?«

»Wenn Gott uns hilft.« Zuraida blieb stehen und nahm Birgit den Koffer ab. Sie sah, wie zentnerschwer er für Birgit war. »Wissen Sie, daß wir etwas völlig Irrsinniges unternehmen, etwas so Phantastisches, daß es uns niemand glauben wird?«

»Ja.«

»Und Sie haben keine Angst?«

»Nein.« Birgit Brockmann stieß die Vorgartenpforte auf. »Ich tue es doch aus Liebe.«

6

B ei Zareb Ibn Omduran läutete das Telefon.
»Einen Augenblick«, sagte der Zwiebelimporteur
und griff zum Hörer. Vor ihm saßen gerade drei Herren einer Supermarktgesellschaft und verhandelten über 1000
Zentner Zwiebeln. Nach guter orientalischer Sitte feilschte
man um lumpige 100 DM, die bei diesem Preis nicht ins
Gewicht fielen, aber es gehörte zum Prestige.

»Aktion B läuft an«, sagte eine Stimme, so ruhig, als
bestelle sie einen guten Tag. »Fahren Sie sofort.«

Zareb seufzte laut, legte den Hörer zurück, klatschte in
die Hände und sagte mit schmerzverzerrter Miene: »Also
dann, meine Herren, ich gebe mich geschlagen. Sie sollen
die 100 DM Rabatt extra haben. Ich muß in dringenden
Geschäften zum Hafen, mein Sekretär wird alles erledigen.
Guten Tag.«

Minuten später fuhr Zareb mit seinem VW über die
Autobahn nach Lübeck. Auf diese Stunde war alles vorbereitet: die Entführung, selbst das Versteck, die Verpflegung des Jungen und − falls auch das befohlen wurde −
die restlose Beseitigung des kleinen Körpers in einer Zink-
wanne voll Schwefelsäure. Sie stand im Keller des Hauses,
das vorerst als Versteck dienen sollte.

Zareb Ibn Omduran traf gegen Mittag in Lübeck ein. Er
fuhr sofort zum Kindergarten, wo die Kinder noch im
Garten spielten. Detlef-Jörg war nicht darunter. Zareb
wartete über eine Stunde an der Mauer und beobachtete
und betrachtete jedes Kind. Dann war er sicher, daß Jörgi
an diesem Tage zu Hause geblieben war; anscheinend
weinte er, weil seine Mutter plötzlich verreist war.

Im Garten des kleinen, weißen Hauses am Kanal sah
er dann den Jungen traurig auf einem Ziegelstein sitzen
und auf das Wasser starren. Er pfiff leise, Jörgi hob den
Kopf und erkannte seinen lang vermißten Freund von

den Menschenfressern. Er blickte sich nach allen Seiten um, ob ihn auch keiner beobachtete, sah Konrad Gerrath und die Omi unter dem Sonnenschirm auf der Terrasse sitzen und Kaffee trinken, und schlenderte, die Hände auf dem Rücken und vor sich hin pfeifend, vom Kanalufer weg zu den Büschen, in denen sich Zareb verborgen hielt.

»Bist ein kluger Junge«, sagte Zareb lobend, als Jörgi zu ihm hinter den Busch trat. »Hat dich keiner weggehen gesehen?«

»Keiner.« Jörgi zupfte Zareb an der Jacke. »Hast du die Bilder mitgebracht?«

»Aber ja. Im Wagen liegen sie. Ein ganzer Haufen. Komm mit!« Sie schlichen sich aus dem Garten, rannten im Schutze der Hecke zu dem Nebenweg und kamen zu Zarebs Wagen.

»Einsteigen, junger Mann«, sagte Zareb fröhlich. »Du kannst ja schleichen wie ein Indianer.«

Jörgi lachte. Er kletterte in den Wagen und zog die Tür hinter sich zu. In diesem Augenblick drückte Zareb ihm einen Wattebausch gegen Nase und Mund. Jörgi wollte schreien, er atmete einen süßlich-starken Geruch ein, seine abwehrerhobenen Arme wurden schlaff und fielen herab, sein Kopf sackte nach hinten, sein kleiner Körper streckte sich.

Zareb wickelte den Wattebausch in einen Plastikbeutel, ließ einen Moment beide Türen des Autos offen, um das Chloroformgas abziehen zu lassen, schob sich dann neben Jörgi ans Steuer und raste auf Nebenstraßen bis zum Autobahnzubringer. Dort, hinter einem Gebüsch, drückte er noch einmal den Wattebausch an Jörgis Nase, legte den Jungen dann auf die Hintersitze und breitete eine Decke über ihn. Dann fuhr er auf die Autobahn, nach Hamburg zurück. Sogar das Radio stellte er an.

Zareb Ibn Omduran grinste breit.

Es ist ja so einfach, Schicksal zu spielen.

Zwei Stunden später wimmelten das kleine Haus am Kanal und der große Garten von Polizeiuniformen und Kriminalbeamten.

Berta Koller lag in tiefer Ohnmacht auf dem Sofa, ein Arzt bemühte sich um sie mit herzstärkenden Injektionen. Konrad Gerrath lief wie ein Raubtier im Käfig hin und her, während die Spurensicherungsbeamten hinter der Hecke die Reifenspuren eines Wagens mit Gips ausgossen. Mehr war nicht zu entdecken. Keine Anzeichen von Gewaltanwendung, keine Schleifspuren, vor allem kein Blut.

»Es steht außer Zweifel, daß der Junge freiwillig mitgegangen ist«, sagte der Kriminalbeamte, der die Untersuchung leitete. »Ein Bekannter muß ihn abgeholt haben.«

»Jörgi hat keine Bekannten, die mit dem Auto vorfahren!« schrie Gerrath. »Der Junge ist fünfeinhalb Jahre alt, für sein Alter sehr aufgeweckt und klug. Der einzige aus unserem Bekanntenkreis mit einem Wagen bin ich. Und ich saß auf der Terrasse, als es geschehen sein muß.«

»Und haben nichts gehört?«

»Nein.«

»Was beweist, daß der Junge nicht gezwungen wurde.« Der Kriminalbeamte pochte mit dem Kugelschreiber auf die Tischplatte. »Vielleicht stellt sich alles als ein harmloser Ausflug dar? Nur auf Ihr Drängen sind wir ja überhaupt herausgekommen. Sie wissen als Anwalt selbst, daß Vermißtenanzeigen erst nach vierundzwanzig Stunden Sinn haben.«

»Was kann in vierundzwanzig Stunden alles geschehen sein!« schrie Gerrath.

»Oder was nicht. Wir müssen zunächst abwarten. Die Spuren sind gesichert.«

»Sie sollten alle Autobahnen und Zufahrtsstraßen sperren!« rief Gerrath.

»Dazu haben wir im Augenblick gar kein Recht. Erst wenn feststeht, daß eine Entführung erfolgte. Was ist, wenn der Junge in einer Stunde quietschvergnügt an der Tür steht? Wollen Sie die Großfahndung verantworten?«

»Mit anderen Worten: Erst wenn etwas geschehen ist, wird gehandelt. Zum Kotzen ist das, meine Herren.«

Zwei Polizisten hatten unterdessen mit Hilfe des Arztes Berta Koller auf ihr Zimmer getragen. Ein Kriminalbeamter blieb unten im Haus bei Gerrath zurück, während die anderen wieder abrückten.

»Es sind die Reifenspuren eines VWs«, sagte der Einsatzleiter noch zum Abschied. »Haben Sie im Bekanntenkreis einen VW-Fahrer?«

»Nein.« Gerrath drehte sich weg. Bis zu diesem Zeitpunkt hatte er mit sich gerungen. Nun sah er keine andere Möglichkeit mehr.

»Bitte, lassen Sie den Chef der politischen Abteilung der Kripo rufen«, sagte er. Der Kriminalbeamte zog wie unter einem Schlag den Kopf zwischen die Schultern.

»Politische? Aber wieso denn?«

»Das hier ist ein politisches Verbrechen.«

»Ich verstehe nicht . . .«

»Es ist auch schwer zu verstehen. Und es ist ein verdammt heißes Eisen. Mit der Asche eines Toten fing es an.«

Kopfschüttelnd verließ der Kriminalbeamte das Zimmer. In der Diele rief er seine Dienststelle an.

»Bitte, sagen Sie Herrn Kriminalrat Dr. Scheuring, er möchte nach hier herauskommen. Es scheint wichtig zu sein. Was es ist? Ich weiß nicht. Ich bin dafür nicht zuständig. Aber es scheint so, als wenn an der Entführung des Jungen doch was dran ist.«

Der große Apparat der Polizei war angekurbelt worden. Und doch lief er von diesem Augenblick an wie auf lautlosen gut geölten Kugellagern.

Ein politisches Verbrechen . . . da ist ein Filzhandschuh noch nicht weich genug. Da ist ein Wispern noch zu laut.

Um das kleine, weiße Haus am Kanal zog sich ein unsichtbarer Ring. Es wurde von der Umwelt vorerst abgesperrt.

Jörgi kam wieder zu sich und lag in einem großen Zimmer auf einem Sofa. Sein Kopf brummte, ihm war speiübel, und immer lag ihm noch der widerlich süße Geruch in der Nase und klebte am Gaumen. Er wußte nicht, was geschehen war, er kannte das Zimmer nicht — aber als sein Blick auf Zareb fiel, der in einem Sessel saß und rauchte, verflog seine Angst sofort. Mit einem piepsenden Laut richtete sich Jörgi auf.

»Wo bin ich?« fragte er und hielt sich mit seinen beiden kleinen Händen die Schläfen fest. »O Mann, mein Kopf.«

Er setzte sich und sah sich um.

Ein gut eingerichtetes Zimmer, große Fenster, vor ihnen eine weite Landschaft und das breite Band der Elbe. Große Schiffe, viel größer, als Jörgi jemals in Lübeck gesehen hatte, fuhren träge an den Fenstern vorbei.

»Du bist in Hamburg«, sagte Zareb freundlich. Er stand auf und setzte Jörgi ein Glas mit Orangensaft an die trockenen Lippen. Der Junge trank durstig und nahm dann das Glas in seine Hände.

»Hamburg?« fragte er verständnislos. »Was ist Hamburg?«

»Eine große Stadt.«

»Du hast mich hingebracht? Und Omi? Und Onkel Konrad? Mensch, werden die schimpfen.«

»Sie wissen es ja. Ich habe sie vorher gefragt. Weil deine Mutti verreist ist, sollst du jetzt bei mir wohnen, um dich zu erholen. Freust du dich?«

»Ja —« Es klang gedehnt und nicht überzeugend. Vor den Fenstern senkte sich der Abend über die Elbe.

»Komm mal mit«, sagte Zareb und nahm Jörgi an der Hand. »Ich zeige dir jetzt dein Zimmer.«

Er führte ihn aus dem Zimmer, über einen dunklen Gang und schloß am Ende des Flures eine andere Tür auf.

Jörgi trat in ein kleines Zimmer, in dem ein Bett, ein Schrank und ein Tisch standen. Außerdem stapelten sich auf dem Boden einige Kartons mit Bastelspielen. Flugzeuge, Schiffe, Autos, naturgetreu zum Selbstherstellen als Modell. Auch ein Fenster war da, aber es war von außen vergittert.

»Hier kannst du spielen, solange du willst«, sagte Zareb. Er gab Jörgi einen kleinen Stoß in den Rücken, der Junge taumelte in das Zimmer, die Tür hinter ihm fiel zu, von außen drehte sich ein Schlüssel zweimal herum. Jörgi wandte sich um. Er wollte aus dem Zimmer laufen, aber die Tür war glatt und feindselig. Sie hatte innen keine Klinke.

»Machen Sie auf!« rief Jörgi und pochte mit seinen Fäusten gegen die Tür. »Bitte, bitte machen Sie auf. Ich will zu meiner Omi!«

Fast zehn Minuten lang rief und pochte er, bettelte er, und schließlich schrie er. Dann tappte er zu dem Bett, setzte sich und ließ erschöpft den Kopf hängen.

Er hatte Angst, und er begann vor Angst zu schluchzen und zu weinen.

Die zweimotorige Maschine landete sicher auf dem Sportflugplatz bei Rom. Es war ein herrliches Bild, Rom im frühen Morgenlicht unter sich zu sehen. Die Kuppel des Petersdomes glänzte bereits wie vergoldet, während die Straßen noch wie schwarze Schächte aussahen.

Birgit Brockmann schnallte sich am Sitz fest, als die Maschine niederging und landete. Zuraida neben ihr schlief und erwachte erst, als die Räder den Boden berührten und ein Beben und Tuckern durch den Flugzeugleib lief.

»Rom!« rief sie. »Die erste Station. Wie fühlen Sie sich, Birgit?«

»Ein wenig müde.«

»Sie sollten nachher im Wagen schlafen. Die Fahrt nach Coppafolio ist anstrengender als solch ein Flug. Außerdem ist es glühend heiß, wenn erst die Sonne durchkommt. Der Sommer im neapolitanischen Apennin kann höllisch sein. Und es sieht so aus, als bekämen wir einen heißen Tag.«

Die schlanke Maschine rollte aus, drehte sich und fuhr mit gedrosselten Motoren auf die Hangars zu. Dort wartete ein großer, schwarzer Reisewagen. Als hole er einen Generaldirektor ab, stand ein Chauffeur neben der bereits geöffneten Tür und sah dem beidrehenden Flugzeug entgegen.

Etwas benommen stieg Birgit aus. Es war ihr erster Flug gewesen, und so wenig sie etwas gespürt hatte, als sie einige tausend Meter hoch über den Ländern und den Alpen schwebten, so sehr hatte Übelkeit auf ihren Magen gedrückt, als sie landeten. Nun atmete sie kräftig die frische Morgenluft ein und fühlte, wie der Druck im Magen nachließ.

»Unser Auto«, sagte Zuraida. Sie winkte den beiden Piloten zum Abschied zu, die im Cockpit blieben und die Maschine wegrollen ließen zu den großen Hallen.

»Guten Tag«, sagte der Chauffeur in gutturalem Deutsch und wies zum Wagen. »Bitte einsteigen. Wenig Zeit. Haben eine Stunde Verspätung.«

Birgit ließ sich in die dicken, weichen Polster fallen. Der Chauffeur schlug die Tür zu und wandte sich an Zuraida.

»Sie haben das Kind entführt«, sagte er leise in seiner Muttersprache.

»Welche Gemeinheit.« Zuraida tat, als suche sie etwas in ihrer Reisetasche. »Wer?«

»Die anderen. Man will die Frau zwingen, nicht zu fahren und umzukehren.«

»Wann ist es passiert?«

»Gestern abend. Ihr kommt einen Tag zu spät.«

»Der Major mußte die Frau erst noch impfen.« Zuraida klappte die Reisetasche wieder zu. »Steht schon was in den Zeitungen?«

»Noch nicht.«

»Jede Zeitung muß von ihr ferngehalten werden.« Zuraida ging nach vorn zu ihrem Sitz. »Von dem Kind darf sie erst erfahren, wenn sie in Ägypten ist. Und dann ist sie ihrem Mann näher als dem Jungen. Ihre Entscheidung wird also klar sein.«

Wenig später brummte der große Wagen über die Strada del Sol nach Süden. Im Fond schlief Birgit Brockmann den tiefen Schlaf der völligen Erschöpfung.

An diesem Morgen aber wurden auch die Titelseiten der großen Tageszeitungen noch während des Drucks ausgewechselt und ein neuer Zylinder in die Rotation geschoben.

Eine Balkenüberschrift.

Jörg Brockmann entführt. Der Sohn des bekannten Raketenforschers — Opfer eines politischen Machtkampfes?

Eine Stunde später riefen es die Zeitungsjungen in den Straßen Roms aus.

Coppafolio war wirklich ein trostloses Fischernest. Außer genau neununddreißig Häusern aus roh behauenen Steinen und einer Kapelle, die jeden Sonntag von einem jungen Priester besucht wurde, um den Fischern den sonntäglichen Segen zu spenden, gab es etwas außerhalb von Coppafolio nur noch einen kleinen Campingplatz. Er lag an einem breiten Sandstrand und wurde lediglich von »Kennern« benutzt, meistens sonnenhungrigen Engländern, die sich um die völlige Einsamkeit nicht kümmerten, sondern hier den Frühling und Sommer über eine winzige englische Kolonie bildeten.

Sonst war nichts als Meer, mit Kieseln durchsetzter Strand, landeinwärts ansteigende, von der Sonne ausgeglühte Berge und verdorrte Holzstangen, an denen die Fischer ihre Netze zum Trocknen aufspannten.

Das Besondere an dem einsamen Fischerdorf aber war ein Bootssteg, der erst vor einem Jahr von einer fremden Baukolonne ins Meer hinausgeschoben worden war. In unregelmäßigen Abständen ankerte dort ein weißes Motorboot. Es nahm Unbekannte, die mit großen Reisewagen heranfuhren, an Bord, und wie ein Geisterschiff verschwand es dann wieder. Meistens nachts. Die Fischer von Coppafolio machten sich darüber wenig Gedanken. Für sie war dieses Motorboot eine zusätzliche Einnahmequelle. Es brachte bei jedem Anlegen für jedes der neununddreißig Häuser einen guten Auftrag mit. Es kaufte alle frischgefangenen Fische auf, ohne nach Sorten oder Güteklassen zu fragen und zahlte Höchstpreise.

Birgit Brockmann saß müde und wie zerschlagen hinten neben Zuraida im Wagen, als sie am späten Nachmittag Coppafolio erreichten. Das geöffnete Schiebedach gab wenig Linderung. Flugsand und Staub wirbelten herein und überzogen alles wie mit grauem Mehl.

»Das Schiff ist noch nicht da«, sagte Zuraida und beugte sich zu dem bisher fast stummen Chauffeur vor. Sie waren auf der engen Schotterstraße aus den Bergen herausgekommen und konnten das Dorf und das Meer überblicken.

»Wieder eine Zeitpanne.« Der Chauffeur sah auf seine Armbanduhr. »Der ganze Plan kommt durcheinander. Irgendwo ist der Wurm drin. Wir werden nun wohl bis zur nächsten Nacht warten müssen.«

Sie fuhren bis zu einem großen Haus, das breiter und länger war als die anderen Steinhäuser. Es gehörte dem »Bürgermeister« Renato und besaß als einziges Haus drei Zimmer, die man vermieten konnte. Renato hielt sie peinlich sauber und kassierte dafür Preise, wie sie sonst höchstens das »Palasthotel« in Rom auf die Rechnung setzt.

Renato stand schon vor der Tür, als der große Wagen mit knirschenden Bremsen hielt.

»Willkommen!« rief er und machte drei tiefe Verbeugungen. »Oh, eine bella Bionda ist auch dabei. Ich werde den besten Wein aus dem Keller holen, den es weit und breit gibt. Wünschen die Herrschaften ein gebratenes

Lämmchen oder soll es Fisch sein? Frutti di mare — o Madonna!« Er schnalzte mit der Zunge, klemmte das Gepäck unter die Arme und rannte zurück ins Haus.

Birgit Brockmann aß wenig. Die Müdigkeit lag wie Blei in den Gliedern. Sie trank drei Schlucke Wein, strich dann die blonden Haare aus der Stirn und sah Zuraida, wie um Verzeihung bittend, an.

»Ich bin total erschöpft. Ich lege mich etwas hin.«

»Ich sage Ihnen Bescheid, wenn das Boot kommt.« Zuraida nickte. Aber bevor Birgit vom Tisch weggehen konnte, ergriff Zuraida ihre Hand und hielt sie fest. »Haben Sie Angst?« fragte sie leise.

»Angst? Nein. Wovor?«

»Was wir vorhaben, ist einmalig. Ich könnte verstehen, wenn Sie Angst haben. Mir ist es auch nicht ganz geheuer.«

»Ich suche meinen Mann.« Birgit Brockmann löste ihre Hand aus dem Griff Zuraidas. »Der Gedanke allein, daß Alf lebt, gibt mir so viel Kraft, daß nichts sie erschüttern könnte . . . auch nicht die Angst vor dem Unbekannten.«

In ihrem Zimmer setzte sich Birgit ans Fenster und starrte über das in der untergehenden Sonne wie geschmolzenes Gold aussehende Meer. Sie war müde, aber es war ihr nicht möglich, sich hinzulegen und zu schlafen. Ihre Nerven vibrierten, es war wie ein Flimmern, das durch ihren ganzen Körper zog.

Was Zuraida vorhin gesagt hatte, stimmte. Je weiter sie nach Süden gekommen waren, erst mit dem Flugzeug, dann mit dem Wagen, hatte ihre Angst zugenommen. Sie hatte sich in eine Teilung ihrer Seele und Gefühle eingelassen, über die sie sich bis jetzt noch nicht einig war: Hier ihr Mann Alf, der angeblich tot sein sollte — dort der kleine Jörgi, der jetzt täglich nach seiner Mutti fragen würde und immer wieder ausweichende Antworten bekam.

Unruhig lief Birgit in dem großen, niedrigen Zimmer hin und her. Selbst am Fenster sitzen konnte sie nicht mehr. »Ich halte durch«, sagte sie laut zu sich und erschrak über ihre eigene Stimme. Sie klang hohl und wie in einen weiten Raum gehaucht. »Ich habe die Kraft, Alf zu suchen.«

Es klopfte an der Tür. Birgit schrak zusammen und sagte laut: »Wer ist da?«

»Signora, bittä!«

Renato, der Bürgermeister. Birgit öffnete die Tür einen Spalt und sah in das lächelnde Gesicht des Fischers. Er hatte einen kleinen Packen Zeitungen unter dem Arm und hielt sie Birgit vor die Augen.

»Danke.« Sie nahm die Zeitungen, schloß die Tür und warf die Blätter auf den Tisch. Renato entfernte sich mit einem Kopfschütteln. Blonde Damen in Italien sind sonst weniger abweisend.

Die Zeitungen, die Renato gebracht hatte, stammten von seinem Sohn, der aus der Art schlug. Er war nicht Fischer geworden, sondern Fernfahrer. Auch heute hatte er die Morgenzeitungen aus Rom mitgebracht.

Während Birgit ihre unruhige Wanderung durch das Zimmer wieder aufnahm, saß hinter dem Haus der Chauffeur in dem großen Wagen. Er hatte die Antenne ausgefahren, aber sie brachte keine Musik, sondern unter dem Armaturenbrett, herausklappbar, befand sich eine Morsetaste, und die Antenne war ein Kurzwellensender. Ein paar Minuten lauschte der Chauffeur auf das leise Ticken, das in seinem Kopfhörer erklang. Was er hörte, schrieb er im Klartext mit. Dann schaltete er auf Sendung und meldete: »Alles verstanden. Ende.«

»Sie kommen heute nacht«, sagte er, als er zu Zuraida in das Wohnzimmer zurückkam. »Es hat Schwierigkeiten gegeben. Irgend etwas muß am Nil fehlgeschlagen sein. Wir werden auch nicht in Bengasi an Land gesetzt, sondern irgendwo im Nildelta. Dort wird man uns erwarten.«

Zuraida las den Zettel mit der Meldung, dann hielt sie ein Streichholz daran und ließ das Papier verbrennen.

Selbst die Asche zerrieb sie noch zwischen den Händen und streute sie dann aus dem Fenster in den goldgelben Sand.

»Die Hauptsache ist, daß wir heute nacht noch aus diesem Nest wegkommen«, sagte sie leise. »Ich habe so ein merkwürdiges Gefühl. Wenn Birgit die Sache mit dem Jungen erfährt . . .«

»Wie sollte sie das?« Der Chauffeur winkte ab. »Hier gibt es keine Zeitungen, und in Ägypten wird sie andere Sorgen haben.«

Unterdessen blätterte Birgit unlustig und nur, um sich von den bohrenden Gedanken über ihr wahnwitziges Unternehmen abzulenken, in den Zeitungen und Zeitschriften, die Renato ihr gebracht hatte. Sie konnte kein Italienisch. Die großen Überschriften sagten ihr nichts, waren nur ein Sprachklang.

Die Bilder aus Politik und Gesellschaftsleben widerten sie in diesen Minuten an. Lächelnde Gesichter, glückliche Augen, sich küssende Paare, nackte Schönheiten am Strand . . . und in der Wüste verschwindet ein Mann, und keiner kümmert sich darum.

Die letzte Zeitung, ein römisches Morgenblatt, lag zuunterst, und Birgit wollte es schon weglegen wie die anderen Zeitungen, als ihr Blick auf eine riesige Schlagzeile der ersten Seite fiel. Eine dicke Balkenschrift. Ein Name, den es nur einmal auf der Welt gab.

Detlef-Jörg Brockmann.

Mit einem leisen Aufschrei riß sie das Blatt hoch und trat an das Fenster, um im Abendlicht besser lesen zu können. Die drei Schritte bis dahin waren eine Qual, waren das Wegschleppen zentnerschwerer Beine.

Vor ihren Augen verschwammen die großen Buchstaben, als sie Jörgis Namen wieder las. Sie lehnte sich gegen die Wand und krallte die Finger in das Papier, weil sie fühlte, wie die Zeitung aus ihrer Hand glitt.

Jörgi —

Etwas Furchtbares mußte geschehen sein, wenn selbst die italienischen Zeitungen so groß darüber berichteten. Aus den verschwimmenden Buchstaben, die in roten und gelben Kreisen vor ihren Augen tanzten, schälten sich Worte, die sie nicht verstand, aber das Wort morte sah sie nirgends. Tot ist er nicht — das war das einzige, was sie sich in diesem Augenblick innerlich zuschrie. Er ist nicht tot. Aber irgend etwas ist mit Jörgi vorgekommen, er ist zum Mittelpunkt des Weltinteresses geworden, er . . .

Und plötzlich wußte sie es. Ganz kalt, ganz klar war es in diesem Moment der Erkenntnis in ihr: Man hatte Jörgi als Druckmittel genommen. Man hat Jörgi in den unterirdischen Kampf gezogen.

Sie ballte die Fäuste, riß die erste Seite der Zeitung ab und steckte sie, zusammengefaltet, in die Bluse. Die ungeheure Erregung wich von ihr. Sie wunderte sich selbst, wie leidenschaftslos sie auf einmal denken konnte, wie eiskalt und berechnend, wie logisch und konsequent.

Das ist ein Beweis, daß Alf lebt, dachte sie. Jörgi soll mich hindern, ihn zu suchen. Niemand weiß, was mit ihm geschehen wird, ob man ihn wirklich lebend zurückbringt, wenn ich umkehre — oder ob er überhaupt noch lebt in dieser Stunde, wo ich das Zeitungsblatt an meinem Herzen verstecke.

Was soll ich tun, schrie es in ihr. Mein Gott, hilf mir, was soll ich tun? Sie saß mit gefalteten Händen mitten im Zimmer und fühlte sich wie ausgebrannt.

Soll ich weiterfahren nach Ägypten? Soll ich umkehren und damit Jörgi retten? Es gibt ja jetzt nur eine einzige Entscheidung: Alf oder mein Kind.

O Gott, was soll ich tun?

Ihr Kopf sank auf die Tischplatte. So lag sie eine ganze Zeit, wie ohnmächtig, aber ihr Gehirn war zum Kampfplatz der widerstreitendsten Gefühle geworden.

Zurück . . . das war am stärksten in ihr. Zurück zu Jörgi. Das Kind brauchte die Mutter, und sie allein war es, die das Kind retten konnte — wenn sie auf den Mann verzichtete. Jörgi würde wieder freigelassen werden, sobald sie in Lübeck eintraf. Er war das stärkste Tau, das sie fesseln konnte; die dickste Mauer vor der Wahrheit, die sie nicht wissen sollte.

Zurück. Die Entscheidung war selbstverständlich. Welche Mutter läßt ihr Kind in Gefahr? Dieses Zurück aber bedeutete auch die endgültige Aufgabe Alfs. Dieses Zurück bedeutete: Er ist tot. Er wird nie wiederkommen. Ein Mensch ist für immer verschwunden.

Birgit sprang auf und lief an das Fenster. Über dem Meer stand die Nacht, das leise Plätschern der an den Strand spülenden Wellen war das einzige Geräusch.

»O Alf . . . Alf . . .«, stammelte Birgit und drückte die Stirn an die Scheiben. »Du mußt es verstehen . . . und du wirst es auch verstehen . . . Unser Jörgi . . . unser Kind . . . unser ein und alles auf dieser Welt . . . Leb wohl, Alf . . . Du weißt, wie ich dich liebe . . . aber Jörgi, unser kleiner, unschuldiger Jörgi . . .«

Ihre Stimme versagte. Sie brach vor dem Fenster in die Knie, schlug die Hände vor das Gesicht und weinte haltlos.

Wie lange sie so gekniet hatte, wußte sie nicht. Sie schrak hoch, als sie auf der Treppe Schritte hörte. Dann klopfte es auch schon, Birgit sprang auf und stützte sich an der Wand ab. Zuraida. Die Stimme der unerträglich gewordenen Gegenwart.

»Wollen Sie nicht herunterkommen zu uns?« fragte das Mädchen und klopfte noch einmal an die Tür.

Birgit drückte die Hände gegen das Herz. Sie bemühte sich, völlig unbefangen zu antworten. Es gelang ihr so gut, daß sie sich selbst darüber wunderte.

»Danke, Zuraida. Ich habe mich etwas hingelegt. Oder ist das Schiff schon da?«

»Nein. Noch nicht. Gut, schlafen Sie noch ein wenig. Ich wecke Sie, sobald wir das Schiff sehen. Haben Sie eigentlich gar keinen Hunger?«

»Nein. Ich bin wie zerschlagen von der Fahrt.« Birgit versuchte sogar ein Lachen. »Ich weiß, ich bin eine ziemlich schwächliche Abenteurerin.«

»Es ist alles nur Gewohnheit. Und im übrigen bin ich ja immer bei Ihnen. Schlafen Sie gut, Birgit.«

»Danke, Zuraida.«

Leise Schritte, wieder die Treppe hinab. Das Klappen einer Tür unten im Flur.

Birgit Brockmann wartete und legte das Ohr an die Tür. Ganz schwach hörte sie Musik. Im Wohnzimmer vertrieben sich Zuraida, Bürgermeister Renato und der Chauffeur die Stunden bei der Musik aus einem Kofferradio.

Ich bin ja immer bei Ihnen . . . Dieser letzte Satz Zuraidas hatte Birgit plötzlich gezeigt, was sie in Wahrheit war: Eine Gefangene des Geheimdienstes, dem alles daran lag, Alf Brockmann aufzuspüren und aus Ägypten wegzuholen. Es hatte gar keinen Sinn, Zuraida das Zeitungsblatt zu zeigen, sie anzuflehen, umzukehren nach Lübeck, alles aufzugeben und Jörgi zu retten. Das Gegenteil würde geschehen. Man würde sie Tag und Nacht bewachen, sie, die zur Schlüsselfigur im Ringen um Alf Brockmann geworden war, und man würde den ausgearbeiteten Plan ablaufen lassen, ohne Rücksicht darauf, ob Jörgi dabei geopfert werden müßte oder nicht.

Birgits Entschluß kam so plötzlich wie ihre Erkenntnis, nur ein Spielball von Intrigen und Machtkämpfen zu sein.

Flüchten, dachte sie. Heute noch, in dieser Nacht. Zunächst irgendwohin. Nach Norden oder nach Süden, das ist völlig gleichgültig. Nur weg von diesem kaum begonnenen Abenteuer, nur sich verbergen vor allen Nachforschungen. Ein paar Tage vielleicht, bis sich alle Spuren verwischen. Und dann zurück nach Lübeck, und wenn es ein Weg durch die Hölle wird.

Um ihr Kind zu retten, ringt eine Mutter selbst mit dem Teufel.

Birgit öffnete leise das Fenster. Von ihrem Zimmer bis zum sandigen Boden waren es kaum drei Meter. Wenn sie hinuntersprang, würde es niemand hören. Auch sehen konnte man sie nicht, denn das Wohnzimmer Renatos lag nach vorn, während ihr Zimmer zur Seite, zum Meer hin, ging.

Mit zitternden Händen packte sie in die Reisetasche das Allernötigste zusammen. Dabei bemerkte sie mit eisigem Schreck, daß die kleinere Tasche, in der ihr Geld, ihr Paß und alle Ausweise lagen, sich unten bei dem Gepäck Zuraidas befand.

Wieder zögerte Birgit nur einen Moment. Aber es gab kein Zurück mehr. Sie ahnte, daß sie von dem Augenblick an eine Art Gefangene sein würde, in dem sie Zuraida die Zeitung zeigte. Es gab nur noch eine Freiheit für sie: die Flucht in das Ungewisse, der Weg in das Dunkel und durch das Dunkel.

Ohne Paß, ohne Geld, ein fast nackter Mensch.

Birgit drückte die Reisetasche an sich, schwang sich auf das schmale Fensterbrett, schob die Beine nach draußen und sprang. Sie kam mit einem dumpfen Laut auf, knickte in die Knie, fiel nach vorn und stützte sich mit beiden Händen auf. Die Reisetasche kollerte einen Meter weiter.

Im Sand hockend, mit angehaltenem Atem, verhielt sie lauschend und wartend wie ein nach allen Seiten sichernder Hase. Dann, als sich nichts im Haus rührte, kroch sie zu ihrer Tasche und lief an der Hauswand entlang, am Stall, durch den Garten, zwischen den Netzen den Bergen zu, schlug dann einen Bogen und kehrte ans Meer zurück. Auf der Fahrt hatte sie von weitem die bunten Fähnchen des Campingplatzes gesehen. Dorthin wollte sie nun. Unter Menschen . . . das war ihr einziger Gedanke. Inmitten anderer Menschen bin ich sicher.

Es dauerte fast eine Stunde, bis sie den Campingplatz

erreichte. Ein alter Wagen mit englischer Nummer rumpelte gerade zwischen den Zelten auf die Zufahrtsstraße. Auf dem Dach, auf dem Gepäckträger, türmte sich die in Zeltbahnen eingehüllte Campingausrüstung.

Birgit stellte sich auf die Straße und winkte mit beiden Armen. Knirschend hielt der Wagen, ein schmales, braungebranntes Gesicht schob sich durch das geöffnete Fenster.

»Was ist denn?« fragte der Mann auf englisch. Aus dem anderen Fenster fuhr jetzt der Kopf einer Frau. Ihr fahlblondes Haar war in vielen Lockenwicklern aufgedreht.

»Fahren Sie weg?« fragte Birgit und raffte ihr gesamtes Schulenglisch zusammen. »Fahren Sie ins Innere?«

»Ja.« Der Mann musterte sie kritisch. »Und?«

»Können Sie mich mitnehmen?«

»Nein. Warum?«

»Sie haben doch noch einen Platz hinten frei.«

»Sogar zwei!« rief die Frau mit den Lockenwicklern ärgerlich. »Aber wir nehmen keine Fremden mit. Fahr los, Philipp.«

Birgit hob wieder bittend beide Hände, als der Motor aufbrummte. Sie erkannte ihre große Chance, noch in dieser Nacht so weit weg von Coppafolio zu kommen, daß alles Suchen, wenn man ihre Flucht entdeckte, vergeblich sein mußte.

»Bitte, nehmen Sie mich mit. Sehe ich aus wie ein Gangster? Im Gegenteil: Ich bin selbst überfallen worden.« Birgit begann zu weinen. Sie wollte weinen, und es fiel ihr nicht schwer. Sie brauchte nur an Jörgi zu denken.

»Überfallen? Das ist interessant, Mabel.« Philipp, wie der Mann von seiner Frau genannt wurde, öffnete die Tür. »Steigen Sie ein, Miß . . .«

»Berta Koller«, sagte Birgit geistesgegenwärtig.

» . . . Miß Koller.«

Später, auf der Fahrt, erzählte Birgit eine wüste Geschichte von einem Überfall in den Bergen. Ihren kleinen Wagen, alles Geld, alle Papiere habe man ihr weggenom-

114

men. »Sie haben doch gehört«, sagte sie zum Abschluß, »daß gerade hier in den Bergen noch die letzten Straßenräuber leben.«

Philipp und Mabel hatten es nicht gehört, sie zelteten schon das dritte Jahr bei Coppafolio. Sie glaubten auch kein Wort von der Überfallgeschichte, aber sie fragten nicht weiter.

In Potenza, der 823 Meter hoch gelegenen Bergstadt im Lukanischen Apennin, machten sie die erste Rast.

Dort ließ sich Birgit auch den Zeitungsartikel übersetzen.

Detlef-Jörg Brockmann, der Sohn des deutschen Raketenforschers, entführt. Ist es ein politisches Verbrechen? Bis jetzt noch keine Spur des Jungen.

Entführt.

Birgit Brockmann steckte das zerknüllte Zeitungsblatt wieder in den Blusenausschnitt. Einen Augenblick nahm sie alle Kraft zusammen, um sich zu sagen: Auch das hält mich nicht von der Suche nach Alf ab . . . aber es war ein Selbstbetrug. Der Schmerz, Jörgi verloren zu haben, war so ungeheuer, daß sie nach einem hilfesuchenden Blick auf Philipp und Mabel in den Knien einknickte und ohnmächtig neben dem Auto in das ausgedörrte Gras sank.

Um vier Uhr morgens glitten ein grünes und ein rotes Positionslicht durch die Nacht auf die Küste bei Coppafolio zu. Dann sah man die Umrisse eines schönen, weißen Schiffes, das mit gedrosselten Motoren auf den Bootssteg zuwiegte und wie ein bizarrer weißer Schwan auf den leichten Wellen schaukelte.

Zuraida, von Bürgermeister Renato geweckt, rannte die Treppe hinauf zu Birgits Zimmer und klopfte.

»Aufstehen!« rief sie. »Das Schiff ist da. Machen Sie auf!«

Nach zehnmaligem, vergeblichem Klopfen durchzog es Zuraida eiskalt. Sie hastete die Treppe hinunter, schrie dem Chauffeur etwas zu, und beide rannten wieder hinauf. Im Flur hörte Renato mit Händeringen, wie nach vier dröhnenden Schlägen die Tür splitterte. Dann rannte Zuraida wieder die Treppe hinunter, aus dem Haus und unter das geöffnete Fenster. Oben beugte sich der Kopf des Chauffeurs heraus.

»Hier sind ihre Spuren«, keuchte Zuraida. »Ganz deutlich. Sie sind noch frisch, sie kann nicht weit gelaufen sein.«

Während das weiße Schiff anlegte, raste der dunkle Reisewagen die Bergstraße entlang. Er kam auch auf der Rückfahrt an dem Campingplatz vorbei. Aber hier schlief alles. Der Wächter hatte keine junge blonde Frau gesehen. »So etwas fiele mir doch auf, Signore«, sagte er treuherzig. »So blond ist doch etwas fürs Herz.«

Zuraida stand unterdessen dem Kapitän der Jacht, Major Ephraim Ganal, gegenüber.

»Eine dumme Sache«, sagte Major Ganal ernst. »Sie werden sich verantworten müssen. Sie hatten den Auftrag, nicht von der Seite Frau Brockmanns zu weichen. Das einzige, was wir tun können, ist, das Haus in Lübeck zu bewachen. Was aber zwischen Lübeck und Kairo in Zukunft geschieht, entzieht sich unserer Beobachtung — es sei denn, wir haben ein unverschämtes Glück. Und daran glaube ich nicht. Ich bin Realist.«

Zuraida senkte den Kopf. Das schwarze Haar fiel ihr über das bleiche Gesicht. »Was . . . was geschieht jetzt mit mir?« sagte sie. Ihre Stimme war dünn wie ein Kinderstimmchen und zitterte.

Major Ganal kniff die Lippen zusammen. »Wir werden Sie zur Zentrale bringen, Zuraida«, sagte er gepreßt. »Sie allein entscheidet. Mein Auftrag ist es nur, hin und her zu fahren.«

Entgegen allen Planungen blieb die weiße Jacht bis zum Mittag am Bootssteg liegen. Matrosen schwärmten aus und fragten überall nach einer blonden Frau. Ein Kontakt-

116

mann in Neapel und in Rom wurde benachrichtigt, das war alles, was man tun konnte.

Birgit Brockmann blieb verschwunden.

Auch die Suche nach einem alten englischen Auto, das in der Nacht den Campingplatz verlassen hatte und das Birgit hätte mitnehmen können, blieb ergebnislos.

»Es bleibt wirklich nur noch eine Hoffnung«, sagte Major Ganal, als er alle Suchergebnisse auswertete. »Frau Brockmann hat weder Geld noch ihren Paß bei sich. Geld ist nicht so wichtig, aber die Papiere. Ohne Paß ist heutzutage ein Mensch nicht lebensfähig. Irgendwo muß sie also auftauchen, um sich neue Papiere zu verschaffen. Das ist nur möglich in einem deutschen Konsulat. Wir werden ab sofort sämtliche deutschen Konsulate in Italien beobachten lassen. Das ist unser letzter Hoffnungsschimmer.«

Aber auch dieser erlosch, als die ganze Woche lang keine Birgit Brockmann in der Nähe eines Konsulats bemerkt wurde. Um so genauer wurde das kleine Haus am Kanal bewacht.

Die fehlende abgerissene Titelseite der Zeitung, die man auf dem Tisch gefunden hatte, wies deutlich den Weg. Es war klar, daß eine Mutter ihr Kind nicht in der Gefahr läßt.

Nur — wie kommt eine Frau ohne Paß von Süditalien nach Lübeck?

Und so wartete man auf das Auftauchen Birgit Brockmanns wie auf das Erscheinen eines Naturereignisses.

7

In Lübeck war man keinen Schritt weitergekommen. Das eingeschaltete politische Dezernat der Kriminalpolizei lief sich tot. Der Kriminalrat unterrichtete Konrad Gerrath mit saurer Miene von seinen Mißerfolgen.

»Wir laufen gegen eine Mauer des Schweigens und des Nichtverstehens«, sagte er. »Das Haus Elbaussicht: Fehlanzeige. Biedere Händler wohnen dort, die noch nie etwas von einem Geheimdienst gehört haben. Das ägyptische Konsulat? Es kann sich an nichts erinnern.«

»Aber das ist doch unmöglich.« Gerrath steckte sich mit bebenden Fingern eine Zigarre an. »Ich war doch selbst dort. Ich kann Ihnen genau beschreiben, wie es im Zimmer des Konsuls aussah. Wenn man zur Tür hereinkommt, so steht links . . .«

»Ich glaube Ihnen ja, Doktor«, sagte der Kriminalrat etwas gequält. »Aber beweisen Sie es mal, ohne große politische Kontroversen heraufzubeschwören. Mit Glacéhandschuhen anfassen, so lautet unsere Devise. Keinen reizen, immer so tun, als sage jeder die Wahrheit. Und dann handeln. Aber auch hier: Vorsicht. Mein lieber Doktor, es gibt kein heißeres Eisen als die Geheimdienste. Und in diese Mühle sind Sie geraten.«

»Und was nun?« fragte Gerrath heiser.

»Warten wir ab, was kommt. Unsere V-Männer haben auch keine Ahnung, und gerade sie müßten wissen, wo der Junge steckt.« Der Kriminalrat beugte sich zu Gerrath vor: »Sagen Sie mal — dieser Brockmann, ist das wirklich ein so wichtiger Mann?«

»Er ist Raketenspezialist.«

»Ich weiß. Aber davon gibt es viele.«

»Und außerdem ist er auf seinem Gebiet das, was man ein Genie nennt.« Gerrath legte die Zigarre weg, sie schmeckte plötzlich bitter. »Es ist Ihnen also völlig klar, daß Jörgis Verschwinden eine politische Entführung ist.«

»Ja«, antwortete der Kriminalrat ohne Zögern.

»Und was raten Sie mir?«

»Das Allervernünftigste: Rufen Sie Frau Birgit zurück.«

»Ich weiß nicht, wo sie im Augenblick ist.« Gerrath hob hilflos die Schultern. »Irgendwo im Süden. Die Männer an der Elbaussicht wissen es genau.«

»Die harmlosen Händler.« Der Kriminalrat sah auf seine verschränkten Hände. »Dann bleibt uns nur der Weg, den ich am wenigsten schätze: Das große Theater im Blätterwald. Wir werden den Bericht der Kindesentführung freigeben. Vielleicht liest Frau Birgit irgendwo diese Meldung und kommt zurück.«

»Vielleicht.« Konrad Gerrath stand auf und ging erregt hin und her. »Aber so schnell gebe ich mich nicht geschlagen. Ich werde auf eigene Faust ermitteln. Ich werde die Spuren aufrollen. Ich werde zum schreienden Gewissen werden.«

»Bei Gegenspielern, die kein Gewissen kennen? Doktor, ich warne Sie in aller Freundschaft. Bei diesem Alleingang sind Sie völlig schutzlos.«

»Ich weiß es!« rief Gerrath verbittert.

»Keine deutsche Behörde kann Sie unterstützen. Im Gegenteil: Wenn sich jemand über Sie beschwert, müssen wir Sie behindern. Im Interesse der öffentlichen Sicherheit, wie man so schön sagt. Lassen Sie die Zeit arbeiten, Doktor.«

»Und der kleine Jörgi?« schrie Gerrath.

Der Kriminalrat hob die Schultern. »Auch hier wird die Zeit vieles tun.«

»Ganz richtig. Verwesen wird er.«

»Doktor!« Der Kriminalrat erhob sich und legte die Hand auf Gerraths Schulter. »Ich verstehe Ihren Schmerz und Ihre ungeheure Erregung. Aber bitte, verstehen Sie auch mich. Unsere Möglichkeiten sind erschöpft, weil es nur geringe Möglichkeiten sind und alle beteiligten Personen die Immunität der Diplomaten besitzen. Wir können wirklich nur auf den berühmten Zufall — oder auf ein Wunder hoffen.«

Konrad Gerrath war nicht bereit, auf dieses Wunder zu warten. In der Nacht noch fuhr er nach Hamburg und begann, alle Stellen selbst aufzusuchen, die er mit Birgit besucht hatte.

Im ägyptischen Konsulat begann es.

Ein Konsulatsangestellter sah Gerrath groß an und schüttelte den Kopf.

»Uns ist gar nichts bekannt«, sagte er höflich und mit einem verbindlichen Lächeln.

»Aber ich war doch hier! Sie selbst haben mich zum Konsul geführt!« schrie Gerrath.

»Ich? Nein. Ich kenne Sie überhaupt nicht. Ich habe Sie nie gesehen, mein Herr.« Der Konsulatsbeamte lächelte hartherzig. »Und eine Dame? So etwas behält man doch.«

»Ich kann Ihnen genau sagen, wie es da hinter der Tür im Arbeitszimmer des Konsuls aussieht.«

»Warum? Ich weiß, wie es dort aussieht.« Der Ägypter erhob sich, ein Zeichen, daß er die Unterredung als beendet betrachtete. »Mein Herr, Sie müssen sich irren. Bitte, überprüfen Sie noch einmal Ihre Erinnerung.«

»Und die Urne? Die beiden Totenscheine?« schrie Gerrath und ballte die Fäuste in ohnmächtiger Wut.

»Ach, die Sache Brockmann? Tragisch, nicht wahr? Sie kennen die arme Witwe?«

Gerrath gab es auf. Er verließ das Konsulat, als flüchte er vor einem ihm nachfolgenden Feuer.

Im Hause Elbaussicht war es nicht anders. Dort öffnete ein junger Mann die Tür und führte den vor Erregung schwitzenden Gerrath in den gleichen Raum, in dem er mit Birgit und den Offizieren gesessen hatte. Der große Tisch stand noch mitten im Raum, auf dem die Karten gelegen hatten. Und dort, dachte Gerrath, hat dieses geheimnisvolle Mädchen gesessen. Zuraida hatte es geheißen.

»Hier? Hier haben nie Offiziere gewohnt, mein Herr«, sagte der junge Mann höflich, aber bestimmt, als Gerrath auf den Tisch zeigte und ihn danach fragte. »Wir sind eine Exportfirma für Teppiche und Webwaren. Noch jung, im Aufbau begriffen, deshalb sieht hier alles noch ein bißchen improvisiert aus. Aber Offiziere? Nein. Wie kommen Sie darauf? Ich dachte, Sie wollten uns einen Auftrag . . .«

Konrad Gerrath sank auf einen der Stühle und legte den Kopf zurück. »Ich werde verrückt«, stöhnte er. »Ich fange an, an meinem eigenen Verstand zu zweifeln. Hier, hier auf diesem Stuhl habe ich gesessen, und mir gegenüber saß ein Major David Goldsohn.«

»Es gibt in unserer Firma keinen Herrn Goldsohn«, sagte der junge Mann und lächelte impertinent. »Sind Sie sicher, daß Sie sich nicht in der Adresse geirrt haben? Hier ist Elbaussicht 17.«

Konrad Gerrath verließ auch dieses Haus mit dem Gefühl, durch Feuer und Wasser gezogen zu sein. Er ging hinunter zum Elbufer und sah verzweifelt über den breiten, trägen Strom.

Die Mauer des Schweigens. Niemand würde sie einreißen können. Und niemals würde man wieder etwas von Jörgi erfahren. Man hatte ihn verschwinden lassen wie vorher seinen Vater Alf Brockmann.

Was gilt ein Mensch, wenn es um die Macht eines Staates geht?

Weiter, dachte Gerrath. Nicht lockerlassen. Das Gewissen wird nie müde. Wer nicht auf das glühende Eisen schlägt, kann auch keine Funken sehen. Und ich werde schlagen, immer und immer wieder, bis eine Stelle weich wird, bis die Kette zerbricht, denn es ist eine alte Weisheit, daß eine Kette immer nur so stark ist wie ihr schwächstes Glied.

Nach vierzehn Tagen wußte Gerrath, daß es in Deutschland nicht und nirgendwo auf der Welt eine Stelle gab, die sich für das Schicksal Jörgis und Birgits und erst recht für das Schicksal Alf Brockmanns interessierte. Ein Beamter in Bonn sagte es sogar ganz klar, als Privatmann, bei einer Tasse Kaffee:

»Mein lieber Doktor Gerrath, im Grunde genommen hat sich dieser Brockmann das alles selbst zuzuschreiben. Warum geht er zu den Arabern und baut Raketen? Warum bleibt er nicht im Vaterland?«

»Weil das Vaterland Millionen für die Kultivierung des Busches und noch mehr Millionen für einen unverbindlichen Ausspruch irgendeines Negerfürsten übrig hat, aber nicht für die wissenschaftliche Forschung.«

Berta Koller hatte einen Nervenschock bekommen. Sie wurde zur Kur in den Schwarzwald geschickt, das kleine Haus am Kanal wurde verschlossen. Es war ausgestorben. Mit seinen heruntergelassenen Rolläden und dem schnell verwildernden Garten sah es wie ein Totenhaus aus.

Noch einmal versuchte es Konrad Gerrath. Er flüchtete in die Öffentlichkeit. Er wollte das Gewissen aufreißen.

Er schrieb einen großen Artikel in einer Zeitung. Er schilderte alles. Er beschrieb die Zusammenarbeit mit den Offizieren, die aufgesägte Urne, Zuraida, das Konsulat, die merkwürdigen Totenscheine.

Es war eine wüste Kriminalstory; wenigstens wurde sie von den Lesern so aufgefaßt. Beim Morgenkaffee wurde sie gelesen, am Abend war sie bereits vergessen. Die Lottoquoten waren wichtiger. Und außerdem gab es da noch interessante Spiele in der Bundesliga.

Nur Gerrath selbst erfuhr die Wirkung. Auf seinen Schreibtisch im Anwaltsbüro flatterte mit der nächsten Post ein Brief ohne Absender. Mit Tusche und großen Buchstaben war ein einziger Satz geschrieben:

»Wer länger leben will, schweigt.«

Gerrath brachte den Brief sofort zur Kriminalpolizei. Dort schüttelte man den Kopf und lächelte verlegen.

»Ein dummer Scherz, Herr Doktor«, sagte man abwehrend. »Sie wissen doch . . . manche lieben die Sensation.«

Und dann wieder Schweigen.

Ein Krieg im Dunkeln muß dunkel bleiben.

Eine Woche nach seiner Entführung wurde Jörgi plötzlich krank. Zareb, der jeden Tag nach dem Rechten sah, stand vor dem Bett und sah auf den fiebernden Jungen hinab.

Das Gesicht Jörgis war gerötet und vor Schmerzen verzerrt. Er preßte beide Hände auf den Bauch und wimmerte leise.

»Das fehlt uns noch«, sagte Zareb düster. »Wie er so daliegt, sieht alles nach einer Blinddarmentzündung aus.« Er deckte Jörgi wieder zu und verließ mit dem Hausverwalter das Zimmer. Von einer Art Bibliothek aus telefonierte er mit dem Konsulat.

»Ja, schicken Sie Dr. Sikku herüber. Aber ich glaube, auch er kann nur feststellen, daß es der Blinddarm ist. Und was dann? Der Junge kann doch in kein Krankenhaus. Soll ich ihm eine Spritze geben?«

Zareb hörte mit gerunzelter Stirn, was der Partner am anderen Ende der Leitung antwortete. Dann legte er wieder auf und wandte sich zu dem Verwalter um.

»Was sagt er?« fragte dieser. Zareb wischte sich über die Stirn.

»Dr. Sikku kommt in einer halben Stunde. Wir sollen alles vorbereiten.«

»Das Säurebassin?«

»Nein.« Zareb setzte sich und brannte sich mit zitternden Händen eine Zigarette an. »Heißes Wasser. Handtücher. Einen Tisch sollst du sauberscheuern. Wenn es nötig ist, muß er den Jungen hier operieren.«

»Er will ihm den Blinddarm herausnehmen?«

»Ja.«

»Aber warum denn? Es ist doch einfacher, den Jungen . . .«

Zareb Ibn Omduran winkte ab und saugte an seiner Zigarette. »Warum denken wir, mein Lieber?« sagte er schwermütig. »Politik machen die anderen. Wir sind nur die Flöhe, die man aussetzt, andere zu beißen.« Er erhob sich und ging aus dem Zimmer, um nach Jörgi zu sehen. In der Diele blieb er stehen und sah sich nach dem Verwalter um, der kopfschüttelnd folgte. »Bloß nicht denken, mein Freund, das verdirbt das Leben. Bei uns in der Wüste hat man ein gutes Sprichwort: Ein Kamel ist wertvoller als zehn Menschen. Allah sei's geklagt: Wir sind die Menschen.«

Durch die Tür, über den langen Gang hinweg, hörten sie das Wimmern und Schluchzen des fiebernden Jörgi.

Nach zwei Wochen durfte Lore Hollerau aufstehen. Mit verbundenen Augen ging sie am Arm Brockmanns im Garten der modernen Klinik von Assiut spazieren.

Es war, als ahne sie, daß auch nach dem Fallen der dikken Kopfverbände für immer die Nacht um sie bleiben würde. Oft blieb sie stehen, legte den Kopf etwas schief und lauschte auf die Geräusche um sich.

»Das war eine Libelle, nicht wahr?« fragte sie dann. »Sie hat einen langen, spitzen Leib, grün schillernd in der Sonne, und ihre Flügel sind durchsichtig wie aus Seidenpapier. Stimmt es?«

»Ja«, sagte Alf Brockmann dann. Oder auch »nein«, wenn sie sich geirrt hatte. Er gab seiner Stimme einen normalen Klang, obwohl es ihn jedesmal in der Kehle würgte, wenn er Lore so dastehen sah, mit dickbandagiertem Kopf, lauschend und ihre für immer nächtliche Umwelt ertastend. Er versuchte dann zu trösten:

»In vier Wochen kommen die Verbände runter, Lore. Dann sehen Sie wieder dieses schöne und doch häßliche Land.«

»Glauben Sie?« fragte Lore dann. Ihr Lächeln war verzerrt. Eine eben geschlossene, noch rote Narbe zog ihren linken Mundwinkel etwas herunter. Unter dem Verband, das wußte Brockmann, war ihr Gesicht makellos geblieben, und diese eine Narbe konnte man später wegoperieren. Sie hatte durch ihre schnelle Entschlußkraft Glück im Unglück gehabt. Als sie das zischende Paket wegwarf, war es weit genug, ihr Gesicht zu retten ... nur ein kleiner Splitter schlug zwischen den schützenden Händen hindurch und zerstörte den Sehnerv. Eine Wunde, die eine kaum sichtbare Narbe zurücklassen würde. Aber die Augen, ihre großen, braunen, kühlen, aber manchmal im Zorn oder beim Lachen aufblitzenden Augen blieben für immer tot. Was blieb, war ihr Gesicht, schön, reif, herb und doch anziehend, aber leer durch die nur noch in der Erinnerung lebenden Augen.

Brockmann dachte an ihr Tagebuch, an die wenigen Zeilen, mit denen sie ihre ganze verborgene und nie sichtbar gewordene Liebe niederschrieb, und er umfaßte ihre Schulter und drückte sie an sich.

»Gehen wir zum Wadi«, sagte er. »Dort ist es kühler.«

Dann saßen sie auf einer rohen Steinbank am Ufer, Lore hörte das Plätschern des seichten Wassers, die Rufe der Araber, das Geschimpfe der Lastträger, das Schreien badender Kinder, das vielstimmige Gewirr, Kommandos vorüberziehender Soldatengruppen, Marschtritt und Waffenklappern, Rinderbrummen und Kamelschreien, das Knarren des alten, riesigen Wasserrades am Brunnen, das von zwei Ochsen mit verbundenen Augen gedreht wurde, und sie faltete die Hände im Schoß und hielt den Kopf gerade, als sehe sie das alles.

Mit Alf Brockmann war eine große Wandlung vorgegangen.

Birgit war tot. Ihre Urne stand nun in seinem Garten unter einem Malvenstrauch. Jörgi lebte bei der Großmutter, die wohl das Kind liebte, aber den Schwiegersohn haßte. Er hatte darüber mit General Assban gesprochen, und dieser hatte ihm gesagt:

»Wenn die Untersuchungen über diesen teuflischen Attentatsversuch abgeschlossen sind, werden wir Ihren Jungen herüberholen. Es ist sogar möglich, daß Sie drei Monate Urlaub bekommen, um Ihren Haushalt in Deutschland aufzulösen und ganz in unser Land umzusiedeln. Sie wissen, Sir, daß wir Ihnen die Staatsangehörigkeit angeboten haben. Sie wären nicht der einzige Deutsche, der hiergeblieben ist und jetzt einen ägyptischen Namen trägt.«

»Ich weiß, General.« Alf Brockmann hatte an Assban vorbei gesehen in die unendliche Wüste. »Ich danke Ihnen für Ihre Hilfe. Nach Birgits Tod hält mich nichts mehr in Deutschland. Ich glaube, ich werde Ihr Angebot annehmen. Im Augenblick bin ich so leer wie die Wüste und ebenso leblos wie der ausgeglühte Sand.«

General Yarib Assban wußte dagegen das beste Mittel, wie er aus seiner orientalischen Einstellung zu allen Dingen des Lebens glaubte. Er sprach Aisha an, die am Schwimmbecken mit einem Netz saß und Blätter aus dem Wasser fischte, und zog sie an den Haaren auf die Beine.

»Hör mal, du schwarze Wildkatze«, sagte er streng, »ich habe gehört, du willst bei dem weißen Herrn in Dienst treten?«

»Ja, General, wenn ich darf«, antwortete Aisha ängstlich und schlug die Augen nieder. Assban lachte und ließ ihre Haare los.

»Du liebst ihn?«

»Nein!« rief Aisha in gespieltem Entsetzen.

»Lüg nicht! Soll ich dich ausprügeln lassen? Ich sehe es an deinen Augen, sie leuchten wie die Sternaugen der Huris im siebten Himmel Allahs. Du siehst den weißen Herrn an und denkst dabei ans Bett.«

»O Herr«, stammelte Aisha und fiel auf die Knie. »Verraten Sie mich nicht. Er wird mich sonst nicht nehmen.«

Es gelang Aisha vorzüglich, diese Rolle zu spielen. General Assban winkte ab und schob die Unterlippe vor.

»Ich genehmige es, du schwarzer Satan«, sagte er und blinzelte Aisha an. »Du trittst bei ihm in Diensten als Mädchen für alles. Verstehst du: für alles. Weißt du, daß seine Frau gestorben ist?«

»Ja, Herr. Ich habe die Urne gesehen.«

»Ein Mann ohne Frau ist wie ein verdorrter Weinstock, sagt der Prophet. Sorge dafür, daß Mr. Brockmann nicht verdorrt.«

»Herr . . .« Über Aishas Gesicht lief eine dunkle Röte. Assban winkte ab.

»Zier dich nicht, du heiße Stute. Ich weiß, daß du Tag und Nacht davon träumst. Ich will es ja. Ich lege dich ihm ins Bett. Und noch eines . . .« Er beugte sich nieder und griff wieder in Aishas lange, schwarze Haare: »Es gehört zu meinen Plänen, daß du in seinem Bett liegst, hörst du? Ich lasse dich von einem riesigen Nubier auspeitschen, wenn du nicht in kürzester Zeit seine Geliebte geworden bist.«

»Was nennst du kurze Zeit, Herr?« fragte Aisha leise.

»Ein paar Wochen. Er soll vergessen, was war. Du sollst ihm die Gegenwart versüßen und die Zukunft vergolden. Er soll glücklich sein. Glückliche Männer fragen nicht. Du verstehst?«

»Ich verstehe, Herr.«

»Du trittst sofort in seine Dienste ein. In drei Wochen will ich wissen, daß du ihn liebst.«

»Ja, Herr. Ich werde mir Mühe geben.«

Aisha senkte demütig den Kopf. Assban zögerte, dann strich er ihr über den Kopf, die Schulter, die Brüste und seufzte dabei leise. Es ist schwer für einen Mann, auch für einen General, Schönheit so klaglos zu verschenken.

So war nun auch Aisha immer in Alfs Nähe, wohnte unter einem Dach mit ihm, schüttelte seine Decken, putzte seine Schuhe, wusch seine Hemden, servierte ihm Fruchtsäfte und stand, wenn er zu Hause war, immer hinter ihm wie ein Sklave, der bereit ist, sich auf den Wink seines Herrn in den Nil und zwischen die Krokodile zu stürzen.

Alf Brockmann nahm ihre Gegenwart wahr, er war höflich zu ihr, freundlich und half ihr sogar beim Aufräumen, mehr aber war nicht zwischen ihnen. Das kurze Gefühl, das Flimmern in den Nerven, das sie bei ihrer ersten Begegnung in der Oase Bir Assi gespürt hatten, war nach dem Tode Birgits aus Brockmann verschwunden. Nach dem Attentat auf Lore Hollerau wurde sein Verhältnis zu

Aisha noch distanzierter. Jetzt war er nur noch für Lore da und für den großen Plan, alles Gewesene zu vergessen und ein neues Leben anzufangen, unter einem ägyptischen Namen, mit Jörgi und Lore. Und mit Aisha, natürlich. Mit Aisha als gutem Geist des Hauses. Als lautlosem Engel, der alltägliche Wünsche möglich machte.

Aisha fühlte anders. Sie haßte Lore Hollerau von dem Augenblick an, als sie erkannte, daß ihre Blindheit zum stärksten Band zwischen Alf und der Rivalin wurde.

Ein paar Tage brauchte Aisha, um die Glut in sich zu unterdrücken und nicht ihrem wilden Gefühl nachzugeben, nachts durch das Fenster in das Krankenzimmer Lores einzusteigen und die Blinde zu töten. Wenn Alf Brockmann mit Lore spazierenging, saß Aisha wie verzweifelt am Fenster ihres Zimmers oder rannte hinunter zum Wadi, starrte über das lehmige Wasser und verfluchte sich, daß ihr Herz blutete und ihre Sehnsucht nach Alfs Umarmung so groß in ihr war und von Tag zu Tag wuchs.

Und noch etwas zerstörte Aishas Ruhe.

Nach dem Attentat auf Lore Hollerau hatte sie alle Verbindungen zur befehlgebenden Zentrale abgebrochen. Ihr Funkgerät, ihre Terrorausrüstung, ihren Chiffreschlüssel ließ sie unter dem faulenden Heu und benutzte nichts mehr. Sie gab keine Meldungen mehr durch, sie suchte keine neuen Aufgaben, ja, sie meldete sich nicht einmal mit der Wahrheit: Ich höre auf. Ich liebe Alf Brockmann. Ende für Gamma eins — Sie tat, als habe es nie das verfallene Haus gegeben, als sei sie immer nur die Dienerin des weißen Herrn gewesen, ein Sklave, der glücklich ist über ein Lächeln.

Und dann kam die Angst. Sie sagte sich ganz klar, was sie getan hatte: Verrat. Was man mit Verrätern macht, wußte sie. Sie hatte es dreimal selbst miterlebt. Es war schauerlich gewesen.

An einem der letzten Abende, als Lore Hollerau wieder in der Klinik war und die Verbände gewechselt wurden, lag Aisha wie ein langmähniger Hund vor den Füßen Brockmanns und sah zu, wie er ein Glas stark mit Wasser verdünnten Whisky trank. Der Sternenhimmel der Wüste wölbte sich über den Gärten. Von den Teichen und Tümpeln klang das hölzerne Quaken der riesigen Ochsenfrösche.

»Oulf!« sagte Aisha plötzlich.

Brockmann schrak zusammen. Er war mit seinen Gedanken weit weg gewesen, in Lübeck, in dem kleinen Haus am Kanal. Er hatte Jörgi gesehen, allein im Garten, traurig über das ölige Wasser starrend, wie verloren in einer fremden Welt, die nur durch die Mutter so schön gewesen war. Nun war die Mutter gestorben, und er stand ratlos im Leben und wußte nicht, warum er überhaupt da war.

»Ja«, antwortete Brockmann. »Was ist, Aisha?«

»Du liebst die weiße Frau?«

»Welche weiße Frau?« Brockmann sah erstaunt hinunter zu Aisha. Sie hatte seine Beine umschlungen und ihren Kopf gegen seine Knie gepreßt.

»Die Frau im Krankenhaus.«

»Lore Hollerau. Ach so.« Brockmann legte die Hände auf Aishas lange Haare. Sie fühlten sich wie Seide an und glitten fast schwerelos durch seine Finger. »Warum fragst du?«

»Ich sehe, daß du sie liebst.«

»Nein. Vielleicht ist es jetzt Mitleid.«

»Jetzt noch. Und später, Oulf?«

»Wer kann das wissen?« Brockmann sah über den Kopf Aishas hinweg in die Nacht. Vom Wadi her brüllten durstige Kamele. Eine Karawane mit Lebensmitteln war gekommen, von Militär begleitet. Nun tränkte man die Tiere, ehe sie weiterziehen mußten, zurück nach Osten, zum Nil, weg von der Oase Bir Assi, die es offiziell gar nicht gab.

»Weißt du, daß sie nie wieder sehen wird?« sagte er leise.

»Nie wieder?«

»Die Ärzte sagen es, Aisha. Dieses Bombenpaket hat Lores Leben zerstört. Was ist ein Mensch ohne Augen? Er hört, er fühlt, er ahnt seine Umwelt — aber das Sehen, dieses göttliche Erkennen, dieses unfaßbare Glück, eine blühende Blume in ihrer rätselhaften Pracht zu sehen, das hat sie verloren. Durch ein kleines Paket Sprengstoff. Aisha, ich bin ein Mensch, der alle Gewalt mißachtet, aber wenn ich wüßte, wer dieses Paket auf Lores Tisch gelegt hat, ich würde ihn umbringen.«

Aisha senkte den Kopf und drückte ihr schmales Gesicht gegen die Knie Brockmanns. O Allah, dachte sie. Er könnte mich töten. Ist das wahr? Oder sagt er es nur? Soll ich aufstehen und schreien: »Oulf, ich war es! Ich habe das Paket ins Haus getragen. Für dich war es bestimmt, aber ich könnte dich nie töten, weil ich dich liebe! Jetzt weißt du es, und nun töte du mich!«

Soll ich es tun?

Sie blieb vor ihm liegen wie ein kleiner, zitternder Hund und genoß das Streicheln seiner Hände über ihr Haar. Gehe nie zu Ende, o Nacht, dachte sie. Bleibt am Himmel, ihr Sterne. Heiliger Nil, halte die Dunkelheit fest ... ich habe Angst vor der Sonne, Angst vor dem Tage, Angst vor der Alltäglichkeit. Laß die Träume lang werden wie unser Leben.

»Hast du keine Angst, Oulf?« fragte Aisha nach einer ganzen Zeit des Schweigens. Brockmann schüttelte den Kopf.

»Angst? Wovor?«

»Vor einem neuen Paket vielleicht.«

»Nein. Die solche Pakete schicken, sind nicht nur grausam, sondern auch dumm. Was ist damit gewonnen, wenn ich getötet werde? Meine Pläne liegen in sicheren Panzerschränken, und nach mir werden andere kommen und sie weiterentwickeln und neue Forschungen anstellen. Es wird immer ein Vorwärts geben, auch über mich hinweg. Die Entwicklung der Welt hängt nicht an einem einzigen Menschen. Wer das glaubt, ist dumm, Aisha. Aber gerade diese Dummen sind die Gefährlichen.«

Aisha schwieg. Alf Brockmann hatte recht; er sprach jetzt aus, was sie sich selbst schon in den vergangenen Wochen gesagt hatte. Alles, was man von ihr verlangt hatte, war sinnlos . . . jetzt noch um vieles sinnloser, da sie Alf liebte und ihr Gewissen damit beruhigen wollte, Dummes getan zu haben.

Sie erhob sich und verbeugte sich tief in der Art altägyptischer Sklavinnen vor ihrem Pharao.

»Gute Nacht, Oulf.«

»Gute Nacht. Schlaf gut, Aisha.«

Der Abschied kam abrupt, aber Brockmann achtete nicht darauf. Er saß noch lange so da und sah hinaus in die Nacht und dachte an die Zukunft, die General Assban ihm versprochen hatte.

Jörgi kommt nach. Lore Hollerau wird bei ihm bleiben. Sie werden ein schönes Haus bekommen und eine neue Forschungsaufgabe in Kairo, damit Jörgi dort die Schule besuchen kann. Er wird seinen Namen ablegen und sich Ali nennen. Oder Mahmut. Oder Belkacem. Er wird nie mehr Sorgen haben. Es wird ein Leben sein wie in einem Märchen aus Tausendundeiner Nacht.

Aber die Einsamkeit wird bleiben. Die Einsamkeit eines Menschen, der durch ein Schlaraffenland irrt und einen Schluck Wasser sucht. Einfaches, klares Wasser . . . aber überall sprudeln Wein und Likör und Sekt und Bier.

Die Einsamkeit eines Lebens ohne Wünsche.

Alf Brockmann hörte nicht, wie Aisha das Haus verließ. Mit ihrem von General Assban ausgestellten Sonderausweis passierte sie die Militärwachen, die das kleine Viertel der Villen und Labors ebenso hermetisch abriegelten wie die großen Fabrikationshallen, und ging hinüber in die Kasbah, das alte Eingeborenenviertel mit den engen, verschachtelten Häusern.

Hier klopfte sie an eine Tür, über der in ägyptischen Schriftzeichen »Café« stand. Zweimal kurz, einmal lang. Pause. Einmal kurz. Innen wurde ein eiserner Riegel weggeschoben und ein bärtiges Gesicht lugte durch den Türspalt.

»Ist Hassan bei dir?« fragte Aisha leise.

»Wer ist Hassan, Tochter der Wüste?« fragte der alte Mann zurück.

»Hassan Ben Alkir, der Soldat.«

»Er ist hier. Komm herein.« Der Alte trat zurück, und Aisha schlüpfte durch den Spalt in das Innere des Hauses.

Hassan Ben Alkir, der junge Soldat, der das Sprengstoffpaket aus dem Urlaub mitgebracht hatte, sah Aisha aus düsteren, fragenden und abwehrenden Augen an. Er erhob sich nicht, um sie zu begrüßen, sondern legte seine Beine auf den Tisch.

»Laß uns allein, Omar«, sagte er zu dem Alten. »Die Taube hat mir etwas vorzugurren.« Er wartete, bis sie allein waren, dann beugte er sich vor und kniff die Augen zusammen. »Warum kommst du noch? Ist es zu heiß im Bett des weißen Herrn? Oder kommst du, um dein Urteil zu hören.«

»Sie . . . sie haben schon das Urteil gesprochen?« stammelte Aisha. Ihre Beine wurden weich, ihr Herz hüpfte vor Schrecken. »Was hat die Zentrale befohlen?«

»Noch nichts. Aber ich warte darauf. Jede freie Stunde sitze ich hier und warte auf das Ticken im Kopfhörer.« Ben Alkir winkte lässig mit der Hand. »Es ist schade um dich, Aisha. Du bist das schönste Mädchen zwischen Nil und Niger. Ich habe immer gehofft, dich einmal in den Armen halten zu können. Unsere gemeinsame Aufgabe hätte uns zusammengebracht, ich weiß es. Aber du hast dich weggewandt. Kismet? Ich weiß es nicht. Ich glaube eher, du hast nicht nur unser Land, sondern auch dich verraten. Schade.«

Aisha setzte sich Ben Alkir gegenüber und legte den

Kopf auf seine über den Tisch gestreckten Beine. Aus ihren schönen, schwarzen Mandelaugen sah sie ihn lange stumm an, bis Ben Alkir unsicher blinzelte.

»Was ist denn?« fragte er stockend.

»Du bist doch bei der Fahrbereitschaft des Bataillons?« fragte Aisha.

»Ja.«

»Ich brauche einen Wagen.«

»Verrückt! Wann denn?«

»Jetzt sofort. In zehn Minuten.«

»Unmöglich!« Ben Alkir sprang auf. »Wie stellst du dir das vor? Die Jeeps stehen nicht herum wie Mietwagen.«

»Ich muß nach El Minya. Noch diese Nacht.«

»Zu Alpha vier?«

»Ja. Ich muß direkt mit der Zentrale sprechen. Ich muß, hörst du?« Aisha ergriff Ben Alkirs Kopf und drückte ihn gegen ihre Brust. Er atmete den Duft ihrer Haut, spürte den sanften Druck ihres Fleisches und schloß verwirrt und wie betäubt die Augen. »Einen Wagen, Hassan. Er ist morgen wieder zurück. Und übermorgen werden wir über deine Liebe sprechen.«

»Aisha!« Er umfing sie und küßte ihre Hände und Arme. »Mach mich nicht verrückt. Die Wagen sind . . .«

»Du kannst einen herausschieben. Ich weiß, daß du in einer Stunde Garagenwache hast. Oder bist du ein Feigling? Bist du nur mutig im Bett, zwischen den Armen einer wehrlosen Frau?«

»Komm«, sagte Ben Alkir heiser, »gehen wir. Es steht da ein alter Wagen herum, ein ausrangierter Jeep, mit Verdeck und Türen, ein Offizierswagen. Er fährt noch, auch wenn er verschrottet werden soll. Wenn der fehlt, merkt es keiner. « Er nahm Aishas Kopf zwischen beide Hände und küßte sie wild auf den Mund. »Allah soll mich verfluchen, wenn ich nicht alles tue, was du willst. Komm, wir gehen sofort zu den Boxen.«

Eine halbe Stunde später fuhr Aisha auf der kaum er-

kennbaren, nur durch Raupenkettenspuren sichtbaren Wüstenpiste nach Osten.

Erreicht, dachte sie glücklich. In El Minya treffe ich
Kontaktmann Alpha vier. Er hat eine direkte Leitung zur
Zentrale. Ich werde ihnen alles sagen. Anflehen werde ich
sie, mich aus den Diensten zu entlassen.

Sie atmete tief auf und hüllte sich enger in den wollenen
Umhang. Die kalte Wüstennacht ließ sie frieren. Aber
gleichzeitig durchströmte sie ein glückliches Gefühl.

Sie hatte neue Hoffnung. Sie wollte der Zentrale ihre
Liebe zu Alf gestehen und darüber hinaus ihre Einsicht
über die Sinnlosigkeit des Todes Brockmanns, ja, sie wollte
um Alfs Leben betteln, auch wenn sie wußte, wie hart die
Männer sein konnten, deren Beruf es ist, gefühllos wie ein
Stein zu sein.

Wenn Alf am Morgen aufsteht, kann ich wieder zurück
sein, dachte sie und trat den Gashebel durch. Der alte,
klapprige Wagen stöhnte auf, der Motor schrie und röchelte, aber er hüpfte wie ein trunkener Floh über die sandige
Piste und donnerte El Minya entgegen.

Militärkolonnen kamen ihr entgegen, Soldaten winkten
und riefen ihr Witze zu, ein Militärpolizist auf einem Mo-
torrad kontrollierte ihren Ausweis und grüßte sogar, als er
die Unterschrift von General Yarib Assban erkannte.
Dann war sie wieder allein in der Nacht, umgeben von
Sternen und Stille. In der Wüste, ganz fern, hörte sie das
heisere Bellen der Schakale.

Plötzlich machte der Wagen einen Satz nach vorn,
schien sich in die Luft zu heben, schwebte mit allen vier
Rädern einen Augenblick wirklich über der Piste, fiel dann
zurück und starb mit einem Aufschrei des Motors ab. Aisha wurde vom Sitz geschleudert, fiel auf die Straße und
rollte ein paar Meter weiter, bis ein Sandhügel sie auffing.
Benommen richtete sie sich auf und sah auf das Auto. Es
stand mitten auf der Straße, und aus dem Motorraum
quoll Rauch durch alle Ritzen der Motorhaube.

»Auch das noch«, sagte Aisha laut. »Allah verfluche diesen Hassan Ben Alkir. Er hat mir ein Wrack gegeben.«

Mit steifen Beinen und Schmerzen in den Hüften ging sie zu dem alten Gefährt und schob es von der Straßenmitte an den Rand der Piste. Dann setzte sie sich auf das Trittbrett und wartete, daß jemand kommen würde und sie abschleppte.

Zurück nach Bir Assi.

Aishas Ausflug mit dem Mut der Verzweiflung endete an einem auseinanderbrechenden Motor.

8

Einen Tag vor diesen Ereignissen fand im Hause des ehemaligen deutschen Hauptmanns Josef Brahms in Kairo eine kurze, aber sehr steife Aussprache statt. Hans Ludwigs stand vor Jussuf Ibn Darahn, wie Brahms jetzt hieß, und hatte keine anderen Möglichkeiten der Verteidigung als vage Versicherungen.

»Ich habe von dem Paket erst erfahren, als es schon in Bir Assi war«, sagte er. »Ich bitte mir das zu glauben.«

»Glauben!« Hauptmann Brahms hieb mit der Faust auf den Tisch. »Das ist keine Zusammenarbeit mehr, Ludwigs. Das ist keine Kameradschaft. Wir waren uns einig: Zug um Zug. Mal du, mal wir. Immer im Gleichgewicht. Mal ägyptischer Kommandotrupp, also wir − mal israelischer Kommandotrupp, also du, nach der alten Devise: Hau ich deinen Neger, haust du meinen Neger. Aber du boxt viermal, während wir wie die Bettnässer herumsitzen und melden müssen: Haben nichts gewußt. Ludwigs, willst du uns hochgehen lassen?« Hauptmann Brahms bekam einen dunkelroten Kopf. »Du solltest dich was schämen. So etwas unter alten Afrikakameraden.«

Hans Ludwigs war hilflos.

»Herr Hauptmann —«, sagte er stockend. Brahms winkte energisch ab.

»Quatsch! Nenn mich Jussuf, wie alle. Der Hauptmann ist bei El Alamein geblieben. Was soll nun werden? Ich brauche für meine Auftraggeber Erfolgsmeldungen. Ich kann doch nicht dich abliefern, obgleich das ein dicker Fisch wäre. Aber da ist dieser alte, verdammte Kameradengeist.« Brahms ging unruhig hin und her. »Also was ist? Was kannst du mir als Ersatz bieten?«

»Ich fahre heute noch nach Süden. Nach Bir Assi.«

»Wie schön. Weißt du denn nun endlich, wo dieses sagenhafte Nest liegt?«

»Ja. Wir haben es entdeckt. Zwei Agenten sind jetzt dort. Und ich habe sogar einen Passierschein durch die Sperren, weil meine Firma Röhren für die Hydrieranlagen liefert. «

»Ein raffinierter Job.« Brahms lächelte schwach. »Und was willst du in Bir Assi?« fragte er voller böser Ahnungen. »Sag bloß, wieder etwas hochgehen lassen?«

»Nein«, Ludwigs' Gesicht wurde steinern. »Liquidieren. Ich habe den Auftrag, eine abgesprungene Agentin . . .« Er stockte und sah zu Boden. »Du versteht, Jussuf.«

»Natürlich.« Hauptmann Brahms blieb stehen. »Eine Frau also. Wie willst du das denn machen, Ludwigs? Du kannst doch keine Frau umlegen. Verdammt, ich könnte es auch nicht.«

»Es soll sogar ein sehr schönes Mädchen sein. Es hat sich in diesen ominösen weißen Forscher verliebt. Statt ihn, wie befohlen, auszuschalten, liegt sie mit ihm im Bett.«

»Auch eine Art von Spionage.« Brahms lachte, aber ebenso schnell brach er ab und wurde wieder sehr ernst. »Alles ganz schön — aber die Ausführung? Ludwigs, du wirst doch nicht mit eigener Hand . . .«

»Nie und nimmer. Ich habe völlige Handlungsfreiheit.«

Hans Ludwigs trat an das Fenster und starrte in den nächtlichen herrlichen Villengarten. »Ich habe mir gedacht, nur als Befehlsübermittler aufzutreten und die Ausführung dem Agenten Gamma zwei zu überlassen. Pistole, Gift, Erwürgen — diese Orientalen haben eine weite Skala.« Ludwigs strich sich über die Stirn. Er schwitzte vor innerer Erregung. »Aisha wird eine Auswahl vorfinden.«

»Aisha heißt das Mädchen?« fragte Brahms.

»Ja. Den Befehl der Liquidation habe ich bei mir. Ich rechne mit keinerlei Schwierigkeiten, denn diese Orientalen haben keine Angst vor dem Tod, wie wir.« Ludwigs wandte sich zurück ins Zimmer und bemerkte, wie ihn Brahms nachdenklich ansah. »Als Gegenleistung für das dämliche Sprengstoffpäckchen biete ich dir Aisha. Ich benachrichtige dich, sobald sie . . .« Er schwieg abrupt und starrte auf den Boden. »Deine Leute können dann den Leichnam abholen«, fuhr er heiser fort. »Du kannst dann melden, daß du eine gefährliche Agentin unschädlich gemacht hast.« Ludwigs atmete auf. »Sind wir nun quitt, Herr Hauptmann?«

Josef Brahms nickte. »Natürlich.« Er ging zum Schrank und nahm eine Flasche Kognak heraus. »Komm, mein Lieber, besaufen wir uns mal wieder. Wir handeln mit Menschen wie andere mit Kartoffeln. Nur besoffen ist es möglich, nicht vor sich selbst zu kotzen.«

In Salerno trennte sich Birgit von ihren neuen englischen Freunden Philipp und Mabel. Bevor sie Abschied nahmen, schrieb Birgit noch einen kurzen Brief an Konrad Gerrath. Einen Hilferuf: »Hol mich ab. Ich bin in Salerno. Ich habe kein Geld, keinen Paß, nichts. Zu einem Konsulat kann ich nicht, denn ich ahne, daß man es bewacht und ich es nie betreten könnte. Ich werde ab übermorgen jeden Tag um 12 Uhr mittags auf dem Markt stehen. Dort kannst Du mich finden.«

»Bitte schicken Sie diesen Brief weg«, sagte sie zu Philipp und übergab ihm den Umschlag. »Er ist wichtig. Bitte.«

Philipp nahm das Kuvert, las die Adresse und steckte ihn in die Hosentasche. »Warum bringen Sie ihn nicht selbst zur Post?« fragte Mabel. Es war seit Stunden der längste Satz, den sie mit Birgit sprach. Birgit sah auf das staubige Straßenpflaster.

»Ich habe nicht eine einzige Lira«, sagte sie leise. »Ich kann die Briefmarke nicht kaufen.«

»Und wovon wollen Sie jetzt leben?« fragte Philipp. Er wollte in seine Brieftasche greifen, aber Mabel trat ihn warnend gegen das Schienbein.

»Ich werde hier eine Stellung annehmen, bis man mich abholt. Wenn Sie den Brief sofort aufgeben, kann in einer Woche alles vorbei sein.«

»Was vorbei?« fragte Mabel spitz. Birgit schwieg. Es hatte keinen Sinn, ihnen alles zu erzählen, sie würden es nie begreifen.

»Okay«, unterbrach Philipp das Schweigen. »Ich werfe den Brief ein. Wir wollen noch nach Sorrent und dann nach Capri. Aber vorher geht er ab. Alles Gute, Miß Berta.«

»Danke. Und . . . und Gott möge uns helfen.« Birgit winkte dem alten Wagen nach, bis er zum Hafen von Salerno hin verschwand, zwischen Karren und hupenden Lastwagen.

Im Hafen hielt Philipp an und sah hinüber zu dem Postgebäude. Mabel hielt ihn am Ärmel fest. »Willst du wirklich?« fragte sie.

»Warum nicht?«

»Weißt du, in welches Abenteuer du dich da einläßt? Wer war sie? Warum strolcht sie herum? Ohne einen Penny? Nein, nein. Halte dich da heraus, Philipp. Du hast immer ein zu gutes Herz. Gib einmal her.« Mabel nahm den Brief, zerriß ihn in kleine Fetzen, stieg aus dem Wagen und streute die Schnipsel in das Hafenbecken. »So«, sagte sie zufrieden, als sie wieder neben Philipp saß, »das wäre erledigt.«

»Ob es richtig war, Mabel?« fragte Philipp nachdenklich.

»Für uns war es richtig. Wir sind im Urlaub, Darling. Und nun fahr zu . . . ich freue mich ja so auf Capri.«

Birgit sah sich mehrmals um, als der Wagen der Engländer ihren Blicken entschwunden war. Wohin, dachte sie. Ob rechts oder links, es bleibt sich doch alles gleich. Irgendwo werde ich für diese paar Tage unterkommen, bis mich Konrad Gerrath abholt. Nach ein paar Straßen, in der Nähe der Kirche vom Heiligen Geist, sah sie ein Restaurant mit einem Schild »Deutsche Küche«. Das ist es, dachte sie. Dort habe ich eine Chance.

Sie betrat die etwas dunkle, große Wirtsstube und sah einen Kellner herumstehen. »Ich möchte den Chef sprechen«, sagte sie stockend. »Il patrone — prego —«

Am nächsten Tag fuhr Hans Ludwigs mit seinem deutschen Wagen nach Süden. Nach Bir Assi. Ein Ausweis des ägyptischen Handelsministeriums ermöglichte es ihm, alle Sperren zu passieren und sich frei im Lande zu bewegen. Die deutsche Stahlfirma, die Fertigwaren lieferte und deren Repräsentant Ludwigs war, hatte nicht nur einen guten Ruf, sondern die Erzeugnisse aus Deutschland waren ein wichtiger Faktor im industriellen Aufbau des Landes. So hielt niemand den weißen Wagen auf, und es wunderte sich auch keiner, daß er in der Nacht von El Fayum nach Süden tuckerte, Manager haben andere Zeiten als normale Menschen, das wußte man jetzt sogar am Nil.

Gegen drei Uhr morgens passierte Hans Ludwigs El Minya, tankte, trank eine Tasse Kaffee in der Tankstelle und fuhr weiter.

Um vier Uhr sechzehn bremste er, denn auf der Straße stand ein schlankes, langhaariges, wunderschönes Mädchen und winkte mit beiden Armen. Die Uhrzeit behielt er deshalb so genau im Gedächtnis, weil er im Augenblick des Bremsens auf die Uhr sah und zu sich sagte: Um vier Uhr sechzehn lerne ich einen Engel kennen. Das muß man sich behalten.

Hans Ludwigs sprang aus seinem Wagen und gestand sich ein, selten ein so schönes Mädchen gesehen zu haben. Dementsprechend galant war er und lächelte sein sonnigstes Lächeln.

»Kann ich Ihnen helfen?« fragte er auf ägyptisch.

Das Mädchen nickte. Ihre schwarzen Augen glänzten. Es war, als spiegelten sich alle Sterne des Wüstenhimmels in ihnen. Das Herz Ludwigs quoll auf wie ein Ballon.

»Ja. Sie können mir helfen, Sir. Mein Wagen hat eine Panne. Können Sie mich abschleppen nach Bir Assi?«

»Aber mit Vergnügen.« Ludwigs sah hinüber zu dem alten Vehikel. »Es ist überhaupt sträflich, ein so schönes Mädchen nachts allein durch die Wüste fahren zu lassen. Ein Glück, daß Sie mich getroffen haben. Ich werde Sie von jetzt an beschützen wie der Kalif seine Lieblingsfrau.«

Aisha lachte und warf die langen Haare aus der Stirn. Als sie vor Ludwigs her zu ihrem Wagen ging, wiegte sie sich in den Hüften. O Himmel, dachte Ludwigs. Da fährt man nach Bir Assi, um einen Menschen umbringen zu lassen, und begegnet dem zauberhaftesten Wesen dieser Erde. Wie mag sie heißen? Wo kommt sie her? Bestimmt ist sie die Tochter eines reichen Händlers in Bir Assi.

Er sah auf seine Uhr. Der Tod läuft nicht weg, dachte er. Ob heute oder morgen, er kommt früh genug. Heute gehört der Tag diesem Engel des Nils. Dieser Aisha wird noch ein Tag geschenkt werden.

Er suchte aus dem Kofferraum das Nylonabschleppseil und wickelte es auseinander, während er zu dem alten Wagen ging. Aisha lehnte an der Tür, eine Demonstration der Schönheit.

Hans Ludwigs wurde die Kehle trocken.

»Hier. Damit bringe ich Sie sicher nach Bir Assi!« rief

er heiser und hob das Abschleppseil hoch. Dann blieb er vor Aisha stehen, sah sie aus großen Augen an und sagte: »Übrigens, ich heiße Ludwigs, Hans Ludwigs. Ich vertrete in Ägypten eine deutsche Firma. Darf ich fragen, wie ich Sie anreden darf?«

»Sie sind Deutscher? Wie interessant.« Sie trat etwas zur Seite. Der fremde Mann war ihr auf den ersten Blick sympathisch. Er hat genauso blaue Augen wie Alf, dachte sie. Er muß ein guter Mensch sein. »Ich bin Ihnen so dankbar, daß Sie mir helfen wollen«, sagte sie und lächelte betörend. »Ich heiße Aisha.«

Das Lächeln Hans Ludwigs gefror. Es blieb in seinen Mundwinkeln hängen, aber die Augen verwandelten sich in ein deutliches Entsetzen. Es war ihm, als griffe eine eisige Hand nach seinem Herzen. Stumm, mit hängenden Armen, sah er zu, wie Aisha sich bückte, um an der Karosserie des Wagens einen Haken zu suchen, wo man das Abschleppseil befestigen konnte. Dabei spannte sich der Rock über den Hüften und ließ ihren wundervollen, weichen Schwung ahnen.

Ludwigs schluckte wie ein Verdurstender, der nur noch seinen Speichel hat.

»Aisha—«, sagte er heiser. »Aus Bir Assi kommen Sie?«

»Ja.« Aisha hatte einen Haken gefunden, unter dem Abdeckblech des Motors, an einer Eisenverstrebung. »Hier können Sie einhaken.« Sie sah Ludwigs, vor dem Wagen hockend, groß an. Sein plötzlich verändertes Benehmen fiel ihr auf. Sie warf die langen Haare in den Nakken und lachte ihn an. »Sie wollen auch nach Bir Assi?«

»Ja«, sagte Ludwigs dumpf.

»Dann müssen Sie ein einflußreicher Mann sein. Hundert Kilometer südlich beginnen die ersten Sperren. Und dann kommt ein Minengürtel. Der einzige Weg, der hindurch führt, ist vom Militär abgeriegelt. Haben Sie einen Durchlaßausweis?«

»Ja.«

»Dann ist's gut.« Aisha nahm das Nylonseil und hakte es ein. »Sonst hätten Sie mich nach El Minya abschleppen müssen.«

»Sie wohnen auch in Bir Assi?« fragte Ludwigs und kaute an den Worten wie an schimmeligem Brot.

»Ja. Ich arbeite dort.« Aisha richtete sich auf und setzte sich hinter das Steuer. »Können wir? Ich habe noch nie einen abgeschleppten Wagen gesteuert. Seien Sie also nachsichtig mit mir.«

Ludwigs nickte. Nachsichtig, dachte er. Und ich habe ihr Todesurteil in der Tasche. Sofort zu vollziehen. Noch etwas habe ich bei mir, was ich dem guten Brahms nicht sagen konnte: den Auftrag, diesen geheimnisvollen Weißen unschädlich zu machen. Er soll dabei sein, eine Rakete zu entwickeln, die ganze Kontinente überwindet.

»Wo wohnen Sie, Aisha?« fragte er und kontrollierte das Abschleppseil, nur um sie nicht ansehen zu müssen.

Aisha schwieg. Dann sagte sie, als Ludwigs sich aufrichtete, leichthin: »Setzen Sie mich am Wadi ab. Vielleicht treffen wir uns später in der Oase irgendwann und irgendwo.«

»Das klingt geheimnisvoll.«

»Ganz Bir Assi ist geheimnisvoll. Das wissen Sie doch.«

»Sie sprechen ein fabelhaftes Englisch.«

»Mein Urgroßvater war Engländer.« Aisha lehnte sich zurück. Das Kleid spannte sich über den Brüsten. Ludwigs sah schnell weg. Der Gedanke, sie morgen als Tote zu sehen, war wie ein Feuer in ihm, das sein Herz zerstörte. »Bei uns zu Hause wurde immer zweisprachig gesprochen.« Sie drückte auf die Hupe. Ludwigs schrak zusammen wie unter einer Sirene, die plötzlich aufheult. »Können wir, Mr. Ludwigs?«

»Ja.«

Mit steifen Beinen ging Ludwigs zu seinem Wagen, befestigte das Seil an dem Abschlepphaken und setzte sich hinter das Steuer.

Nie, dachte er dabei. Nie töte ich sie. Ich werde mit der Zentrale verhandeln, und wenn das nichts hilft, werde ich sie warnen und helfen, daß sie flüchten kann. Und wenn sie einen anderen nach Bir Assi schicken, wird es Kampf geben.

Er ließ den Motor an, und das Brummen und Rumpeln machte ihn nüchterner. Sie ist die Geliebte des weißen Forschers geworden, dachte er weiter, und dieser Gedanke war gallig und ekelhaft. Sie hat ihren Auftrag verraten, weil sie diesen Weißen liebt. Sie ist das schönste weibliche Wesen, das ich je gesehen habe. Sie hat die Faszination des Wüstenkindes und die Kühle des Europäers. Ihr Körper strömt Glut aus, aber vor dieser Glut ist eine unsichtbare Wand aus Eis. Erst wenn man durch sie hindurchgedrungen ist, verbrennt man in ihrer Liebe. Sie ist so völlig wilde Natur, daß man verstehen müßte, daß bei ihr die Liebe vor der Pflicht kommt.

Ludwigs sah sich um. Aisha winkte ihm zu. Ihre langen schwarzen Haare flatterten wie ein Schleier im nächtlichen Wüstenwind.

»Go on!« rief sie. »Sonst erreichen wir Bir Assi nicht mehr bis zum Morgengrauen! Und wenn die Sonne kommt, verdunstet das Kühlwasser!«

Ludwigs fuhr vorsichtig an. Es gab einen Ruck, das Nylonseil spannte sich, und dann krochen sie über die Wüstenpiste nach Süden, dem geheimnisvollen grünen Fleck mitten in der Wüste entgegen, von dem man nur wußte, daß eines der größten Staatsgeheimnisse hier vor aller Welt versteckt wurde.

Viermal wurden sie kontrolliert. Nach Passieren des Minengürtels wurden sie dreimal von niedrig fliegenden Hubschraubern beobachtet. Mit starken Scheinwerfern tasteten sie die Wüstenstraße ab und meldeten den Kontrollstellen den deutschen Wagen, der einen alten Jeep an einem Seil hinter sich herzog.

Dreißig Kilometer vor der Oase standen zwei Militärwagen auf der Piste. Rote Taschenlampen wurden geschwenkt. Maschinenpistolen sahen ihnen drohend entgegen.

Hans Ludwigs hielt an. Auch Aisha stieg aus und kam nach vorn gelaufen.

»Himmel, ist diese Oase gesichert«, sagte Ludwigs. »Hier kann nicht mal ein Sandfloh hineinkriechen.«

Ein Offizier kam auf sie zu. Er grüßte höflich, aber deutlich distanziert, warf einen Blick auf Aisha und dann auf den deutschen Wagen.

»Sie haben eine Bescheinigung, Sir, den Ort zu betreten, wurde uns vom Kontrollposten I durchgegeben. Darf ich dieses Schreiben sehen?« sagte er und streckte die Hand aus. Um die beiden Wagen hatte sich unterdessen ein Ring von Soldaten gebildet. Ludwigs fühlte ein unangenehmes Kribbeln im Nacken. Er nahm seine Brieftasche heraus und überreichte dem Offizier die Legitimation, die vom Minister für Wirtschaft und Rüstung unterschrieben war.

»Bitte, Herr Major.«

»Sie kennen unsere Armeedienstränge?«

»Aber ja, Major. Ich beliefere doch Ihre Armee.«

Der Offizier trat etwas zurück und las im Schein einer starken Taschenlampe die Bescheinigung. Dann trat er wieder zu Ludwigs und gab ihm den Brief zurück.

»Ich bedauere, Sir«, sagte er höflich, aber bestimmt. »Ich darf Sie nicht nach Bir Assi lassen.«

»Wieso denn nicht? Ich habe vom Ministerium den Auftrag, an Ort und Stelle zu prüfen, welche Lieferungen in den nächsten Wochen notwendig sind.« Ludwigs sah sich um. Der Ring der Soldaten um die beiden Wagen sagte ihm, daß hier nur noch ein völlig sicheres Auftreten nützte.

»Es steht in dem Brief, gewiß, Sir.« Der ägyptische Major knipste die Taschenlampe aus. Im Osten dämmerte es bereits. Allah ließ einen neuen Tag werden. »Aber seit einigen Tagen sind neue Befehle erlassen worden. Ihr Brief ist datiert vor diesen Befehlen. Ich muß Sie bitten, hier zu warten, bis ich mit General Assban selbst gesprochen habe.«

»Hier warten?« Ludwigs sah sich um. »Wo denn?«

»Meine Leute werden ein Zelt aufbauen.« Der Major lächelte. »Ich nehme an, Sir, daß Sie das Zelten in der Wüste noch in guter Erinnerung haben. Ich habe einmal ein deutsches Zeltlager bei Marsa Matruk erobert. Damals war ich junger Leutnant —«

Ludwigs lächelte zurück, wenn auch etwas gequält. Mit eisigem Schrecken sah er, wie sich der Major an Aisha wandte und sie weniger freundlich ansprach. »Und du?« fragte der Major in ägyptischer Sprache. »Was machst du außerhalb von Bir Assi? Du bist bei . . .«, er unterbrach sich, sah zu Ludwigs, räusperte sich und sagte dann: »Du bist Angestellte. Du hast am Ort zu bleiben. Wo ist der Jeep her? Dein Ausweis interessiert mich nicht, er gilt nur für den Oasengebrauch. Wer den Ort verläßt, hat eine besondere Genehmigung zu haben. Wie bist du überhaupt durch die Sperren gekommen?«

»Es waren eben bessere Gentlemen als Sie, Major.« Aisha reckte sich. Ihr herrlicher Körper stand gegen den morgendämmernden Himmel wie eine kaum verhüllte Skulptur. »Sie hatten Verständnis dafür, daß ein junges Mädchen hübsch aussehen will und Bir Assi ein solch dreckiges Nest ist, daß man dort nicht einmal schöne Kleider kaufen kann. Ich wollte nach El Minya, um mir zwei Kleider zu kaufen, Major. Eines in Rot, das andere in Gelb, und an der Seite geschlitzt. Wie die Mädchen in Hongkong. Ich wollte hübsch sein für meinen Dienstherrn.«

Das war eine versteckte Warnung. Der Major begriff sie. Alf Brockmann, das Staatsgeheimnis Nr. 1, hatte Sonderrechte. Es war unmöglich, ihn zu fragen, ob er von diesem Ausflug Aishas unterrichtet war. Informieren konnte man nur General Assban, und mit ihm versuchte man seit einer halben Stunde Verbindung zu bekommen.

Unterdessen bauten Soldaten seitlich der Piste ein Rundzelt auf. Ludwigs hatte die Wagen von der Straße gefahren und wartete nun, was folgen würde. Von weitem sah er die Diskussion zwischen Aisha und dem Major, aber er hielt es nicht für ratsam, einzugreifen und ihr zu helfen.

Von einem Wagen winkte ein Funker. Er hielt den Kopfhörer hoch, und der Major lief zurück und legte ihn um den Kopf.

General Assban. Er hörte sich die Meldung schweigend an und sagte dann, etwas verschlafen, denn man hatte ihn aus dem Bett geholt und aus einem schönen Traum: »Diesen Deutschen, wie heißt er, ach ja, Ludwigs, halten Sie fest, bis ich komme. Ich muß ihn mir erst genau ansehen und beim Ministerium anfragen. Aber das Mädchen Aisha, Major, hat Sondererlaubnis. Für alles, verstehen Sie? Wenn sie sagt, sie wollte sich schöne Kleider kaufen, weil Mr. Brockmann das wünscht, so ist das völlig in Ordnung. Sie kann passieren, wann und wo sie will. Sie hat einen Sonderauftrag und besitzt das Vertrauen der Regierung, Major. Ich möchte nicht, daß Aisha behindert wird. Das ist ein Befehl, Major.«

»Ich habe verstanden, General.«

Der Major legte den Kopfhörer weg und seufzte auf. Soldatendienst ist ein Leben ohne Fragen, das hatte er immer gewußt. Aber manchmal ist es schwer, blind zu gehorchen, vor allem, wenn man ein so komisches Gefühl hat, wie er es jetzt empfand.

Wenig später brachte ein Jeep der Kontrolltruppe Aisha nach Bir Assi zurück. Ludwigs stand vor dem Zelt und winkte ihr mit beiden Armen nach. »Auf Wiedersehen!« rief er ihr zu. »Wir treffen uns am Wadi, nicht wahr?«

»Darf ich Ihnen etwas anbieten, Sir?« fragte der Major, als Aisha in einer Staubwolke verschwunden war. Ludwigs nickte.

»Ja, Major. Einen doppelten Whisky.«

Hans Ludwigs setzte sich vor das Zelt auf einen Klappstuhl und sah hinaus in die morgendlich von der Sonne übergoldete Wüste. Die Kontrollhubschrauber ratterten über ihn hinweg zurück nach Bir Assi. Gähnend standen die Soldaten herum. Sie warteten auf die Ablösung.

Man sollte Schluß machen, dachte Ludwigs plötzlich. Schluß mit diesem doppelten Abenteurerleben. Wieder von vorn anfangen, zum drittenmal. Aber dann richtig.

Er kam sich in diesen Minuten ausgesprochen kläglich vor.

Der Patrone des Restaurants in Salerno, an dessen Fenster »Deutsche Küche« stand, war ein Schweizer aus dem Tessin. Er sprach Italienisch besser als Deutsch, aber er verstand sofort, was die junge, blonde Frau von ihm wollte.

»Arbeiten?« fragte er zurück. »Bei mir, Signorina?«
»Ja.« Brigit Brockmann nickte. »In der Küche, beim Spülen, Servieren . . . ich will alles tun.«

»Und warum?« Der Patrone — er hieß Franco Bertolli — musterte Birgit wie ein Pferd, das ihm angeboten wird. Sie ist keine Frau, die es gewohnt ist, am Spültisch zu stehen, dachte er. Zerknittert sieht sie aus, wie nach einer langen Fahrt, aber ihr Kleid ist kein Konfektionsfähnchen, und ihr Gesicht, so müde es wirkt, ist ebenmäßig und gepflegt und nicht das Gesicht einer Herumtreiberin. »Wo kommen Sie her?«

»Aus Deutschland. Und ich will auch wieder nach Deutschland. Aber ich habe keine einzige Lira, und auch mein Paß ist weg.«

»Gestohlen? Madonna, die Polizei. Da muß die Polizei sofort helfen.«

»Nein. Nicht die Polizei.« Birgit hob beide Hände und wehrte Franco Bertolli ab, der zum Telefon griff. »Wenn Sie die Polizei rufen, kann es böse Verwicklungen geben.

147

Und . . . und . . .« Sie dachte an Jörgi, der jetzt irgendwo verborgen gehalten wurde und dessen Leben davon abhing, wie sich seine Mutter benahm. »Es ist politisch, Signore Bertolli.«

»Politisch? Sie, Signora?« Er hatte Birgits Trauring an der rechten Hand gesehen und wunderte sich nun noch mehr. »Wo ist Ihr Mann?«

»In Ägypten.«

»In —?« Bertolli nahm die Hand vom Telefonhörer. O Gott, dachte er. Sie kann mir viel erzählen, und ich kann ihr viel glauben. Oder gar nichts. Was habe ich davon? Wer viel fragt, erstickt in den Antworten. Außerdem suchte er ein Mädchen, das Gemüse und Salat putzt und die Kartoffeln für die »Deutsche Küche« schält.

Er musterte Birgit wieder. Stehlen wird sie nichts, so sieht sie nicht aus. Der Polizei melden werde ich sie auch nicht, denn sie wird nicht lange bleiben, das ahnte er. »Also gut«, sagte Bertolli laut. »Versuchen wir es. Wann?«

»Sofort. Was ich anhabe und diese kleine Tasche hier ist alles, was ich noch besitze.«

Birgit bekam ein winziges, muffiges Zimmer unter dem Dach und zwei Gummischürzen und saß schon eine Stunde später in einem dreckigen Nebenraum der Küche, las Salat aus, spülte ihn in großen Holzbottichen und ließ ihn in verbeulten Sieben abtropfen. Dann schälte sie Kartoffeln, drei Eimer voll, und ab und zu sah Franco Bertolli in den Raum, beobachtete Birgit stumm und ging wieder hinaus.

Am Abend, als im Speiseraum das Stimmengewirr der Gäste und das Klappern der Teller schwach zu ihr hinüberklang, als sie für das Mittagessen des kommenden Tages vorgearbeitet hatte, hielt sie die Hand auf, als Bertolli wieder nach ihr sah.

»Meinen Lohn bitte«, sagte sie.

»Was? Jetzt schon?«

»Ich will Briefpapier und Briefmarken kaufen. Mehr nicht.«

Franco Bertolli zählte ihr 2150 Lire in die Hand. »Die Stunde 307 Lire«, sagte er. »Das ist gut bezahlt. Im übrigen bin ich mit Ihrer Arbeit zufrieden, Signora. Der Salat war noch nie so sauber. Kein einziges Sandkörnchen knirscht zwischen den Zähnen.«

An diesem Abend schrieb Birgit noch einmal an Konrad Gerrath und brachte den Brief selbst zur Post. Dann lag sie erschöpft und wie mit gebrochenen Knochen auf dem harten Eisenbett und sah durch das kleine Fenster zum Sternenhimmel über Salerno.

In spätestens drei Tagen ist Gerrath hier, dachte sie. Er wird mich beschützen. Er wird mich sicher nach Hause bringen.

Sie sprang auf, lief zum Fenster und verriegelte es. So sinnlos es war — sie hatte Angst. Angst vor Zuraida, der sie bisher blindlings gefolgt war.

Acht Tage später nahm Birgit einen Tag Urlaub von Franco Bertolli und fuhr mit dem Omnibus nach Neapel.

Aus Deutschland war keinerlei Nachricht gekommen. Was sie befürchtet hatte, schien wahr zu sein: Die Post an Gerrath und auch an sie wurde auf geheimnisvolle Weise überwacht. Wenn Gerrath den Brief, den sie den Engländern mitgegeben hatte, und später ihren zweiten Brief erhalten hätte, müßte er längst in Salerno eingetroffen sein. Das wenigste wäre ein Telegramm gewesen. Aber es rührte sich nichts.

Nach acht Tagen des Wartens entschloß sich Birgit, nun doch bis zum deutschen Konsul vorzudringen. In diesen acht Tagen hinter der Küche Bertollis, beim Gemüseschneiden und Kartoffelschälen, hatte sie die anfängliche Angst überwunden. Ich werde schreien, dachte sie, als sie am Omnibusbahnhof in Neapel ausstieg und ihr Blick auf den leicht qualmenden Vesuv fiel. Ich werde um mein Leben schreien, und es wird keinen geben, der mich unbemerkt wegschleppen kann. Alle werden mir helfen: die Leute auf der Straße, die Frauen und Männer, die Polizei, die Konsulatsangestellten. Man kann einen Menschen nicht am hellen Tag vor aller Augen entführen. So etwas gibt es nicht.

Birgit ließ sich den Weg zum deutschen Konsulat von einem Polizisten erklären, der am Ärmel einen Streifen mit der Aufschrift: »Man spricht Deutsch« trug. Dann ging sie durch die engen Straßen, wo von Fenster zu Fenster, quer über die Gassen, die nasse Wäsche zum Trocknen gespannt war, kam in ein Stadtviertel mit Geschäftshäusern und Banken und entdeckte schon von weitem das Schild: Konsulat der Bundesrepublik Deutschland.

Die Straße war ziemlich menschenleer. Es war um die Mittagszeit, die heiße Luft stand in Neapel wie in einem Backofen. Wer nicht unbedingt unterwegs sein mußte, lag in einem kühlen Zimmer und döste.

Birgit blieb an der Straßenecke stehen und beobachtete die wenigen Menschen, die entweder in den Haustüren standen oder im spärlichen Schatten der Häuser hitzemüde die Straße entlanggingen.

Einige Autos parkten am Bordstein, meistens kleine italienische Wagen. Vor dem Konsulat standen zwei größere Wagen, auch mit neapolitanischer Nummer.

Es ist gefahrlos, sagte sich Birgit. Ein paar lange Schritte, das Aufreißen einer Tür, und ich bin in Deutschland. In Sicherheit. Bei Jörgi.

Sie begann zu laufen, als verfolge man sie. Den Kopf in den Nacken geworfen, rannte sie über die glutheiße Straße zum Konsulatsgebäude.

Noch zehn Schritte ... sieben ... fünf ... die Tür. Erreicht! Erreicht! Jörgi! O Jörgi!

Mit beiden Händen umklammerte sie die große, bronzene Klinke und drückte sie herunter. Aber die Tür bewegte sich nicht. Sie war abgeschlossen.

Geschäftszeit von 9 bis 12. Auch bei einem Konsulat. Auch Konsuln müssen zu Mittag essen.

Verzweifelt rüttelte Birgit an der schweren Tür, bis sie die Klingel sah. Aber bevor sie den Finger darauf legen konnte, faßte sie jemand an der Schulter und drehte sie herum. Sie sah in ein gebräuntes, freundliches Gesicht; nur die dunklen Augen brannten wie bei einem Fanatiker.

»Signora, nächste Bürozeit ab 15 Uhr. Wir können zusammen warten«, sagte der Mann in hartem Deutsch. Birgit spürte, wie in ihr wieder die panische Angst aufglomm. Sie sah an dem Mann vorbei auf die Straße. Sie war leer, die paar Männer in den Haustüren rauchten und beachteten sie gar nicht. Aber am Bordstein parkte ein Wagen, dessen Türen offenstanden.

Mit einem Ruck riß sich Birgit los. Als der Mann wieder zugreifen wollte, sprang sie einen Schritt zurück und trat ihm mit voller Wucht gegen das Schienbein. Mit einem hellen Aufschrei knickte der Mann zusammen und hielt sich an der Hauswand fest, sein Gesicht war schmerzverzerrt, sein Mund aufgerissen. Noch einmal trat Birgit zu, diesmal gegen das andere Schienbein. Sie sah, wie der Mann hinfiel, aus dem Wagen stürzte ein zweiter Mann auf sie zu, und dann lief sie die Straße hinunter, ohne sich umzusehen, mit pendelnden Armen und keuchenden Lungen. Erst als sie auf die Hauptverkehrsstraße kam, die hinunter zum Hafen führte, fiel sie in einen normalen Schritt und lehnte sich nach einigen Metern gegen ein Haus, erschöpft und mit zitternden Knien.

Sie bewachen alles, dachte sie und riß den Mund auf wie ein Erstickender. Ob hier oder in Rom oder in Mailand — überall werden sie stehen. Sie wissen, ich muß einen Paß haben, ohne Paß bin ich ein Nichts. Und sie werden überall verhindern, daß ich einen Paß bekomme.

Was soll ich tun? Mein Gott, hilf mir— was soll ich tun?

Sie ging hinunter zum Hafen und fuhr mit dem nächsten

Bus zurück nach Salerno. Franco Bertolli fragte nicht, wo sie gewesen war. Ihm war es recht, daß sie früher zurückkam und die Kartoffeln für den nächsten Tag schälte.

Nur nach Feierabend sagte er: »Signora, wenn Sie Kummer haben, sagen Sie es mir. Ich beobachtete Sie jetzt lange genug, ich habe nie etwas gesagt, aber ich habe das Gefühl, daß ich Ihnen helfen könnte, wenn Sie mir alles erzählen.«

»Ich brauche einen deutschen Paß, weiter nichts«, sagte Birgit hoffnungslos.

»Sie sollen ihn haben.«

»Was?« Birgit schnellte von dem harten Schemel, auf dem sie saß, wenn sie Gemüse putzte. »Sagen Sie das noch einmal, Signore Bertolli.«

»Ich kann Ihnen einen Paß besorgen. Sie wissen gar nicht, was man alles bekommen kann. Allerdings kostet er 300 000 Lire — oder 2000 Deutsche Mark.«

»Also unerreichbar.« Birgit hob hilflos die Schultern. »Ich habe keinen Pfennig.«

»Sie haben zwei Ringe, Signora. Und in Ihrer Reisetasche ist eine Perlenkette.«

»Unmöglich.«

»Zwischen Hauptfach und Nebentasche lag sie im Futter.« Bertolli wiegte den Kopf. »Sie verzeihen, daß ich die Tasche inspizierte. Aber man will ja wissen, mit wem man unter einem Dach wohnt. Die Perlenkette und die beiden Ringe und — sagen wir — einen Monat Arbeit weiter in der Küche, das würde für einen Paß genügen.«

Birgit sah auf ihre Hände. Rechts trug sie den Trauring, links einen schmalen Ring mit einem Brillanten und einem Saphir. Alf hatte ihn ihr zur Geburt Jörgis geschenkt. Die Perlenkette stammte von ihrer Mutter.

»Wann können Sie den Paß besorgen?« fragte sie stokkend.

»In acht Tagen vielleicht.«

Birgit nickte. Sie streifte die Ringe von den Fingern und

gab sie Franco Bertolli. Als sie den Trauring hinreichte, zitterte ihre Hand.

»Wenn es schneller ginge . . .«

»Warum, Signora? Denken Sie an den Monat Arbeit, der noch aussteht.«

»Ja.« Birgit senkte den Kopf. Tränen traten ihr in die Augen. Einen ganzen Monat noch. Ob Jörgi ihn überlebte? »Kommen Sie«, sagte sie schluchzend. »Die Perlenkette . . . Ich nehme nicht an, daß Sie mich betrügen, Signore Bertolli. Ich gebe mich jetzt ganz in Ihre Hand. Sie sind meine letzte Rettung.«

Acht Tage später kam Bertolli mit einem deutschen Paß und überreichte ihn mit großer Geste. Birgit hatte von sich in einem Fotoautomaten ein Bild machen lassen. Als sie nun den Paß aufschlug, sah ihr dieses undeutliche Foto entgegen, noch verunstaltet durch einen amtlichen Stempel.

»Helga Sommer«, las sie. Sie ließ den Paß sinken. »Ich heiße jetzt also Helga Sommer?«

»Ja. Wir mußten einen Paß nehmen, wie er am besten zu Ihnen paßt. Wir können uns keinen Namen aussuchen.«

»Ein gestohlener Paß also?«

Bertolli hob die Schultern. »Man fragt nicht, wenn man etwas dringend braucht . . . man nimmt es an. Kann man nicht auch unter Helga Sommer leben? Es klingt so lebensfroh. Sommer. Die Hauptsache ist doch, daß Sie damit nach Hause kommen. In Deutschland können Sie ihn wegwerfen.«

»In Deutschland —« Birgit starrte auf ihr Bild und auf den Namen Helga Sommer. Ein wahnwitziger Gedanke war ihr gekommen.

Der Ehefrau des Forschers Alf Brockmann war die Einreise nach Ägypten verboten. Jeder Grenzposten wußte es, jeder Soldat an der libyschen Grenze, die Kamelreiterstreifen im Sinai, die Jeepkontrollen am Sudan. Aber eine Helga Sommer kannte niemand. Eine Helga Sommer konnte mit einem Schiff in Alexandrien landen und als harmlose Touristin den Nil hinauffahren; nach Gizeh, Assuan Abu Simbel. Niemand würde sie aufhalten, sie würde ein Gast sein wie tausend andere Reisende.

»Sie haben recht, Signore Bertolli«, sagte Birgit und drückte den Paß an ihr Herz. »Dieses Papier ist wertvoll. Wertvoller, als wir überhaupt ahnen können.«

9

D r. Sikku hatte seine Untersuchung abgeschlossen. Jörgi lag mit weit aufgerissenen, glänzenden Augen auf dem Tisch, sein kleiner, nackter Körper war mit Schweiß überzogen. Er war in ein Fieberdelirium versunken und erkannte niemanden mehr.

»Was ist, Doktor?« fragte Zareb, der auf einem Stuhl an der Wand saß.

»Einwandfrei Blinddarm. Ein akuter und kritischer außerdem. Der Junge muß sofort in die Klinik.« Dr. Sikku, der Hausarzt des ägyptischen Konsulats, hatte in Oxford und Heidelberg studiert und galt in Hamburg als guter Chirurg. Wenn selbst er eine Klinik empfahl, war der Zustand Jörgis wirklich kritisch.

»Unmöglich«, sagte Zareb und schüttelte den Kopf. »Wir haben die Anweisung, den Jungen hierzubehalten.«

»Anweisung! Bei diesem akuten Blinddarm hören alle Anweisungen auf.« Dr. Sikku deckte den nackten, im Fieber sich schüttelnden Körper zu. »Es sei denn, der Junge wird damit zum Tode verurteilt.«

»Ihre Ausdrucksweise ist ungeschliffen, Doktor.« Zareb erhob sich von seinem Stuhl. »Eines ist klar: Wenn nur eine Klinik helfen kann, muß der Junge sterben. Aber Sie sind ja hier. Sie werden hier operieren.«

»Hier? Auf dem Küchentisch? Nein. Nicht einen solchen Fall.«

»Doch, Doktor.«

»Nein. Ich bin Arzt, aber kein Mörder.«

»Es geht um unsere Heimat, Dr. Sikku. Der Junge ist so wertvoll wie tausend Jahre ägyptische Geschichte.«

»Und wenn er alle Pharaonen in den Schatten stellt — ich operiere nicht.« Dr. Sikku nahm seine Tasche vom Tisch. Doch dann erstarrte er. Er blickte in die Mündung eines Revolvers. Zareb stand an der Tür, sein Gesicht war ausdruckslos und maskenhaft,

»Packen Sie die Instrumente aus, Doktor«, sagte er mit ruhiger Stimme. »Sie werden operieren. Heißes Wasser steht bereit, auch genug Kessel, um die Instrumente steril zu machen. Ich assistiere Ihnen, sobald Sie den Bauch offen haben. Dann weiß ich, daß Sie nicht weglaufen. Bis dahin werden Sie im Schatten meines Revolvers arbeiten müssen. Mein Sekretär wird Ihnen alles bringen, was Sie brauchen.«

Dr. Sikku blickte auf den fiebernden Jörgi. Er kann gerettet werden, wenn ich sofort operiere, dachte er. Aber hier hilft nicht mehr allein die Kunst meiner Finger, hier muß auch das Glück helfen — oder Gott, wie die Christen sagen . . . oder Allah . . . Seine große Chance ist die Rettung; der Tod bleibt ihm auf jeden Fall, unter meinem Skalpell oder — mit geschlossenem Bauch — an der Sepsis einer Bauchfellentzündung.

Dr. Sikku stellte die Tasche wieder hin und zog seinen Rock aus. Zareb lächelte leicht.

»Wie gut wir uns verstehen, Doktor. Ich weiß, welcher Künstler Sie am OP-Tisch sind. Warum wollten Sie mir nicht den Genuß gönnen, Sie bei der Arbeit gegen den Tod zu bewundern?«

Dr. Sikku antwortete nicht. Er räumte seine große Tasche aus. Das Instrumentarium, Äther, Klemmen, Tupfer in einer sterilen Metalldose, Nadeln, Seide, Katgut, Desinfektionsmittel, Seife.

»Ich brauche viel Wasser«, sagte er. »Und die Instrumente müssen ausgekocht werden.«

»Wird sofort erledigt, Doktor. Bitte, kommen Sie mit in die Küche. Dort steht alles bereit.«

Dr. Sikku gab Jörgi, bevor er Zareb folgte, erst eine Herzinjektion und fühlte noch einmal den Puls, hörte das Herz ab und maß den Blutdruck. Es wurde eilig. Die Kraft entwich mit jeder Minute aus dem kleinen, fiebernden Körper.

»Haben Sie einen Strick da, um den Jungen an den Tisch zu binden?« fragte Dr. Sikku, als er sich in der Küche die Hände und Arme schrubbte und zusah, wie der Sekretär die Instrumente in das kochende Wasser legte. »Narkotisierte sind oft unruhig.«

»Mit den Stricken, die ich hier habe, können Sie eine Elefantenherde fesseln.«

»Danke. Es ist bloß ein kleines Kind.«

Zareb schwieg. Sein Mund wurde schmal. Er steckte den Revolver ein und begann, Arme und Beine Jörgis festzubinden. Dr. Sikku kam nach einer Weile aus der Küche und nickte zustimmend.

»Fesseln haben Sie gelernt.«

»Lassen Sie die dummen Bemerkungen.« Zareb sah auf den fiebernden Jungen. »Ich weiß überhaupt nicht, warum man das Kind wie ein rohes Ei behandelt. Der Erfolg seiner Entführung ist ausgeblieben, seine Mutter ist nicht zurückgekommen. Warum also noch hierbehalten? Ich wäre dafür, Doktor, Sie richten die Narkose so ein, daß er nicht wieder aufwacht.« Zareb hob beide Hände, als Dr. Sikku ihn wortlos stehenließ. »Ich garantiere, es gibt nur neue Schwierigkeiten, wenn er weiterlebt.«

Dr. Sikku legte die ausgekochten Operationswerkzeuge auf ein weißes Tuch neben Jörgi. Dann deckte er den Körper mit Handtüchern ab, reinigte die Operationsstelle mit Alkohol und bepinselte sie mit Jod. Als er zum Skalpell griff und mit dem Daumen die Schärfe prüfte, wurde Zareb ein wenig blaß.

»Brauchen Sie mich noch, Doktor?« fragte er.

»Aber ja. Sie müssen doch mit Ihrem Revolver hinter mir stehen.«

Zareb preßte die Lippen zusammen und blieb stehen. Als der erste Hautschnitt gemacht wurde, blickte er weg. Er hörte das Klappern von Klemmen und Zangen, hörte, wie Dr. Sikku zu dem Sekretär sagte: »Nun tupfen Sie etwas fester. Der Junge spürt es ja nicht«, und merkte nach kurzer Zeit einen widerlichen süßlichen Geruch von Blut und Eiter.

Er blickte kurz zum Tisch und sah in die geöffnete Unterbauchhöhle. Eine rötlich-graue, mit Eiter durchsetzte formlose Masse quoll zwischen Haken und Klemmen hervor. Der bereits vom Eiter des durchgebrochenen Blinddarms verklebte Dickdarm.

Zareb fühlte ein Würgen in der Kehle. Sein Magen drehte sich um und stieß nach oben. Er warf beide Hände vor den Mund und rannte hinaus. Auf der Toilette erbrach er sich, und blieb dann draußen vor dem Haus auf einer Bank sitzen, bleich und immer noch von würgender Übelkeit gepackt, wenn er an den Anblick dachte.

Die Operation dauerte über eine Stunde. Dann schwankte der Sekretär aus dem Haus und ließ sich neben Zareb auf die Bank fallen. Er riß den Mund auf und schnappte nach Luft wie ein Fisch auf dem Trockenen.

»Was ist?« fragte Zareb heiser. »Ist er tot?«

Der Sekretär schüttelte den Kopf. »Dr. Sikku macht die letzten Nähte. O Allah, hat er gesegnete Hände. Er hat die Därme gereinigt, er hat gekämpft wie ein Löwe, er hat das Leben zurückgeholt, für das man keinen Penny mehr gegeben hätte. Dieser Hakim ist ein Wunder.«

Zwanzig Minuten später trat auch Dr. Sikku aus dem Haus. Er sah erschöpft aus, aber er setzte sich nicht, sondern sah mit einem langen Blick der Verachtung hinunter zu den beiden Männern auf der Bank.

»Ich habe meine Pflicht getan«, sagte er rauh. »Nun können die Kerkerknechte wieder ans Werk.«

»Doktor.« Zareb sprang auf. »Glauben Sie, mir macht das Spaß?«

»Was ich glaube, möchte ich nicht sagen.« Dr. Sikku steckte sich mit leicht bebenden Fingern eine Zigarette an und inhalierte gierig den Rauch. »Der Junge darf in den nächsten acht Tagen nicht ohne Aufsicht bleiben. Keine Minute. Ich weiß nicht, ob wir eine Bauchfellentzündung abgewendet haben. Das wird sich erst zeigen in den nächsten drei, vier Tagen. Was wir brauchen, ist eine Pflegerin.«

»Woher?« Zareb schüttelte den Kopf. »Es ist zu gefährlich, Doktor.«

»Ich schicke meine Praxisschwester.« Dr. Sikku blickte über die Elbe. Von Schleppern und Lotsenbooten gezogen, glitten die großen Frachtschiffe hinauf zum Hafen.

»Wird sie schweigen?« fragte Zareb.

»Sie ist Ägypterin.«

»Einverstanden.«

Nachdem Dr. Sikku seine Zigarette geraucht hatte, gingen sie zusammen zurück ins Haus.

Jörgi lag in seinem »Gefängniszimmer« im Bett. Die Narkose wirkte noch. Sein kleines, schmales Gesicht war spitz und gelbweiß. Aber das Fieber war gesunken. Der Puls jagte nicht mehr, der Atem war, noch durch die Narkose, flach und röchelnd.

»Er hat in der Narkose nach seiner Mutter gerufen«, sagte Dr. Sikku leise. Er beugte sich über Jörgi und tupfte ihm kleine Schweißperlen von der Stirn. »›Mutti, hol mich . . .‹ hat er gerufen.«

Zareb verließ stumm das Zimmer. Er kannte keine seelischen Erschütterungen, aber irgendwie schämte er sich. Für einen Mann wie Zareb war das schon etwas Ungeheuerliches.

Der »Große Rat« in der Zentrale hatte umdisponiert. Die Serie von Fehlschlägen war zu groß, um jetzt noch gewisse

Rückschläge in Kauf zu nehmen. Die Agentin Aisha war abgesprungen. Der Beauftragte Hans Ludwigs gab keine Nachricht. Birgit Brockmann blieb nach dem Zusammenstoß vor dem deutschen Konsulat in Neapel weiterhin verschwunden. Aus sicheren ägyptischen Informationen wußte man, daß Alf Brockmann in Bir Assi die Konstruktionspläne für eine neue Langstreckenrakete fertig hatte und Spezialisten für elektronische Steuerungen in Rußland und England angeworben wurden. Der Wettlauf mit der Zeit schien verloren zu sein, es blieb nur noch die sofortige Aktion übrig.

Zuraida und ein Leutnant, Samuel Dobrah, wurden ausgewählt, als Touristen nach Ägypten zu fahren und auf jede mögliche Weise zu versuchen, Bir Assi zu erreichen.

»Ihr Auftrag ist klar«, sagte Oberst Shinnor, einer des »Großen Rates«, zu Zuraida. »Es ist uns nicht mehr daran gelegen, Herrn Brockmann zu uns herüberzuziehen. Die Dinge sind zu weit fortgeschritten. Es muß jetzt verhindert werden, daß er weiterarbeitet.«

Das war sehr höflich ausgedrückt. Zuraida nickte. »Ich verstehe, Oberst. Und Birgit?«

»Die Frau geht uns jetzt nichts mehr an. Sie soll nach Hause fahren können. Sie wird nur dann für uns wieder interessant, wenn sie auf eigene Faust versuchen sollte, nach Ägypten zu kommen. Aber das scheint mir nach Lage der Dinge nicht akut. Es zieht sie zu ihrem Kind, verständlich. Die Aktion Lübeck ist also hiermit beendet. Es geht jetzt nur noch um Alf Brockmann. Er ist für unser Land zur größten Gefahr geworden.« Oberst Shinnor sah Zuraida unter buschigen Augenbrauen lange und schweigsam an, ehe er weitersprach. »Wir können uns keinen Mißerfolg mehr leisten, Leutnant Zuraida«, sagte er dann langsam. »Wir sind jetzt in eine Lage gedrängt worden, wo Skrupel Selbstmord bedeuten. Wir verstehen uns?«

»Ja, Oberst.«

»Dann mit Gott! Ihre Ausrüstung bekommen Sie in Zimmer 19.«

Zuraida und Leutnant Dobrah grüßten militärisch und verließen das heiße Zimmer des Obersten.

Diese Unterredung fand in einem Haus auf der Insel Zypern statt. Es war eine Villa in einem großen Park und galt als Ruhesitz eines griechischen Millionärs.

Etwa um die gleiche Zeit standen sich in der Kaserne von Bir Assi der deutsche Handelsvertreter Hans Ludwigs und der ägyptische Abwehrspezialist Jussuf Ibn Darahn, alias Hauptmann Brahms, gegenüber. General Assban hatte angeordnet, daß der an der inneren Sperre aufgehaltene Ludwigs in den Kasernenbereich von Bir Assi gebracht werde und ließ Hauptmann Brahms zum Verhör einfliegen.

Nun saßen sich die beiden gegenüber. Sie waren allein im Zimmer, denn Brahms hatte alle anderen hinausgeschickt.

»Das ist ja eine schöne Scheiße, mein Lieber«, sagte Brahms und bot Ludwigs eine Zigarette an. »Jetzt muß ich dich hochgehen lassen.«

»Warum?« Ludwigs lächelte mit einer fatalen Sicherheit. »Ich bin hier, um Röhren auszumessen. Und du hast endlich erreicht, dieses Bir Assi zu sehen. Wir sollten uns gegenseitig gratulieren.«

»Und die versprochene Agentin?«

»Fällt ins Wasser. Sie ist zu hübsch.«

»Zum Kotzen ist das.« Brahms sprang auf. »Ich brauche einen Erfolg. General Assban sieht mich schon scheel an.«

»Wenn ich mich hier frei bewegen darf, sollst du deinen Erfolg haben, Josef.« Ludwigs streckte die Beine aus. »Es gibt hier in der Kaserne einen ägyptischen Soldaten, der Kontaktmann ist. Na, ist das was?«

»Ein kleiner Fisch. Ein Stichling. Ich brauche einen Hecht.«

»Abwarten. Sorge dafür, daß ich unverdächtig bin. Ich werde dann mit meiner Zentrale sprechen und dort erfahren, was sich Neues tut. Dann können wir weiter sehen.«

»Und wenn sich nichts tut?«

»Es bleibt der Soldat, und es bleibt uns immer noch die Entdeckung eines neuen Sprengstoffanschlages. Nichts ist leichter, als ein Bömbchen vor die Tür zu legen, und du entdeckst es. Aber, wie gesagt, Informationen aus der Zentrale sind mir wichtiger.«

Es dauerte bis zum Nachmittag, dann war Hans Ludwigs frei und konnte sich in Bir Assi bewegen, als gehöre er zum Forschungsteam. Er traf sich mit dem Soldaten Hassan Ben Alkir, kroch in den Stall des »Cafés« und nahm die Verbindung zur Zentrale mit dem dort stehenden starken Kurzwellensender auf. Oberst Shinnor selbst meldete sich und gab das Neueste durch.

Eine Stunde später stand Ludwigs wieder vor Brahms.

»Umarme mich, mein Freund!« rief er. »In drei Tagen geht in Alexandrien ein Mädchen von Bord des Schiffes ›Cesare‹. Es heißt laut Paß Luisa Andrelli, in Wirklichkeit ist sie der Leutnant Zuraida. In ihrer Begleitung ist ein junger Mann, Alessandro Giubino. Normal heißt er Leutnant Samuel Dobrah. Willst du mehr wissen?«

»Nee.« Hauptmann Brahms kratzte sich den Kopf. »Das alles ist sicher?«

»Ganz sicher.«

»Und für dich habe ich auch noch einen Leckerbissen.« Brahms genoß das sekundenlange Schweigen, das er folgen ließ. »Heute abend sind wir bei diesem geheimnisvollen weißen Forscher eingeladen. Du kannst deinem Erzfeind ins Auge blicken, aber weiter nichts. Er steht unter meinem persönlichen Schutz. Er heißt Alf Brockmann.«

Ludwigs zog die Augenbrauen hoch. »Alf klingt nordisch.«

»Und Brockmann gut deutsch.«

»Ist er etwa ein Deutscher?«

»Ich weiß nicht.« Brahms hob die Schultern. »In drei Stunden wissen wir es. Und wenn er ein Deutscher ist, Junge, dann wird der Mist zur kompletten Scheiße. Daß wir aber auch überall die Hand drin haben müssen, wo's stinkt!«

Die kleine, weiße Villa hinter der hohen Mauer und den elektrischen Zäunen war hell erleuchtet. Auch das Schwimmbecken wurde von Scheinwerfern angestrahlt und reizte an diesem schwülen Abend dazu, sich kopfüber hineinzustürzen.

Auf der Terrasse war schon eine kleine Gesellschaft versammelt, stand mit Fruchtsaftgläsern in der Hand herum und unterhielt sich. Offiziere in Abenduniform, Herren im weißen Smoking, dazwischen eine junge, langhaarige Frau in einem engen, feuerroten Kleid, die Getränke herumreichte und deren Lachen hell durch die stille Nacht klang: Aisha.

Es war ein merkwürdiger Anblick, diese abendliche Eleganz mitten in der Wüste. Man fühlte sich zurückversetzt auf die Hotelterrasse des »Sheppards« in Kairo. Sogar die leise Musik fehlte nicht. Von einem Tonband wurde sie über einen Lautsprecher im Salon übertragen.

»Aha, da kommen die letzten Gäste«, sagte General Assban und zeigte auf Brahms und Ludwigs, die von einer Ordonnanz durch den Garten geführt wurden. Während Brahms einen Smoking trug, hatte Ludwigs seinen weißen Leinenanzug an. Er war auf eine Party in der Wüste nicht vorbereitet gewesen. General Assban ging ihnen entgegen und drückte ihnen die Hand. Er trug sogar seine Orden, und jeder ahnte, daß der heutige Abend eine besondere Bedeutung hatte.

»Das sind zwei Landsleute von Ihnen, lieber Brockmann«, sagte Assban, als er Ludwigs und Brahms zu Alf führte. »Mr. Ludwigs von den Deutschen Edelstahlwerken — er wird Ihnen für das Triebwerk der Rakete einen besonders hitzefesten Stahl anbieten können — und Jussuf

Ibn Darahn, ein wichtiger Mann im Ministerium. Was, da staunen Sie? Früher hieß er Josef Brahms.« Und zu den beiden, die Alf unverhohlen musterten: »Und das ist Mr. Brockmann. Unser Staatsgeheimnis. Meine Herren, Sie gehören nun zu den vielleicht dreißig Personen, die Mr. Brockmann persönlich kennen.«

»Sehr erfreut«, sagte Hans Ludwigs und gab Alf die Hand.

»Es freut mich auch.« Brahms verbeugte sich knapp. »Auch Offizier gewesen?«

»Nein.« Alf Brockmann lächelte leicht. »Ich war unabkömmlich. Ich war damals technischer Assistent in Peenemünde.«

»Verstehe, verstehe.« Brahms wippte auf den Fußspitzen.

»Atombombe, V1 und V2. Wernher von Braun und so. Waren tolle Dinger, was? Nur zu spät, viel zu spät am Mann. Tja, und nun machen Sie hier weiter.«

»Ja —« Alf Brockmann sah zu Ludwigs. Er fühlte dessen Blick. »Hier trinkt alles Fruchtsaft, weil es Mohammedaner sind. Drinnen habe ich ein kühles Bier. Zwar kein deutsches, aber auch das englische Ale schmeckt, wenn's nichts anderes gibt. Bitte, kommen Sie doch herein, meine Herren.«

An ihnen vorbei ging mit wiegenden Hüften das Mädchen in dem feuerroten Kleid. Ihr schwarzes Haar strich an der Schulter von Brahms vorüber.

Brahms hielt Ludwigs am Ärmel fest. »Ein tolles Luder, Mensch. Hast du gesehen?«

»Ja. Es ist Aisha.« Ludwigs stieß Brahms leicht in die Seite. »Nichts anmerken lassen. Ich muß erst wissen, wie sie hierherkommt zu den geladenen Gästen. Wenn sie bloß keine Dummheit macht.«

Brahms starrte Aisha fasziniert nach. »Einer solchen Frau verzeiht man jede Dummheit.«

»Aber nicht, wenn wir in einer halben Stunde alle in

den Wüstenhimmel fliegen. Sie hat jetzt alles, was in Bir Assi wichtig ist, auf der Pfanne.«

»Himmel noch mal, das ist richtig. Halte sie fest, Hans! Ruf das Luder her.«

»Nachher. Dieser Brockmann wartet auf uns im Salon.« Ludwigs strich sich über die Stirn. »Also doch ein Deutscher. Ich habe so was geahnt. Und wegen Aisha keine Sorge, Josef! Solange ich hier bin, knallt's nicht.«

»Oder gerade.« Sie gingen in den Salon und sahen Brockmann, wie er an der Hausbar einen Cocktail aus Gin, Wermut und Sekt mixte. Brahms winkte ihm zu.

»Ich rieche kein Bier!« rief er krampfhaft fröhlich. »Sonst antwortet sofort meine Geruchsantenne.«

»Im Kühlschrank stehen sechs Flaschen.« Alf Brockmann reichte Brahms und Ludwigs die gefüllten Sektgläser und sah sie dann über den Rand seines Glases kritisch an. »Kann ich mit Ihnen anstoßen auf ›alte Kameradschaft‹?« fragte er leise.

Durch Brahms ging ein Ruck. »Auf jeden Fall.« Er hob das Glas. Hans Ludwigs zögerte, dann setzte er sein Glas zur Seite auf einen Tisch und sah Alf gerade ins Gesicht.

»Ich bin nach Bir Assi gekommen, um Sie zu töten!« sagte er ganz ruhig. Brahms rang nach Luft.

»Hans! Bist du total verrückt?!«

Brockmann winkte ab. »Lassen Sie ihn, Herr Brahms. Es redet sich besser miteinander, wenn man sich gut kennt.« Er sah sich um. Sie waren allein im Salon, die ägyptischen Offiziere standen noch draußen auf der Terrasse und ließen sich von Aisha unterhalten. »Auch ich habe Ihnen etwas zu sagen. Was Sie hier sehen, die Villa, das Schwimmbecken, die Fröhlichkeit — das ist alles Kulisse, sind potemkinsche Dörfer. Ich bin hier ein Gefangener, meine Herren, und ich muß nach dem Willen meiner Auftraggeber arbeiten, um nicht selbst liquidiert zu werden. Bis vor einigen Wochen war dieser Zwang für mich bindend. Ich hatte Frau und Kind. Aber dann verunglückte meine Frau tödlich. Nun habe ich nur noch an meinen Jungen zu denken, und deshalb möchte ich hier raus. Auf legalem Wege geht es nicht, also muß ich eine Flucht vorbereiten. Haben Sie die Möglichkeit, mir dabei zu helfen?«

Brahms und Ludwigs schwiegen betreten. Sie sahen sich an und wußten bei diesem Blick, daß es jetzt weder die eine noch die andere Seite gab, sondern ein drittes Kapitel ihres abenteuerlichen Lebens: die helfende Kameradschaft.

»Es kann mich meinen Kopf kosten«, sagte Brahms leise.

»Ich weiß. Kommen Sie mit, zurück nach Deutschland.«

»Das geht nicht.« Brahms schüttelte den Kopf. »Aus persönlichen Gründen«, fügte er steif hinzu. »Aber wir werden eine Möglichkeit ausknobeln, Brockmann. Eine einzelne Person ist nicht schwer hinauszuschmuggeln.«

»Zwei Personen!«

»Zwei?«

»Bitte, kommen Sie mit. Aber lassen Sie sich nichts anmerken . . . das Gehör registriert jede Stimmschwankung.«

Er führte Brahms und Ludwigs in einen anderen Raum, der hell erleuchtet war. Eine festlich gedeckte Tafel stand einem weichen Sessel, saß Lore Hollerau. Sie trug ein weißes, langes Abendkleid, das ihre sportlich-schöne Figur betonte. Ihr Gesicht war zur Tür gerichtet, vor den Augen trug sie eine dunkle Sonnenbrille. Sie lächelte, als sie den Schritt Brockmanns vernahm und neigte etwas den Kopf zur Seite, als sehe sie ihn.

»Besuch aus Deutschland, Lorchen«, sagte Brockmann fröhlich. »Herr Brahms, Herr Ludwigs . . .«

Brahms küßte Lore die Hand. Ludwigs starrte auf die dunkle Brille und wußte, daß dahinter die toten Augen versteckt waren. Augen, die sich für Alf Brockmann geopfert hatten. Auch er beugte sich über Lores Hand und sagte mit mühsam fester Stimme: »Ich freue mich, den guten Geist im Hause Brockmann zu begrüßen. «

»In zehn Minuten hole ich dich, Lorchen.« Brockmann strich ihr über die noch bleichen Wangen. »Wir Deutschen flüchten uns erst zu einem kühlen Bier! Soll ich dir auch ein Glas bringen?«

»Danke, Chef.« Lore lächelte. Ihr Gesicht war wie von innen durchsonnt. »Ich trinke nachher ein Glas Sekt, ja?«

»Natürlich. Bis gleich, Lore.«

Im Salon wischte sich Brahms den Schweiß von der Stirn und kippte sein Glas mit dem Cocktail in einem Zug hinunter.

»Furchtbar«, sagte er. »Eine so schöne Frau. Wird sie für immer blind bleiben?«

»Ja. Es gibt keinerlei Hoffnung. Der Sehnerv!« Brockmann sah Ludwigs groß an. »Ich will jetzt nicht fragen, wer dieses Paket abgeschickt hat. Es ist geschehen, aber nun gilt es, etwas gutzumachen, soweit man das überhaupt noch kann. Fräulein Hollerau und ich müssen zurück nach Deutschland. Ich habe keine Ambitionen, immer auf einer Bombe zu sitzen. Ich habe meine Forschungen in den Dienst des Fortschritts gestellt, aber nicht der politischen Machtkämpfe. Meine Herren, ganz hart: Können und wollen Sie mir helfen?«

»Wollen schon . . . aber können?« Brahms sah Ludwigs an. Du hast das Paket auf dem Gewissen, mein Junge, hieß dieser Blick. Nun wasch dich rein. Ludwigs verstand diese stumme Aufforderung und nickte.

»Ich will alle Möglichkeiten prüfen. Die erste Voraussetzung dazu ist, daß Sie Bir Assi verlassen, Brockmann.«

»Leicht gesagt.« Brockmann öffnete die erste Flasche Bier. General Assban sah in den Salon winkte, rief »Prost!« und ging wieder hinaus zu den anderen Offizieren.

»Sie müssen sich bei mir Stahlproben ansehen«, schlug Ludwigs vor.

»Eher fliegt man Sie hundertmal hin und her, als daß ich auch nur einen einzigen Schritt aus dieser verfluchten Oase machen darf.«

»Dann bleibt nur noch die Flucht«, sagte Brahms kühn.

»Durch die unbekannten Minengürtel? Und wohin fliehen? Die Wüste ist wie ein gelbgedeckter Tisch. Ein Hubschrauber wird uns sofort entdecken wie dunkle Krümel.«

»Wenn Sie nach Norden oder Osten fliehen.« Brahms nahm einen langen Schluck Bier und seufzte genußvoll. »Aber nach Westen, da kontrolliert keiner.«

»Im Westen beginnt die Sahara.«

»Eben. Siebenhundert Kilometer westlich von hier ist die libysche Grenze, mitten durch die Wüste. Unbewacht, weil dort kein Sandfloh hinüberwechselt.«

Die drei Männer schwiegen.

Siebenhundert Kilometer durch die glühende Wüste. Tagelang kein Brunnen, kein Strauch, kein Schatten. Eine Hitze von 55 Grad. Ein Sandwind, der den pulverfeinen Sand in jede Ritze bläst, in die Augen, in die Mundwinkel, in die Ohren. Siebenhundert Kilometer durch eine im wahrsten Sinne heiße Hölle, als einzige Begleiter vielleicht nur die Geier, die darauf warten, daß diese wahnwitzigen, kleinen Menschen da unten in der Unendlichkeit aus Sand und Geröll zusammenbrechen und willkommenes Aas werden.

»Es ist der einzig mögliche Weg, Brockmann«, sagte Ludwigs leise. »Die Flucht in die Weite. Niemand wird glauben, daß Sie nach Westen gegangen sind, weil es absoluter Irrsinn ist. Man wird im Norden und Osten und auch im Süden suchen. Es gibt nur diese eine Chance.«

Alf Brockmann schwieg und trank in kleinen Schlucken das eiskalte, etwas bittere englische Bier.

Durch die Wüste, dachte er. So weit wie von Köln nach München nur durch Sand ... Sand ... Sand ... unter glühender Sonne ... Und wenn das Wasser ausgeht? Es gibt keinen fürchterlicheren Tod als Verdursten. Verhungern macht apathisch, aber Verdursten führt zum Wahnsinn.

»Ich werde es mir überlegen«, sagte Brockmann stokkend. »Wie lange bleiben Sie in Bir Assi, meine Herren?«

»Das liegt ganz bei General Assban.«

»Haben Sie eine Wüstenkarte?«

»Ja.« Brahms nickte. »Aber was nutzt sie? Bir Assi ist zum Beispiel nicht drauf. Wüstenkarten sind fromme Märchen.«

Brockmann sah hinaus auf die Terrasse. Aisha winkte durch das Fenster.

»Die Herren werden ungeduldig.« Brockmann atmete tief auf. »Spielen wir den Gastgeber weiter. Ich hole Fräulein Hollerau, und dann wird gegessen. Und dabei wird Assban seine Rede halten.«

»Was feiern wir eigentlich?« fragte Brahms und hielt Brockmann fest.

»Meine neue Entdeckung. Eine besondere elektronische Flugsteuerung der Rakete.« Brockmann lächelte sauer.

»Und welche Rolle spielt dieses Mädchen da?« Ludwigs zeigte auf Aisha.

»Aisha? Sie ist meine Haushälterin —«

Mit schnellen Schritten ging Brockmann zu Lore ins Nebenzimmer. Ludwigs sah Brahms entgeistert an.

»Seine Haushälterin —«, sagte er gedehnt. »So kann man es auch nennen, wenn man seinen eigenen Tod liebt.«

10

In Abständen von vier Stunden legten zwei Passagierdampfer an der Hafenmole in Alexandria an. Zuerst die stolze, weiße »Cesare« aus Italien, über die Toppen geschmückt mit bunten Fähnchen, umrauscht von Musik, ein Schiff der fröhlichen Menschen.

Das andere Schiff mit Namen »Fortuna« war etwas kleiner, billiger und dementsprechend weniger aufwendig in der Begrüßung Alexandrias. Hier spielte keine Bordkapelle, wenn auch einige bunte Fahnen wehten. Die Paß- und

Zollbeamten kamen an Bord, kontrollierten und fanden nichts, was sie beanstanden konnten. Auch nicht den deutschen Paß der deutschen Passagierin Helga Sommer. Sie bewunderten nur die schönen blonden Haare, grüßten höflich, als sie den Paß zurückgaben und wünschten schöne Tage in Ägypten.

So betrat Birgit Brockmann das weite, heiße Land, in dem irgendwo ihr Mann Alf verborgen leben sollte. Es war ihr, als betrete sie einen anderen Stern. Im Hafen war ein internationales Verkehrsbüro. Dorthin wandte sich Birgit. Eine ägyptische Stewardeß unter dem Schild »Deutsch« empfing sie mit einem geschäftsmäßigen Lächeln.

»Ich möchte gern ein Zimmer«, sagte Birgit. »Ein billiges Zimmer. Ich habe nicht viel Geld.«

»In einem Hotel, einer Pension oder privat?« fragte die Stewardeß.

»Das ist mir gleich. Es muß nur billig sein.«

Birgit bekam einen Quartierzettel. In vier Sprachen stand darauf. Zimmer III. Kat., Lockwood-Street 15, Achmed Sibkir. Dann ein Stempel und eine Unterschrift vom ägyptischen Verkehrsdirektor.

»Zeigen Sie den Schein einem Taxifahrer, er fährt Sie hin, meine Dame«, sagte die Stewardeß und wandte sich einem Herrn zu, der hinter Birgit stand.

Birgit nickte und trat wieder hinaus auf die heiße Straße.

Ich bin in Ägypten, dachte sie. Den ersten Schritt habe ich getan. Aber was nun? Wie soll ich jemals erfahren, wo Alf Brockmann ist? Wie kann ich jemals eine Spur finden? Ich habe nie gewußt, wo er lebt. Alle Briefe gingen an ein Postfach in Kairo.

Sie winkte einem Taxifahrer, zeigte ihm den Zettel, stieg ein und ließ sich in rasanter Fahrt durch die Stadt fahren.

Bis jetzt habe ich Glück gehabt, dachte sie und schloß die Augen. Franco Bertolli hat für den Schmuck mehr erzielt, als der Paß kostete. Ich habe jetzt ein wenig Geld in der Tasche, nicht viel, ganze 22 ägyptische Pfund, aber ich stehe nicht mehr da wie eine Bettlerin. Ich habe einen Strohhalm, der mich über Wasser hält . . . ich bin ja so leicht geworden.

Vor einem alten Haus hielt der Wagen. 15, Lockwood-Street.

Eine enge, muffige Straße. Die heiße Luft stand darin wie zum Schneiden. Was kann man für ein halbes Pfund auch mehr verlangen?

Birgit stieg aus und öffnete die nur lose angelehnte Tür. Ein Geruch von angebranntem Mais und Kuhdung quoll ihr entgegen. Kindergeschrei gellte durch das Haus.

Birgit warf den Kopf in den Nacken und stieß die Tür weit auf.

Ich bin in Ägypten, dachte sie. Und ich gebe nicht auf, jetzt nicht mehr. Ich werde mir dieses Land zwischen Märchen und Grauen erobern müssen und ihm das Geheimnis entreißen, das Alf Brockmann heißt.

Alf, mein Mann . . .

Vier Stunden früher hatte sich am Pier III eine kleine, kaum bemerkte andere Szene abgespielt.

Als die stolze, weiße »Cesare« anlegte und die Passagiere von Bord gingen, stand Hauptmann Brahms mit drei seiner Männer an der Gangway und musterte die fröhlichen Reisenden. Sie mußten lange warten, bis am Ausgang ein schwarzhaariges Mädchen und ein sportlicher junger Mann erschienen und fröhlich wie die anderen, winkend und lachend, an Land gingen. Vom Schiff her wedelte einer der ägyptischen Zollbeamten mit einem Taschentuch. Hauptmann Brahms nickte mehrmals.

»Das sind sie. Jungs, ihr nehmt den Leutnant. Das Mädchen ist etwas für Papa. Und keinen Lärm. Wie geübt . . . Abteilung, marsch!«

Leutnant Samuel Dobrah leistete keinen Widerstand, als sich vier Hände auf seine Schultern legten und jemand sagte: »Nicht umdrehen. Ruhig weitergehen. Es hat keinen Zweck, Spuk zu machen.«

Hauptmann Brahms kleidete seine Verhaftungsaktion in einen galanten Rahmen. Er verbeugte sich vor Zuraida, und als sie ihn aus ihren großen, dunklen Augen fragend und mißtrauisch ansah, gab es ihm einen Stich ins Herz. Er bekam einen roten Kopf wie ein verliebter Primaner und ärgerte sich darüber, daß sein Herz bis zum Halse klopfte. O Himmel, dachte er. Welch eine Frau. Aisha ist schon ein weibliches Wunder . . . das hier ist eine körperliche Offenbarung.

»Darf ich bitten, mir zu folgen, Fräulein Zuraida?« fragte er galant und bot ihr seinen Arm. »Bitte, keine Widerrede. Es ist besser, wir machen das alles mit einem kleinen Lächeln ab.«

Zuraida lächelte zurück und hakte sich bei Brahms ein. »Wer sind Sie?« fragte sie unter der fröhlichen Maske.

»Ein Mann der Abwehr, meine Liebe.« Brahms zog Zuraida mit sich fort vom Pier. Vor ihm ging bereits Leutnant Dobrah, flankiert von drei anderen Männern. »Auch wenn es schwer ist für einen Mann, eine Frau wie Sie, Zuraida, abzuwehren.«

»Sie sind ein höflicher Tod«, sagte sie mit versteinertem Gesicht. »Ich bin auch Offizier, Leutnant. Ich bitte darum, nicht gehängt, sondern erschossen zu werden.«

Brahms lächelte galant, während er Zuraida wie eine Geliebte, die eben mit dem Schiff zu Besuch gekommen ist, zu seinem Wagen führte.

»Wer wird von Erschießen reden, meine Beste?« sagte er und hielt ihr die Wagentür auf. »Sie erwarten immer das Schlechteste.«

Zuraida ließ sich in die Polster fallen und musterte Josef Brahms. Unter halbgesenkten Lidern sahen ihre großen, dunklen Augen ihn fragend an. Was will er? dachte sie dabei. Und wer ist er? Trotz seines Bartes, seiner braunen Haarfarbe, seines dialektfreien Arabisch ist er kein Morgenländer. Eben weil er so vollendet Ägypter ist, kann er keiner sein. Er könnte seinem Typ nach aus Ungarn kommen. Oder aus Armenien.

Brahms betrachtete Zuraida, wie sie zurückgelehnt im Wagen saß. Die langen, schlanken Beine waren übereinandergeschlagen. Sie saß da wie ein reiches, zufriedenes, vom Leben verwöhntes Luxusweibchen und wußte, daß mit dem Zufallen der Autotür auch ihr Leben beendet war.

Brahms kaute an der Unterlippe. Undenkbar, empfand er, daß man dieses herrliche Weib an einen Pfahl bindet, irgendwo in den Sanddünen außerhalb Kairos, ihr die Augen verbindet und ein Peloton ihren wundervollen Leib mit Kugeln durchlöchert.

Eine Mata Hari des Orients . . . Brahms war stolz, diesen Vergleich gefunden zu haben. Aber, so dachte er auch gleich weiter, die große Spionin Mata Hari war nicht nur eine berühmte Agentin, sondern eine noch berühmtere Geliebte. Ob in Zuraida auch diese Fähigkeit gefährlich lebender Frauen steckte? Wer sie ansah, wie sie mit halbgeschlossenen Augen und leicht geöffnetem, sinnlichem Mund im Wagen saß, mußte in allen Adern ein Kribbeln spüren, es sei denn, er war völlig verkalkt.

Zuraida hob den Kopf. Ihre Haare flatterten im Wind, der vom Hafen herüberwehte. Brahms ließ sich aufseufzend neben ihr hinter das Steuer sinken.

»Warum seufzen Sie?« fragte Zuraida. »Es ist nicht Ihre Brust, die die Kugeln auffangen wird.«

»Der Gedanke, daß es diese Brust sein wird, ist einen Seufzer wert.« Brahms sah auf Zuraidas Oberweite. »Warum haben Sie bloß solch einen windigen Beruf?«

»Warum haben Sie ihn ebenfalls?«

»Mir blieb keine Wahl.« Brahms ließ den Motor an. Zuraida beugte sich zu ihm. Er roch ihr etwas süßliches Parfüm, er spürte ihre Körpernähe wie die ausströmende Glut aus einem Backofen.

»Sie sind kein Ägypter?«

»Nein. Deutscher.«

»Ach.« Zuraida lehnte sich wieder zurück. »Überall Deutsche. Als Fanatiker sollte man sagen: Es wird langsam langweilig.«

»Stimmt. Sie jagen ja auch einen Landsmann von mir.« Brahms löste die Handbremse, aber er fuhr noch nicht an. Neben ihm war die Wagenkolonne mit seinen Leuten und dem verhafteten Leutnant Dobrah schon aus dem Hafenviertel hinausgefahren. Die letzten Passagiere hatten das Schiff verlassen, nun kamen die Schauerleute und luden die Kisten und Kartons aus. Auf dem Sonnendeck wurden bereits die Planken geschrubbt. Rein Schiff. In achtundvierzig Stunden schwamm man wieder auf dem Mittelmeer, zurück nach Genua.

»Wer hat uns eigentlich verraten?« fragte Zuraida und legte ihre schmale Hand auf Brahms' Arm. Eine Berührung wie mit dem Feuer.

»Das ist eine dumme Frage, Zuraida«, antwortete er heiser.

»Warum? Im Angesicht des Todes kann man ehrlich sein. Was Sie mir jetzt sagen, wird morgen oder übermorgen von den Kugeln des Erschießungskommandos zerfetzt werden.«

»Es ist unerquicklich, daran zu denken.« Brahms fuhr mit heulendem Motor an. »Wir sollten solche Gespräche auf einen winzigen Zeitpunkt beschränken ... nämlich kurz vorher.«

Schweigsam fuhren sie durch die Straßen Alexandrias, kamen in einen Villenvorort und bogen in eine Sackstraße ein. Am Ende dieser Straße versperrte eine hohe, weiße Mauer den Weg. Hinter der Mauer lag ein breites Gebäude im Bungalowstil. Ein goldenes Schild an der mit einem herrlichen schmiedeeisernen Tor verzierten Einfahrt leuchtete in der Sonne.

Dr. Ahmed Zadusesi. Arzt.

Zuraida sah Brahms aus dem Augenwinkel an.

»Sie sind ein Hakim?«

»Nee.« Brahms lachte. Sie fuhren in einen palmengeschmückten Innenhof und wurden von zwei ägyptischen Milizsoldaten empfangen. »Jedes Ding muß einen Namen haben, meine Beste. Ein Hakim ist über alle Verdächtigungen erhaben. Darf ich bitten!«

In einem großen Zimmer, dessen breite Glastüren zu einem parkähnlichen Garten mit Wasserspielen hinausführten, begann Brahms entgegen seinen Gefühlen amtlich zu werden. Zuraida saß in einem tiefen Sessel, und ihre langen Beine waren bis zu den Schenkeln sichtbar. Sie hat teerosenfarbige Unterwäsche an, dachte Brahms und wandte sich irritiert ab, sah in den Garten und bemühte sich um Konzentration.

»Ich heiße Jussuf Ibn Darahn«, sagte er. »Das nur wegen der Anrede.«

»Jedes Ding muß seinen Namen haben«, wiederholte Zuraida lächelnd. Brahms kratzte sich nervös die Nase.

»Sie haben den Auftrag, in Ägypten einen Wissenschaftler namens Alf Brockmann zu töten.«

»Nein.«

»Zuraida! Bitte, lügen Sie nicht.« Brahms hob beide Hände. »Tun Sie mir das nicht an, daß Sie unser Gespräch durch Leugnen erschweren. Wir wissen ja alles.«

»Wenn Sie sagen, ich wolle Brockmann töten, so wissen Sie gar nichts.« Zuraida nahm eine Zigarette aus einem silbernen Kästchen und zündete sie sich an. »Ich soll Brockmann nach Deutschland holen, das ist alles.«

Brahms dachte an das letzte Gespräch mit Alf in Bir Assi. Er hörte noch, wie Brockmann von seiner verunglückten Frau erzählte, von seinem kleinen Sohn Jörgi; er sah noch die schöne Urne unter dem Malvenstrauch stehen, umgeben von blühenden Blumengebinden. Und er hatte noch genau die Worte behalten: »Können Sie mir helfen, meine Herren, nach Deutschland zurückzukommen?«

»Ich habe mit Brockmann kürzlich selbst gesprochen«, sagte Brahms. Zuraidas Kopf zuckte vor wie bei einem zuschlagenden Geier. »Er will selbst zurück. Nur — er kann nicht.«

»Und deshalb wollten wir ihn herausholen.«

»Blödsinn. Aus Bir Assi holt man keinen raus.«

»Wir hätten es versucht.« Zuraida lehnte sich wieder zurück. »Sehen Sie, wir wußten nicht einmal, daß er uns entgegengekommen wäre. Wir hatten damit gerechnet, daß er sich wehrt. Und darum wollten wir als stärksten Lockvogel seine Frau mitbringen.«

»Seine Frau?« Brahms starrte Zuraida sprachlos an. »Jetzt reden Sie Blödsinn, Zuraida. Seine Frau ist schon da . . . als Asche in einer kupfernen Urne.«

Zuraida sprang mit einem Satz auf. Ihre Augen glühten. Sie war unendlich schön in ihrer tierhaften Wildheit.

»Wieso Urne?« rief sie laut. Brahms hob die Schultern.

»Ich denke, Sie wissen alles? Sie wissen gar nichts. Frau Brockmann wurde das Opfer eines Autounfalls in Lübeck.«

»Sie auch?«

»Was heißt: Sie auch?«

»Brockmann bekam ihre Urne?«

»Ja.«

»Birgit Brockmann bekam auch eine Urne. Mit der Asche von Alf Brockmann. Todesursache: Unfall in Kairo. Mit Totenschein.«

Brahms setzte sich wortlos und wischte sich über die Stirn. Kalter Schweiß klebte auf seinem Gesicht. »Es ist also so«, sagte er nach einer Minute völligen Schweigens, »daß jeder für den anderen tot ist. Alf hat die Urne seiner Frau, Birgit hat die Urne von Alf . . . aber beide leben sie noch. Das ist ja eine herrliche Sauerei.«

»Nur glaubt Birgit nicht an den Tod ihres Mannes. Sie war unterwegs, ihn zu suchen, mit unserer Hilfe. Da schlug die Gegenseite zu: Man entführte den kleinen Jörgi.«

»Himmel, Arsch und Wolkenbruch!« schrie Brahms.

»Sie wissen davon nichts?«

»Auf Ehrenwort! Nichts!«

»Birgit flüchtete aus unserer Obhut, um zurück nach Lübeck zu gehen und damit Jörgi zu befreien. Eine dumme Fehlspekulation, denn nach unserer Meinung lebt der Junge gar nicht mehr. Aber inzwischen scheint sie es sich anders überlegt zu haben. Wir vermuten, daß sie bereits in Ägypten ist.«

»Auf dem Wege zu Brockmann?«

»Noch nicht. Woher soll sie wissen, daß er sich in Bir Assi befindet?« Zuraida nahm wieder eine Zigarette. Diesmal zitterten ihre Finger, ihre Sicherheit hatte sie verlassen. »Es sollte Ihre Aufgabe sein, Jussuf — oder wie Sie heißen —, Birgit zu finden und sie mit ihrem Mann zusammenzubringen. Dann hätte Ihr verpfuschtes Leben doch noch einen Sinn gehabt.«

Brahms zögerte. Dann nahm er Zuraidas Hand. »Sie sind eine zauberhafte und dabei kluge Frau«, sagte er aus tiefem Herzen. »Es wäre zu schade, wenn dieser Kopf nach der Exekution durch einen Fangschuß verunziert würde.«

Zuraidas Körper bebte. Sie hielt Brahms' Hand fest, als er sie wegziehen wollte.

»Was haben Sie vor, Jussuf?« fragte sie leise.

»Zunächst lasse ich diese Birgit suchen. Sie kann nur in Alexandria oder in Port Said an Land gegangen sein. Oder per Flugzeug in Kairo. Dann werde ich Ihren armen Leutnant Dobrah abliefern . . . Sie müssen einsehen, Zuraida, daß man einem Löwen etwas vorwerfen muß, damit er nicht dauernd brüllt. Es ist tragisch für den Jungen, aber Spionage ist immer ein persönliches Risiko. Sie aber . . .« Er unterbrach sich, beugte sich vor und sprach leise weiter: »Sie werden mich niederschlagen und zu einem Freund flüchten, dessen Adresse ich Ihnen gleich gebe. Dort warten Sie auf mich. Versprechen Sie mir das?«

»Auf mein Ehrenwort«, sagte Zuraida mit plötzlich kleiner Stimme.

»Was gilt Ihr Ehrenwort, Zuraida?«

»Soviel wie meine frauliche Ehre.«

»Danke.« Brahms zog sie vom Sessel hoch, riß sie in seine Arme und küßte sie.

An diesem Tage geschah noch vieles.

Der große Polizeiapparat lief an. In Kairo, Alexandria und Port Said wurden die Hotels und Pensionen kontrolliert, wurden Schiffs- und Fluglisten durchgesehen, die Verkehrsbüros ausgefragt. Schließlich blieb übrig, daß in den letzten Tagen siebenundvierzig blonde Frauen, auf die die Beschreibung von Birgit Brockmann paßte, nach Ägypten gekommen waren. Sechsundvierzig Frauen waren unverdächtig: Sie reisten mit ihren Männern oder mit einer Reisegesellschaft. Nur eine einzige blonde Frau, die sich Helga Sommer nannte, hatte ein billiges Quartier gesucht und bekommen. Hier in Alexandria.

»Das ist sie!« schrie Brahms. »Wir haben sie, Zuraida. Da sage man noch, unsere Polizei kenne nichts anderes als die Bordelle. Birgit nennt sich Helga Sommer und wohnt hier in der Lockwood-Street bei einem Achmed Sibkir. Los, in den Wagen. Hin zu ihr. Jetzt läuft der Film. Mädchen, wenn du den cleveren Brahms nicht hättest.«

Aber sie kamen zu spät. Das Zimmer war leer. Achmed Sibkir beteuerte, daß er von gar nichts wisse. Die Lady habe bezahlt und sei dann weg . . . das Zimmer habe sie nur wenige Stunden bewohnt.

»Allah sei mein Zeuge!« rief er. »Ich will tot umfallen, meine Kinder sollen die Räude bekommen, meine Frau soll buckelig werden . . . ich sage die Wahrheit, Herr! Nicht einen Penny Trinkgeld hat sie gegeben!«

Brahms fuhr zurück in den Bungalow hinter der hohen Mauer und fluchte wie ein Stabsgefreiter.

»Wieder weg. Zum Kotzen ist das. Wie soll man jetzt im großen Ägypten eine einzelne Frau finden? Ohne Aufsehen. Denn wir brauchen sie ja, nicht die ägyptischen Behörden.«

»Behalten wir die Ruhe.« Zuraida streichelte Brahms über den Nacken. »Irgendwo taucht sie wieder auf. Man muß nur warten können.«

Am Abend wurde der israelische Leutnant Dobrah nach Kairo ins Gefängnis gebracht. Der Staatsanwalt der politischen Abteilung übernahm ihn. Das Schicksal Dobrahs war damit besiegelt. Ein großer Schauprozeß, eine Pressekampagne, eine Senke in der Sandwüste mit einem einsamen Pfahl darin. Und darüber ein glühender Himmel.

An diesem Abend aber fand man auch den Abwehrchef III, Jussuf Ibn Darahn, in seinem Zimmer mit einer klaffenden Stirnwunde. Er war besinnungslos. Seine Gefangene, die Agentin Zuraida, war entwichen. Mit einem silbernen Leuchter hatte sie Darahn niedergeschlagen.

Großalarm. General Assban flog selbst nach Alexandria und setzte sich neben Brahms ans Bett. Unter einem dikken Kopfverband sah Brahms mit einem verzerrten Lächeln den General an.

»So ein Aas«, sagte er schwach. »Haut mir den Leuchter über den Kopf. Und wie, General! Man kann wirklich bei praller Sonne Sterne sehen.«

»Sie wird nicht weit kommen.« General Assban legte auf die Decke einige Packungen Zigaretten und die neuesten Zeitungen. »Sehen Sie mal hier: Zuraidas Bild. Ganz Ägypten kennt sie jetzt. Selbst die Hunde werden sie anbellen, wenn sie irgendwo auftaucht.«

In Bir Assi wohnte Hans Ludwigs als Gast bei Alf Brockmann. General Assban hatte es selbst so angeregt.

»Sie müssen zusammenarbeiten, meine Herren, warum sollen Sie nicht auch unter einem Dach schlafen? Außerdem vertraue ich der deutschen Mentalität, Vertrauen durch Schweigsamkeit zu lohnen.«

»Er ist ein Idealist, dieser Assban«, sagte Ludwigs, als

er mit Brockmann an einem der nächsten Abende auf der Terrasse saß. Aisha badete im Schwimmbecken, ein braunschillernder, märchenhafter Fisch. Lore Hollerau saß neben Alf, hörte das Plätschern und stellte sich vor, was sie nicht sehen konnte: Die Schönheit eines nackten Mädchenkörpers gegen das bleiche Licht des Wüstenmondes.

Seit sie wußte, daß sie blind bleiben würde, hatte sie in langen, qualvollen Nächten eine Hölle in sich überwunden: Die Eifersucht auf Aisha und das, obwohl sie spürte, wie sehr Alf Brockmann sich zu ihr hingezogen fühlte, seitdem der Tod seiner Frau den Weg zu ihr, Lore Hollerau, freigegeben hatte. Oft saß er neben ihr und hielt ihre Hand, erzählte von den alltäglichen Dingen und gab ihr mit seinen Worten das Sehen wieder, denn was er berichtete, setzte sie in ihrem Inneren in Bilder um und erlebte alles mit. Vor zwei Tagen hatte er sie geküßt. Nicht wie früher auf die Stirn oder die Haare, sondern auf den Mund. Und es war ein richtiger Kuß gewesen. Sein Herz lag dahinter, sie spürte es. Und wenn er sie in diesem Augenblick hochgenommen und in sein Schlafzimmer getragen hätte, würde sie seine Frau geworden sein mit einem solchen Glück, daß die Dunkelheit vor ihren Augen sich erhellt hätte wie von hundert goldenen Sonnen.

Was bedeutete da eine nackte, badende Aisha? Ein Raubtier, das nicht mehr zu bändigen ist? War Aisha nicht ein Wesen, vor dem Alf Brockmann Angst haben mußte? Denn er war kein Mensch, der Gefahren liebte und täglich, stündlich, immer mit einer Raubkatze ringen wollte. Brockmann liebte das Weiche, das Frauliche, die Geborgenheit, die Sanftheit der Seele. Vor der urhaften Wildheit einer Aisha schrak er zurück wie vor einem brodelnden Vulkan.

Zweimal flog Ludwigs von Bir Assi nach El Minya, um mit seinem Lieferwerk in Deutschland zu telefonieren. Er benutzte zu diesen Flügen einen Militärhubschrauber und traf dabei auch den Soldaten Hassan Ben Alkir wieder, der ihn von der Kaserne zum Flugplatz fuhr.

»Können Sie Griechisch, Sir?« fragte Hassan bei dieser Fahrt. Ludwigs sah den ägyptischen Soldaten verblüfft und ein wenig ratlos an.

»Griechisch? Wieso?«

»Zum Beispiel Gamma eins.«

Ludwigs zuckte zusammen. Das Erkennungswort. Hassan hielt den Wagen auf halber Strecke zwischen Kaserne und Flugfeld an. Die spontane Reaktion Ludwigs hatte ihm gezeigt, daß sein Vorstoß ins Ungewisse richtig gewesen war.

»Sie sind der Mann, der mir angekündigt wurde«, sagte er. »Ich weiß, warum Sie gekommen sind.« Hassan Ben Alkir umklammerte das Lenkrad des Jeeps. Sein schmales, braunes Gesicht war wie Stein. »Um es Ihnen gleich zu sagen, Sir: Ich werde Aisha niemals umbringen. Niemals. Ich liebe sie.«

Ludwigs lächelte etwas fade. Er auch, dachte er. Mein Gott, wer könnte Aisha, dieses Wunder von einem Weib, nicht lieben? Es ist ein grober Fehler der Geheimdienste, immer schöne Frauen einzusetzen. Die Konflikte werden dadurch nur noch größer . . . aber sie lernen nicht daraus.

»Ich kann Ihnen nichts weiter sagen, als daß Sie den Auftrag haben, es zu tun«, sagte Ludwigs steif. »Ich habe nur den Befehl zu überbringen und — für alle Fälle — zwei Giftkapseln. Was Sie damit machen, ist Ihre Sache. Ich habe meinen Auftrag hiermit erfüllt. Ihre Weigerung müssen Sie der Zentrale gegenüber verantworten.«

»Das werde ich, Sir.« Hassan Ben Alkir, der junge, verliebte Soldat, der von den Händen und den Lippen Aishas träumte, nickte energisch. »Können wir weiterfahren, Sir?«

»Natürlich. Halt, noch eins. Sollte ich verhaftet werden, weiß ich, wer dem ägyptischen Geheimdienst die Information gegeben hat. Was das bedeutet, ist Ihnen bekannt.«

180

»Ja, Sir.« Hassans Lippen verzogen sich zu einem breiten Lächeln. »Das Glück Aishas ist das Schweigen. Ich bin doch nicht dumm, Sir.«

Von seinem letzten Flug nach El Minya brachte Hans Ludwigs einige französische Zeitungen mit. Er hatte alle erreichbaren Blätter gekauft und in seine Tasche gestopft.

Alf Brockmann war in seinem Labor, als Ludwigs in die Villa zurückkehrte. Aisha kochte, Lore saß am Schwimmbecken unter einem großen Sonnenschirm und sah in die Gegend, als sehe sie alles. Neben ihr spielte ein Kofferradio leise Musik. Operetten von Johann Strauß. Wiener Blut in der Wüste, bei 55 Grad Hitze.

Ludwigs faltete die Zeitungen so, daß die Schlagzeilen sofort sichtbar waren, und legte sie auf den Schreibtisch Brockmanns. Dann zog er sich um, schlüpfte in die Badehose und lief zum Schwimmbecken, Lore hörte seinen Schritt und wandte ihm den Kopf zu.

»Ach, schon wieder zurück Herr Ludwigs?« Sie sah ihn an, und Ludwigs strich sich irritiert über die Haare, trotzdem er wußte, daß hinter der dunklen Sonnenbrille die ewige Finsternis war. »Was gibt es Neues?«

»Nichts, Fräulein Lore. Der übliche Kram. Wie ruhig leben wir dagegen hier in der Wüste.«

Lore Hollerau lachte. Sie dehnte sich im heißen Schatten. Auch sie trug einen Badeanzug, und Ludwigs bewunderte stumm ihre sportliche, frauliche Figur. Wie schön könnte das Leben sein, wenn man sich nur um die Schönheit kümmern würde, dachte er bitter. Statt dessen muß man Agent spielen und sich durch dieses mistige Leben lügen und intrigieren.

Er machte einen Kopfsprung und verschwand im aufklatschenden Wasser.

Zur Mittagszeit kam Alf Brockmann nach Hause. Aisha hatte den Tisch gedeckt. Es roch im Haus nach Hammelfleisch und Bohnen.

Minuten später schrak Lore Hollerau auf, und auch

Aisha zuckte auf der Terrasse zusammen. Ludwigs lag unter einem Sonnensegel neben dem Schwimmbecken und rührte sich nicht. Er hatte darauf gewartet.

»Diese Schweine!« brüllte Alf Brockmann. Er stürzte auf die Terrasse. In beiden Händen schwenkte er Zeitungen. »Diese Schweine! Diese Lumpen!« Sein Gesicht sah schrecklich aus. Verzerrt, schweißüberströmt, entstellt. Aisha rannte zu ihm und entriß ihm eine der Zeitungen. Auch Lore war aufgesprungen und tastete sich mit vorgestreckten Armen zur Terrasse. Ein erschütterndes Bild der Hilflosigkeit.

»Ludwigs!« brüllte Brockmann und lehnte sich gegen eine der Säulen, die das Terrassendach stützten. »Ludwigs! Oh, diese verfluchten Schweine! Sie haben Jörgi entführt . . . sie haben meinen armen, kleinen Jörgi entführt!«

Lore Hollerau blieb mitten auf der Wiese in der glühenden Mittagssonne stehen. Aisha las in der Tür zum Zimmer in der Zeitung, die sie Alf entrissen hatte, Ludwigs erhob sich und kam langsam näher.

»Mein Jörgi, mein kleiner Jörgi«, stöhnte Brockmann. Nach dem ersten Aufschrei kam jetzt der Zusammenbruch. Er sank in einen Korbsessel, die Zeitungen fielen zu Boden, er schloß die Augen und ballte in ohnmächtiger Wut die Fäuste. »Was sind das bloß für Menschen! Ein unschuldiges Kind entführen. Ich mache Schluß, bei Gott, ich mache Schluß . . .«

Ludwigs legte ihm die Hand auf die Schulter. Alfs Kopf sank nach vorn und schlug auf den Tisch. Aisha zerknüllte die Zeitung und warf sie weg, als stinke sie wie die Pest. Ihre Augen, diese kohlschwarzen, herrlichen wilden Augen glühten.

»Können Sie helfen, Sir?« fragte sie Ludwigs. Ihre Stimme klang ungeheuer energiegeladen. Ludwigs sah sie verwirrt an.

»Helfen? Wozu?«

»Oulf muß zurück nach Deutschland. Sofort. Hier wird er verdorren wie ein Baum, dessen Wurzeln die Mäuse zerfressen haben. Er muß sofort weg.«

Über die Terrasse tastete sich Lore Hollerau, Sie fand den Kopf Alfs und streichelte ihn mit einer rührenden Zärtlichkeit. Mit zusammengepreßten Lippen sah Aisha ihr zu.

»Alf!« sagte Lore und beugte sich zu ihm herunter. »Alf . . . wir können es nicht mehr ändern. Ich bin bei dir und das Leben geht weiter, muß weitergehen.«

»Mein Junge. Mein armer Junge!« Brockmann hob den Kopf. Mit starren Augen sah er Ludwigs, Lore und Aisha an. »In welcher Welt leben wir!«

»In einer gnadenlosen, Brockmann.« Ludwigs fegte die Zeitungen mit einigen Fußtritten hinab ins Gras. »Was gilt heute ein Menschenleben?« Er setzte sich und legte seine Hände auf die noch immer geballten Fäuste Alfs. »Ich habe versucht, mit Brahms in Verbindung zu kommen. In Kairo weiß man nicht, wo er ist. Irgendwo an der Küste, hieß es. Ich habe in Alexandria angefragt, auch dort bekam ich keine Auskunft. Aber ich weiß, daß er dort ist. Auf jeden Fall wollen wir Ihnen helfen.«

»Helfen!« Brockmann sprang auf. Alles Leid schrie aus seiner Kehle. »Wie kann man mir noch helfen?!«

»Ich besorge Kamele, Wasserschläuche, Verpflegung und alles, was wir brauchen«, sagte Aisha in die plötzliche Stille. »Morgen nacht verlassen wir Bir Assi . . . nach Westen, in die Wüste . . .«

Brockmann schwieg. Dann schüttelte er den Kopf. Er zog Lore an sich und drückte ihren Kopf an seine Schulter.

»Es geht nicht, Freunde. Lore würde diesen Ritt nie durchhalten. Nein, es geht nicht.«

»Ich bleibe, Alf«, sagte Lore Hollerau leise. »Ob in der Wüste oder irgendwo anders auf der Welt — mein Leben wird jetzt immer gleich bleiben.«

»Nein.« Brockmann schüttelte den Kopf. »Ich mache

diesen Weg nur, wenn du mitkommen kannst. Ich lasse dich nicht in Bir Assi zurück.«

»Sie wird es aushalten, Oulf.« Aisha sah böse auf Lore Hollerau. »Ich werde ein Schattendach über ihren Sitz bauen. Die Beduinen machen es so, wenn sie ihre schwangeren Frauen oder die Mütter, die eben geboren haben, mit ihren Säuglingen vor der grellen Sonne schützen wollen.«

»Ich bleibe!« sagte Lore laut.

»Nein, du bleibst nicht!« schrie Aisha plötzlich. Sie duckte sich, als wolle sie Lore wie eine Katze anspringen. »Wenn du bleibst, geht er nicht weg. Aber er muß weg! Er muß! Willst du, daß er hier in der Wüste krepiert? Spiele nicht die Heilige, du! In der Wüste siegt der Satan, aber nicht der Engel!«

»Aisha!« rief Brockmann. Er sah, wie Lore sich abwandte und mit dem steifen, tastenden Schritt, den Blinde an sich haben, ins Wohnzimmer ging. Er wollte ihr nach, aber Ludwigs hielt ihn fest.

»Bleiben Sie. Aisha hat recht. Sie müssen weg, Brockmann, und das so schnell wie möglich. Ich sagte Ihnen, daß ich gekommen war, um Sie zu töten . . .«

»Nein!« schrie Aisha auf. Mit einem verzweifelten Satz warf sie sich zwischen Alf und Ludwigs. In ihrer Hand blitzte plötzlich ein kleiner Dolch mit einer gebogenen Damaszenerklinge auf. Sie mußte ihn unter dem Kleid verborgen gehalten haben. Ehe Ludwigs zurückweichen konnte, hatte sie zugestoßen und schlitzte ihm den in einer Abwehrreaktion hochgehobenen Arm auf. Blut spritzte über Aisha und Brockmann. Ludwigs taumelte zurück, aber Aisha sprang ihm nach und hob den Dolch zum neuen, zum tödlichen Stoß.

»Das ist ja ein Irrtum!« rief Ludwigs. Er rief es rechtzeitig . . . schon im Schwung, blieb Aishas Arm in der Luft stehen. Die blanke Klinge blitzte in der Sonne.

Brockmann packte Aishas Handgelenk und entwand ihr

den Dolch. »Bist du verrückt?« stammelte er. »Ludwigs ist unser Freund.«

»Er sollte dich töten«, wimmerte Aisha. Sie fiel plötzlich zusammen. Alle Wildheit verließ sie. Sie war nur noch ein kleines, weinendes Mädchen . . .

Ludwigs hatte sein Hemd in Streifen gerissen und band seinen Arm damit ab. Die Terrasse war mit Blut beschmiert. Als röche man den Blutgeruch meilenweit, kreisten bereits zwei Geier über dem Garten.

»So ein Teufel«, stotterte Ludwigs und starrte Aisha an. »Himmel noch mal . . . solch ein Satan.« Er hatte einen Knebel gebildet und sah, daß die Blutung stand. Aisha senkte den Kopf, wandte sich ab und rannte ins Haus. »Ich kann Ihnen helfen, Brockmann«, sagte Ludwigs mit flatternder Stimme. Jetzt begannen die Wundschmerzen in dem aufgeschlitzten Arm. »Ich habe eine Wüstenspezialkarte besorgt. Mit allen Wasserstellen. Das ist wichtiger als alles. Wenn die Karte stimmt, müssen Sie die ersten fünf Tage von eigenen Wasservorräten leben, denn Ihr Weg führt Sie durch ein Gebiet, wo nur Sand und Salzsümpfe sind. Dann kommen einige Wasserstellen in Abständen von je einem Reittag. Bis zur libyschen Grenze aber müssen Sie dann noch durch das Gebiet des berüchtigten ›Großen Sand-Sees‹. Das ist die eigentliche Todesstrecke. Hier gibt es nur noch Sand und Sonne und das Gebet zu Gott: Laß mich durch, o Herr! Nicht einmal Geier gibt es dort, weil da noch nie ein lebendes Wesen durch den Sand gekrochen ist. Wenn Sie diesen Sand-See überwunden haben, können Sie Gott eine Kathedrale bauen. Diesen Weg hat noch keiner vor Ihnen geschafft.« Ludwigs setzte sich. Der Blutverlust machte sich bemerkbar. Seine Beine zitterten. »Wenn meine Wüstenkarte stimmt, müßten Sie es schaffen. Sie dürfen sich nur nicht verlaufen.«

Aus dem Haus kam Aisha gelaufen, den Verbandskasten in den Händen. »Gib her!« sagte Brockmann und griff zuerst zur Staubinde. Er band den Arm ab, reinigte die Wunde mit Alkohol und sah, daß keine Schlagader getroffen war, sondern der Dolch nur den Armmuskel aufgeschlitzt hatte. »Wo haben Sie die Karte?«

»In meinem Reisegepäck. Ich hole sie gleich.«

»Reiten wir, Oulf?« fragte Aisha kläglich. Sie hockte neben dem Tisch wie ein Negersklave.

»Ja. Kannst du alles besorgen, Aisha?«

»Alles.«

»Was macht Lore?«

»Sie sitzt im Zimmer und hört Radio. Aber sie weint dabei.«

»Sag ihr, ich komme gleich. Aber sage ihr nicht, was du hier getan hast.«

»Nein, Oulf.«

Aisha erhob sich und lief lautlos ins Haus zurück. Ludwigs sah ihr tiefatmend nach. Die Wunde brannte höllisch.

»Warum ist sie nicht Ihre Geliebte, Brockmann?« fragte er.

»Wer?«

»Aisha —«

Brockmann verband den Arm Ludwigs. »Ich habe Angst davor, mich völlig aufzugeben«, sagte er langsam und ließ die Mullbinde um den verletzten Arm kreisen. »Aisha zu lieben heißt, nur noch Liebe zu sein — und sonst nichts mehr.«

11

Nur zwei Stunden war Birgit in dem kleinen, stinkenden Zimmer des Halsabschneiders Achmed Sibkir geblieben. Im Hof des Hauses lärmte eine Kinderschar, auf dem Dach über ihr trappelten ebenfalls viele Füße, es roch nach faulendem Obst, Kamelurin und Kloake. Nach der Überwindung der ersten Erregung nahm sie deshalb ihr weniges Gepäck, drückte dem auf arabisch lamentierenden Sibkir noch ein halbes Pfund in die offene Hand und betrat dann die enge, heiße Straße.

Wohin, dachte sie. Die alte, bange Frage: Wohin jetzt?

Sie lief eine halbe Stunde kreuz und quer durch die Kasbah, die alte Eingeborenenstadt von Alexandria, bestaunt von den Frauen und Kindern, angerufen von den Händlern und Limonadenverkäufern, einmal sogar verfolgt von einem Teppichhändler, der ihr lauthals einen grellroten Läufer verkaufen wollte. Sie sah auf einem kleinen, durchglühten Markt im Schatten eines Torbogens einen alten, blinden Mann sitzen, der die alte orientalische Kunst des Märchenerzählers ausübte. Kinder und auch Erwachsene umhockten ihn und lauschten stumm den alten Märchen von Harun al Raschid, von dem Zauber der Tausendundeinen Nacht und von den Heldenliedern des Mahdi.

Es war ein Glücksumstand, daß sie vor einer alten Moschee ein Taxi sah. Sie ließ sich zurück zum Hafen bringen, aber dann blieb sie doch im Auto sitzen und dirigierte es um zum Bahnhof.

Alf hat einmal etwas vom Nil geschrieben, dachte sie. Damals, als er noch schrieb oder schreiben durfte. »Wenn ich aus dem Fenster sehe, kann ich über die Dächer hinweg den Nil sehen, die großen Segel der breiten Kähne und den Nebel des verdunstenden Wassers. Nachts leuchten Millionen Sterne über dem Fluß und seine Wasser wirken wie mit Diamanten bestickt.« So hatte er einmal geschrieben — vor sieben Monaten. Er hatte also in der Nähe des Nils gewohnt, außerhalb von Kairo, irgendwo an dem großen Strom, der das ewige Leben Ägyptens bildet.

Ich muß zum Fluß, dachte Birgit. Der Gedanke ist verrückt. Eine Frau allein am Nil, die ihren verschollenen Mann sucht. Aber es gab keinen anderen Weg.

Mit dem nächsten Zug fuhr sie nach Kairo. Um Geld zu sparen, fuhr sie in der niedrigsten Klasse, eingezwängt zwischen Bauern, Fellachen, stinkenden Körpern, Hühner-körbchen, ranzigen Butterwellen sowie staubigen Kleidern und Schweißfüßen.

Die Reisenden waren freundlich zu ihr, nachdem sie sich an die Sensation gewöhnt hatten, daß eine weiße Frau nicht im Luxuswaggon, sondern mitten unter ihnen reiste. Sie bekam süße Kartoffeln angeboten, ölige Datteln, kalten Maisbrei und einen großen Fladen, der süßlich und gut schmeckte. Erst später erfuhr sie, daß er aus einem Teig gebacken war, der aus Maismehl und zerstampften, getrockneten Heuschrecken bestand.

In Kairo ließ sie sich sofort zur deutschen Botschaft fahren – trotz ihrer Angst, es könnte sie auch diesmal jemand aufhalten. Sie atmete erleichtert auf, als nichts geschah. Ein Botschaftssekretär empfing sie und hörte sich ihre Bitte an.

»Alf Brockmann?« fragte er zurück und sah an die Decke, eine beliebte Geste des Menschen, wenn er beweisen will, daß er angestrengt nachdenkt. »Wissenschaftler ist er, sagen Sie? In ägyptischen Diensten? Warten Sie mal, da muß ich meinen Kollegen von der Handelsabteilung fragen.«

Der junge Sekretär telefonierte und legte dann ein wenig betreten den Hörer auf. Er sah Birgit durch seine Brille mit einem Blick voller Mitleid an.

»Sind Sie verwandt mit diesem Herrn Brockmann?« fragte er.

»Nein«, log Birgit. »Aber mit seiner Frau. Ich soll ihm Grüße überbringen.«

»Das ist merkwürdig. Verzeihen Sie. Herr Brockmann ist seit Wochen tot. Autounfall. Seine Witwe hat die Urne mit seiner Asche längst bekommen. Wieso kann sie . . .«

»Ich war zwei Monate auf Teneriffa.« Birgit legte die Hand auf ihr wild schlagendes Herz. Auch die Botschaft weiß nichts anderes, als daß Alf tot ist, dachte sie wie gelähmt.

»Ach so.« Der Sekretär nickte mehrmals. »Tragischer Fall. Ein begabter Wissenschaftler. Wie gesagt, Autounfall. Ist schon nach Deutschland überführt.«

»Und wo hat er gearbeitet?«

»Warum?«

»Ich möchte ein paar Bilder für Birgit — das ist seine Frau — machen. Zur Erinnerung daran, wo Alf gearbeitet hat.«

»Das dürfte schwer sein, meine Dame.« Der Botschaftssekretär lächelte wie verzeihend. Typisch Tourist. Andenkenknipsen. »Herr Brockmann arbeitete in Fort Gizeh. Aber das ist strengster Militärsperrbezirk. Sie werden kaum so nahe herankommen, daß Sie fotografieren können. Und wenn man es bemerkt, nimmt man Ihnen den Fotoapparat ab. Lassen Sie das bitte sein, meine Dame, wir haben nachher bloß die dummen Schwierigkeiten mit der ägyptischen Fremdenpolizei.«

Fort Gizeh . . . Fort Gizeh . . . Fort Gizeh . . . Es war ein Name, den Birgit nie wieder vergaß. Sie murmelte ihn vor sich hin, als sie die Botschaft verließ und zu den Anlegestellen der Nilausflugsdampfer ging. Große Schilder in allen Sprachen, auch in Deutsch, wiesen ihr den Weg.

Große Nilfahrt. Gizeh — Beni Suef— Assiut — Assuan — Abu Simbel. Jeden Montag und Donnerstag.

Und dann viele kleinere Boote, arabische Dhaus, vorsintflutliche Kähne. Rundfahrt Kairo — Gizeh. Mit Besichtigung der Pyramiden und Kamelritt in die Sanddünen.

»Immer wieder und überall Gizeh.«

An den Landungsbrücken stand ein Dolmetscher. Auf seiner grellgelben Armbinde leuchtete in Rot auch: Deutsch. Birgit wandte sich an ihn und gab ihm zunächst ein halbes Pfund in die wie zufällig offene Hand.

»Ich möchte gern nach Fort Gizeh«, sagte Birgit unbefangen. »Wie komme ich da hin?«

»Überhaupt nicht, M'dam.« Der Dolmetscher musterte

Birgit wie eine stinkende Aussätzige. Fort Gizeh, dachte er. Sie ist verrückt, beim Barte Mohammeds.

»Ich maß aber hin.«

»Es geht aber nicht.«

Birgit opferte noch ein halbes Pfund ihrer kleinen Reisekasse. Der Dolmetscher hob die Augen zum Himmel. O Allah, ein Bakschisch ist immer noch eine Gnade von dir. Auch für einen staatlich bezahlten Dolmetscher. Immerhin habe ich sieben kleine, hungrige Kinder und drei Frauen.

»Sie können Fort Gizeh vom Boot aus sehen, M'dam«, sagte er deshalb. »Aber ans Ufer können Sie nie. Militär, Wachen, Minen, elektrische Zäune, Kanonenboote . . . unmöglich. Auch halten darf kein Boot, nur schnell vorbeifahren. Das ist alles.«

Er drehte sich um und lief auf eine englische Miß zu, die sich mit einem Baedecker in der Hand orientieren wollte. Er empfand das als eine Blasphemie, denn Ägypten lernt man nur durch einen guten Dolmetscher kennen.

Birgit mietete sich einen Platz auf einem der kleinen Motorboote, die mit höchstens zehn Passagieren Rundfahrten auf dem Nil unternehmen. Das Boot, das sie bestieg, war nur noch mit drei stummen Arabern besetzt, die, in ihre Dschellabas gehüllt, wie Wachspuppen auf den Nil starrten und die blonde, junge Frau nicht beachteten. Bewegung kam in die verhüllten Gestalten erst, als ein dikker, älterer Mann mit einem Fez auf dem runden Schädel an Bord sprang. Da erst merkte Birgit, daß die drei eine Art Leibwache des Dicken bildeten. Im gleichen Augenblick, wo der Fezträger an Bord war, warf man auch schon die Leinen los, und das Boot glitt hinaus auf den Nil.

Birgit war nach vorn gegangen und starrte in das schäumende Wasser, das der Kiel durchschnitt, sah dann hinüber zum Ufer mit den herrlichen Gärten und den weißen Villen und Märchenpalästen, bis — abrupt wie alles im Orient — auch diese Zone des Reichtums abgeschnitten wurde und erbärmlichste Armut, verfallende Hütten und unter der Sonne brütende Fellachendörfer das Uferbild bestimmten.

Und noch etwas fiel ihr auf. Überall, selbst in den armseligsten Dörfern, lag Militär, parkten Lastwagen am Ufer, wuschen Soldaten ihre Wäsche am Flußufer oder spritzten ihre Autos ab. Dann hörten auch die Hütten auf, und der elektrische Zaun begann, von dem der Dolmetscher gesprochen hatte, unterbrochen von Wachtürmen und niedrigen, grasbewachsenen Hügeln, unter denen sich, jeder wußte es, tiefe Betonbunker befanden.

»Darf ich mich Ihnen vorstellen, gnädige Frau«, sagte eine tiefe Stimme hinter Birgit. Sie fuhr herum. Der Dicke mit dem Fez stand hinter ihr und verbeugte sich mit einem Lächeln. »Mein Name ist Faruk Ben Sahedi.«

»Helga Sommer . . .« Birgit hatte das unangenehme Gefühl, von den Blicken Faruks ausgezogen zu werden. »Sie sprechen Deutsch mit mir? Woher wissen Sie, daß ich Deutsche bin?«

»Mein Auge, gnädige Frau.« Faruk lächelte und setzte sich neben Birgit. »Ich habe in Deutschland drei Jahre gelebt. Das Blond Ihrer Haare, der Schnitt Ihres Kleides, die Form Ihrer Reisetasche, Ihr Oxford-Englisch, Ihre romantische Nilbetrachtung — Sie konnten nichts anderes sein als Deutsche. « Er winkte. Einer der drei Leibwächter brachte ein Tablett mit eisgekühltem Fruchtsaft. »Sie reisen so ganz allein, gnädige Frau? Abseits vom deutschen Touristenleben?«

»Ich besuche meinen Mann«, sagte Birgit. Es war eine deutliche Abwehr. Irgendwie empfand sie Angst vor diesem dicken Ägypter, der so reich war, daß er mit drei Dienern reiste und einen batteriebetriebenen Eiskühler im Gepäck mit sich führte. Seine Augen gefielen ihr nicht. Sie waren gierig und stechend, sie tasteten Birgits Körper ab wie eine Handelsware.

»Ihr Mann. Ach. Er arbeitet in Ägypten?«

»Ja.«

»Darf man fragen, wo?«

»In Fort Gizeh«, sagte Birgit. Das wird ihn abhalten, weiter zu fragen, dachte sie. Fort Gizeh scheint hier einen mystischen Klang zu haben.

Faruk Ben Sahedi hob die Augenbrauen. Er reichte Birgit das Fruchtgetränk und hob sein Glas. »Auf eine gute gemeinsame Fahrt, gnädige Frau. Bis Fort Gizeh ist es noch eine Stunde Fahrt. Ich frage mich bloß, wo Sie dort anlegen wollen? Das Fort ist nur über dem Landweg zu erreichen. Jedes Boot, das am Ufer hält oder sich auch nur langsam dem Ufer nähert, wird ohne Warnung beschossen. Jeder Kahnruderer weiß das, auch unser Kapitän.«

»Natürlich.« Birgit nahm das Glas und trank das eiskalte Getränk mit kleinen, schnellen Schlucken. Die glühende Hitze hatte sie wirklich durstig gemacht. Es schmeckte süßlich und sauer zugleich, und darunter mischte sich ein Geschmack wie von Mandeln oder Nüssen. Das Getränk erfrischte sofort, sie spürte, wie das Blei in ihren Adern sich auflöste. »Ich will Fort Gizeh auch nur vom Nil aus sehen. Am Abend fahre ich dann zu meinem Mann.«

»Ein beneidenswerter Mensch.« Faruk Ben Sahedi prostete Birgit zu. »Ich habe noch nie ein solches Blond wie das Ihrer Haare gesehen, gnädige Frau. Es faszinierte mich, als ich Sie am Ufer sah. Und als ich erfuhr, daß Sie mit diesem Boot fahren wollten, mietete ich alle anderen Plätze für mich — nur um mit Ihnen allein diese Fahrt zu machen. Böse? O bitte, gönnen Sie einem reichen, aber einsamen Mann dieses harmlose Vergnügen . . .«

Birgit versuchte ein Lächeln, aber es wurde ihr unheimlich. Die Blicke Faruks waren zu eindeutig. Sie waren schmachtend und fordernd, gierig und wie vom Wahnsinn durchtränkt. Sie sah sich um, aber da war niemand mehr. Der Kapitän stand weit weg hinter dem Steuerrad, die drei Leibwächter waren unter Deck. Das Boot gehörte ihnen allein, oder vielmehr: Es gehörte ganz Faruk Ben Sahedi.

»Der Nil ist der schönste Fluß der Welt«, sagte Faruk

und machte eine weite Handbewegung. »Ich kenne den Rhein ... sehr romantisch. Den Amazonas ... erschreckend urweltlich. Aber der Nil ... das ist rinnendes Leben. Das ist Blut aus dem Herzen Afrikas. Das ist unvergleichlich. Und wie der Fluß, so sind auch seine Menschen. Sie lieben wie der Urschoß der Natur.«

Er redete noch eine Weile und beobachtete Birgit dabei. Er sah, wie ihr Kopf etwas vorsank, wie sie die Augen schloß, wie eine tiefe Müdigkeit sie überfiel.

Was ist das? dachte sie und riß den Kopf hoch. Diese Hitze macht mich völlig bewegungsunfähig, es ist wie eine Lähmung in mir, ich sehe das Wasser des Nils mal neben mir, mal oben am Himmel; es ist verrückt, aber der Himmel schwimmt unter mir, und ich bin wie ein Vogel, der einen Looping fliegt.

Dann schlief sie ein. Faruk Ben Sahedi rief seine drei Leibwächter. Sie trugen Birgit unter Deck, und das Boot drehte auf dem Nil und fuhr zurück Richtung Kairo, aber dem anderen Ufer entgegen.

Es war später Abend, als Birgit die Augen aufschlug.

Sie lag auf einem breiten Diwan inmitten eines Berges seidener Kissen. Über ihr drehten sich drei große Ventilatoren und gaben angenehm kühle Luft. Das Zimmer war riesengroß, mit Teppichen belegt, die Fenster waren von weißen Säulen eingerahmt, zwischen denen sich ein Gitterwerk aus vergoldetem Eisen rankte. Die Wände waren mit Malereien auf Seide behangen, die Decke war gekachelt mit Kacheln aus Gold und Kobalt. Ein Zimmer aus dem Traumbuch, ein Wunder an Schönheit und Kostbarkeit.

Birgit sprang auf und rannte zum nächsten Fenster. Vor ihr lag ein Innenhof mit Springbrunnen aus Marmor und einer Galerie von orientalischen Säulen. Drei Frauen saßen um den Brunnen und schwatzten. Im Hintergrund lehnte eine stumme, starre Gestalt im weißen Burnus. Ein Wächter.

Birgit rüttelte an den Gittern. Sie waren fest in die Säulen eingelassen und bewegten sich nicht. Da schrie sie, und ihre Stimme hallte durch die stillen, weiten Räume und wurde zehnfach zurückgeworfen.

»Hilfe! Hilfe! Hilfe!«

Eine Tür im Hintergrund des Zimmers öffnete sich. Sie hatte sie nicht gesehen vor lauter Ornamenten und Verzierungen. Faruk Ben Sahedi trat ein. Er hatte seine europäische Kleidung abgelegt und trug jetzt eine Art Haik aus Seide, der seine dicke Figur noch unförmiger wirken ließ.

»Bitte nicht schreien, gnädige Frau«, sagte er und blieb wie unterwürfig an der Tür stehen. »In meinem Haus hört man nur, was ich zu hören erlaube. Und das Wort Hilfe hört man bestimmt nicht.«

Birgit wich zurück zur Wand. Wieder diese Blicke, diese eindeutigen, gierigen Augen.

»Wo bin ich?« fragte sie. »Was soll das alles?«

»Zwei Fragen auf einmal. Zunächst: Sie sind bei mir. Sie haben das schönste Zimmer aller Frauen. Sie haben einen ganzen Flügel des Harems für sich.«

»Des Harems . . . «, stotterte Birgit. Ihr Herz krampfte sich vor Angst zusammen.

»Ihre blonden Haare, gnädige Frau. Sie haben mich um den Verstand gebracht.« Faruk hob wie beschwörend beide Arme. »Solche Schönheit der Welt zu zeigen, das ist ein Verbrechen, empfand ich. So etwas gehört nur einem Mann allein, das ist ein Schatz, wertvoller als der der Pharaonen. Und ich beschloß, Sie zu stehlen, ja, Sie einfach dem anderen zu stehlen, damit Sie für mich allein leben, gnädige Frau!« Faruk machte eine alles umfassende Handbewegung: »Ich lege Ihnen mein Haus, mein Geld, mich selbst zu Füßen, wenn Sie mir das Glück schenken, das Ihre Liebe bedeuten muß. Ich lege Ihnen Millionen zu Füßen.«

Birgit verschränkte die Arme vor der Brust. Ihre Kehle war wie zugeschnürt. »Wenn . . . wenn Sie mich lieben . . .«, stammelte sie, » . . . ich bitte Sie, ich flehe Sie an . . . lassen Sie mich gehen. Was Sie verlangen, ist doch Irrsinn.«

»Für einen Europäer vielleicht, aber nicht für uns.« Faruk kam langsam näher. »Mohammed nannte drei Dinge, die das Wichtigste und Schönste des Lebens bedeuten: ein Pferd, die Gesundheit des Leibes und das Herz eines Weibes. Ich habe hundert weiße Hengste, ich habe vier Ärzte, die sich um mich kümmern . . . es fehlt mir zum Paradies nur noch Ihr Herz. Verweigern Sie es mir nicht. Lassen Sie mich dieses Paradies betreten wie ein Seliger, aber lassen Sie es mich nicht erobern.«

Birgit verstand diese Drohung. Sie wußte: Schreien hilft nichts mehr. Gegenwehr war sinnlos. Es half nur eines noch: die List.

Sie nickte deshalb und setzte sich auf den breiten, seidenen Diwan.

»Sie haben mich überzeugt, Faruk«, sagte sie leise. »Aber bitte, lassen Sie mir Zeit. Verlangen Sie nichts Plötzliches. Jeder gefangene Vogel flattert erst, bis er sich an seinen Käfig gewöhnt hat.«

Faruk verbeugte sich und trat wieder zurück zur Tür.

»Ich werde warten. Es stehen sechs Dienerinnen zu Ihrer Verfügung. Sie brauchen nur die Glocke auf dem Tisch zu schlagen.«

Dann klappte die Tür wieder zu, als habe sich eine Wand geöffnet und wieder geschlossen.

Birgit wartete ein paar Minuten, dann lief sie wieder zu den golden vergitterten Fenstern.

Der Innenhof war leer. Der Brunnen lag im Mondschein wie ein tränendes Auge. Über dem Haus wölbte sich der Nachthimmel, bestickt mit Millionen glitzernder Diamanten.

Nächte am Nil, dachte Birgit und preßte die Stirn gegen das goldene Gitter. Wie oft liest man davon. Nun erlebe ich sie, in einem Palast aus Gold und Kobalt und Marmor und Alabaster.

Im Harem Faruk Ben Sahedis.

O Alf, was wird aus uns werden!

Sie sank in die Knie und weinte.

Hinter ihr servierten drei stumme Dienerinnen das Abendessen. Auf großen, silbernen Tafeln lagen gebratene Hühner und kunstvoll garnierte Fruchtberge.

Die Lieblingsfrau, die neue, blonde Huri aus dem siebten Himmel war eingezogen, und der ganze andere Harem ordnete sich ihr unter.

Und im Innenhof, versteckt im Schatten der Säulen, begannen die Musikanten zu spielen. Zimbeln und Flöten, Geigen und Handtrommeln. Eine klagende Melodie.

Birgit lag auf dem Diwan und weinte haltlos. Sie sah keinen Ausweg mehr.

Drei Wochen wartete Konrad Gerrath auf eine Nachricht von Birgit, dann ging er wieder zur Polizei. Birgits Mutter, Berta Koller, lebte seit dem Verschwinden Jörgis in einem Sanatorium. Sie war nicht zu bewegen, wieder in das leere Haus zu ziehen. »Ich würde wahnsinnig«, jammerte sie. »Überall in jeder Ecke können Verbrecher lauern. Ich stürbe vor Angst.« So blieb sie als Pensionärin im Sanatorium, weit weg von Lübeck, im Schwarzwald. Dort saß sie oft auf einer Bank im Wald, schüttelte den Kopf und sagte in der Art der alten Leute: »Nee, nee, wie ist so was nur möglich? Was ist das für eine Welt?«

Der Kommissar der politischen Abteilung empfing Konrad Gerrath sofort.

»Noch nichts Neues von dem Jungen, Herr Doktor«, sagte er, bevor Gerrath seinen Wunsch vortragen konnte. »Keinerlei Anhaltspunkte. Allerdings sind uns, wie Sie wissen, die Hände gebunden, sobald wir an die Mauer der diplomatischen Immunität prallen. Und hier endet jede Spur.«

»Frau Brockmann ist nun auch verschwunden«, sagte Gerrath. Er setzte sich, als er den völlig konsternierten Blick des Kommissars sah.

»Auch entführt? Ich denke, sie macht eine Reise nach Ägypten?«

»Dort scheint sie nie angekommen zu sein.« Gerraths Gesicht war bleich und zerfurcht. Die vergangenen drei Wochen hatten ihn um Jahre gealtert. »Seit drei Wochen keine Nachricht, kein Brief, keine Karte, kein Anruf. Sie geben doch zu, Herr Kommissar, daß man in drei Wochen die Möglichkeit hat, auf einer Karte einen kleinen Gruß zu schreiben, ein simples Lebenszeichen nur.«

»Natürlich.« Der Kommissar hob die Schulter. »Aber das ist noch kein Beweis, daß Frau Brockmann ›verschwunden‹ ist, wie Sie sich ausdrücken.«

»Sie wollte nach Ägypten, um ihren angeblich toten Mann zu suchen.«

»Ich weiß. Eine verrückte Reise. Jeder hätte ihr davon abgeraten. Man begibt sich nicht in die Mühle der Politik, ohne damit zu rechnen, zermahlen zu werden.« Der Kommissar lehnte sich zurück und drehte seinen Kugelschreiber nervös zwischen den Fingern. »Sie sind gekommen, um eine Vermißtenanzeige zu machen?«

»Ja«, sagte Gerrath laut.

»Gut. Wir nehmen sie zu Protokoll! Aber welche Möglichkeiten haben wir? Interpol natürlich. Fahndung in der ganzen Welt. Sagten Sie damals nach der Entführung des Jungen nicht, daß Frau Brockmann sich einer Gruppe angeschlossen hätte, die sie nach Ägypten einschleusen wollte?«

»Ein junges Mädchen mit Namen Zuraida begleitete sie. Eine Israelitin.«

»Stimmt. Ich erinnere mich. Zuraida. Klingt nach 1001 Nacht.« Der Kommissar warf seinen Kugelschreiber auf den Tisch. »Glauben Sie wirklich, daß Interpol eine Chance hat, Frau Brockmann zu finden, wenn Geheimdienste die Gegenspieler sind? Wir werden natürlich alles versuchen, was einer Polizei möglich ist, aber es wird trotzdem ein Schlag ins Wasser sein. Wissen Sie ungefähr den Weg, den sie nehmen wollten?«

»Über Süditalien mit einem Boot ins Nildelta.«

Der Kommissar hob hilflos beide Arme. »Aus Ihren eigenen Worten sollten Sie erkennen, wie verloren wir arbeiten. Von Süditalien mit einem Boot zum Nil. Lieber Dr. Gerrath! Ich suche Ihnen einen verlorenen Brillanten in der Lüneburger Heide eher als einen Menschen im Dschungel der Geheimdienste. Außerdem ist die Schweigsamkeit Frau Brockmanns völlig verständlich. Sie wird nicht schreiben dürfen.«

»Das habe ich auch angenommen. Darum habe ich drei Wochen geduldig gewartet. Aber dann wurde es mir unheimlich, und nun sagt mir mein Gefühl, daß etwas passiert sein muß. Ein neues Verbrechen.« Gerrath ballte die Fäuste. »Ist denn ein Menschenleben gar nichts mehr wert?« schrie er plötzlich.

»Kaum noch etwas.« Der Kommissar wischte sich über die Augen. »Sie sind Anwalt, Doktor, Sie kennen aus Ihrer Praxis alle Abarten von Charakter und Seele. Aber glauben Sie mir: Was wir hier von der politischen Abteilung alles erleben, könnte einen dazu bringen, Gott zu bitten, diesen ganzen Erdball mit einem einzigen Knall zu vernichten, damit es endlich Ruhe im Weltall gibt. Man kann den Glauben an den Menschen völlig verlieren. In diesem Komplex ist Ihre Frau Brockmann nur ein ganz kleiner Fisch, den wir kaum an die Angel bekommen werden.«

Konrad Gerrath verließ nach einer Stunde das politische Kommissariat mit dem Gefühl, nackt unter Angezogenen zu sein. Ein Jurist denkt von Natur und Beruf aus nüchtern, ihn erschüttert kaum etwas, was in den Gesetzbüchern mit Strafe belegt wird, vom kleinen Gauner bis zum Lustmord; es sind Auswüchse der menschlichen Gesellschaft. Und trotzdem erschütterte die Tatsache, daß zwei Menschen einfach spurlos verschwinden können und keiner die Möglichkeit hat, sie aufzuspüren, Konrad Gerrath derart, daß er einen körperlichen Schmerz in Herz und Magen empfand, wenn er an Birgit dachte.

Er setzte sich in seinen Wagen, der vor dem Kommissariat abgestellt war, drehte den Zündschlüssel herum und suchte in der Rocktasche nach seinen Zigaretten. Er fand keine Schachtel mehr, stieg wieder aus und ging über die Straße zu einem Automaten, der neben dem Eingang eines Lebensmittelgeschäftes hing.

Dieser Zigarettenkauf rettete ihm das Leben.

Gerrath hatte gerade das Geld in den Automaten geworfen, als hinter ihm eine gewaltige Detonation ertönte. Eine Luftdruckwelle warf ihn gegen die Hauswand und preßte ihn dann auf den Asphalt, er bekam keine Luft mehr, riß den Mund auf — meine Lungen, dachte er, oh, meine Lungen zerreißen . . . er hörte Fenster zerspringen, ein Glassplitterregen ging auf ihn nieder, Blech- und Eisenteile surrten wie Granatsplitter durch die Luft, irgendwo schrie eine Frau, grell, durchdringend, in Todesnot . . . dann war es plötzlich still, so, als sei alles im weiten Umkreis gelähmt.

Dann aber gellten Sirenen auf, Menschen liefen heran, die Frau schrie noch immer, jemand brüllte: »Einen Arzt!« Über Gerrath hinweg stolperten Menschen, rannten, hetzten, traten ihm auf die Hände und den Rücken, überwalzten ihn — dann war auch das vorbei, sogar das Schreien der Frau. Nur Hunderte von Stimmen füllten die Straße.

Gerrath erhob sich taumelnd. Er blutete im Gesicht und im Nacken von den Glassplittern, seine Hände, über die die Menschen gerannt waren, brannten. Er lehnte sich gegen die Hauswand und sah als erstes, daß die große Scheibe des Lebensmittelladens völlig zertrümmert war.

Erst dann fiel sein Blick auf die andere Straßenseite, auf sein Auto.

Ein Haufen verbogenen, zerfetzten Blechs war alles, was übriggeblieben war. Vor diesem noch rauchenden Wrack standen vier Beamte des politischen Kommissariats, auch der Leiter der Dienststelle, und bemühten sich um eine Frau, die von einem Motorstück schwer verletzt auf der Straße lag, umgeben von einer großen Blutlache. Ein Krankenwagen mit Blaulicht raste heran, ihm folgten zwei Mannschaftswagen der Polizei.

Die Straße wurde abgesperrt, die Menschen weggedrängt. Konrad Gerrath ließ man über die Straße kommen, als er sagte, er sei der Besitzer des gesprengten Wagens.

»Mein Gott, Sie leben«, sagte der Kommissar und rannte Gerrath entgegen. »Wir haben schon in den Trümmern gesucht und gedacht, Sie hängen in Einzelteilen rundherum an den Dachrinnen.«

»Danke.« Gerrath versuchte ein Lächeln. »Ich wollte nur Zigaretten holen. Den Zündschlüssel hatte ich schon rumgedreht.«

»So jagt man sich selbst in die Luft.« Der Kommissar stützte den blutenden Gerrath und führte ihn ins Haus. »Es ist ein alter Trick: Bombe gekoppelt mit elektrischem Anlasser, in diesem Fall mit einer raffinierten Verzögerung. So sind schon viele Unbequeme hochgegangen. Aber daß man es hier vor unseren Augen macht — die Brüder müssen sich ungeheuer sicher fühlen.« Er führte Gerrath in einen Waschraum und drehte den Wasserhahn auf.

»Sie beschwerten sich doch vorhin, lieber Doktor, daß Sie gar nichts mehr hören«, sagte der Kommissar dabei voller Sarkasmus. »Sie haben sich geirrt, wie Sie sehen. Das war ein Gruß aus dem Dunkeln. Wollen Sie noch mehr?«

Konrad Gerrath schwieg. Er zog sein Hemd aus und wusch sich den Oberkörper. Das Blut war bis in den Hosenbund gelaufen.

»Was werden Sie nun tun, Herr Kommissar?« fragte er, als er sich abtrocknete.

»Ermitteln.«

»Und?«

Der Kommissar hob die Schultern. »Bis heute ist noch kein Fall eines solchen Bombenanschlages aufgeklärt worden.«

Die Krisis dauerte über acht Tage, dann war Jörgi, medizinisch gesehen, gerettet. Dr. Sikku kam jeden Tag in das einsame Haus und spritzte Antibiotika, um die drohende Bauchfellentzündung im Keim zu ersticken. Beim zweiten Besuch brachte er eine Krankenschwester mit, ein junges, glutäugiges Mädchen, das sich Zareb sofort vornahm, als Dr. Sikku wieder weggefahren war.

»Hör einmal zu, du Tochter einer Hyäne«, sagte er mit finsterer Miene. »Was du hier siehst, gibt es gar nicht, verstehst du? Und wenn man draußen erfährt, was hier los ist, kann es nur von dir kommen. Dann werde ich dein schönes Gesicht zerquetschen wie eine Weintraube.«

Die Krankenschwester antwortete nicht. Sie ließ Zareb stehen und ging zurück in das kleine, dumpfe Krankenzimmer.

Am fünften Tag nach der schweren und kühnen Operation erkannte Jörgi zum erstenmal seine Umwelt wieder. Er öffnete die Augen für ein paar Sekunden, und das erste, was er sah, war ein lächelnder Frauenkopf.

»Mami . . .«, sagte er kaum hörbar. »Mami, du bist da . . .«

Dann fiel er wieder zurück in die Bewußtlosigkeit.

Am Tage darauf unterschied er schon die Gegenstände im Zimmer und erkannte, daß die Frau an seinem Bett nicht seine Mami war, sondern eine Schwester in einem weißen Häubchen und mit einer weißen Schürze. Auch Zareb, der einmal ins Zimmer kam, erkannte er wieder, und in seine Augen trat ein Hauch von Angst und Abwehr. Die Krankenschwester erhob sich und winkte Zareb ab.

»Gehen Sie hinaus«, sagte sie grob. »Der Junge hat Angst vor Ihnen. Wer Sie ansieht, kann ja auch nicht gesund werden.«

Zareb war sprachlos. Dann lächelte er breit und gemein. »Du Katze«, sagte er gedämpft. »Man sollte dir das Fell verbrennen. Sieht aus wie eine Huri und benimmt sich wie ein Skorpion. Du solltest selbst Angst haben, in meine Hände zu fallen.«

»Dr. Sikku würde es nicht ruhig hinnehmen.«

»Sikku. Wer ist Dr. Sikku? Ein Bauchaufschneider. Ein Pflasterkleber. Ein Darmspüler. Ich huste ihn an die Wand.«

»Dr. Sikku ist ein Freund des Präsidenten.«

»Kairo ist weit«, lächelte Zareb.

»Aber sein Arm reicht bis hierher.« Die Krankenschwester deckte Jörgi, der sich bloßgestrampelt hatte, wieder zu. »Und nun gehen Sie endlich! Ihr Gesicht ist keine Medizin.«

Zareb verließ das kleine Zimmer. Er war tief beleidigt. Wütend stampfte er im Garten hin und her. Ein Moslem wird nicht von einer Frau beschimpft, das verbietet Mohammed. Eine Frau hat untertan zu sein. Der Mann ist das höhere Wesen. Aber hier, in Europa, war alles anders. Hier verrohten die Sitten, und auch die Mädchen aus dem Orient vergaßen die Worte des Propheten.

Zareb seufzte und bedauerte sich ob seiner Hilflosigkeit gegenüber dieser wilden Wüstenkatze.

Am zehnten Tag schloß Dr. Sikku die Untersuchung mit der Bemerkung: »Es ist alles vorbei. Es besteht keinerlei Gefahr mehr. Der Junge muß jetzt gut gepflegt werden, damit er wieder zu Kräften kommt.«

»Warum?« fragte Zareb zurück.

Dr. Sikku sah ihn mit zusammengekniffenen Augen an. »Ich möchte Sie gerne sezieren, Zareb«, sagte er. »Ich möchte wirklich sehen, was bei Ihnen an Stelle des Herzens in der Brust liegt. Ein Stein? Ein faulender Kürbis? Eine haarige Kokosnuß? Eine aufgequollene Dattel? Es kann alles sein . . . nur ein normales Herz, das haben Sie auf keinen Fall.«

»Alle beleidigen mich!« schrie Zareb und machte fast einen Luftsprung vor Wut. »Alle hacken auf mir herum, als sei ich Aas für die Geier! Warum denn, warum? Ich tue nur meine Pflicht! Ich führe aus, was man mir befiehlt!«

»Dann befehle ich Ihnen, den Jungen zu pflegen wie Ihre eigenen Augen!«

»Sie sind Arzt. Ich nehme Befehle nur von meinen Vorgesetzten an.«

Am Abend fuhr ein großer Wagen vor, und Zareb hatte das unangenehme Gefühl, daß der Besuch neue Komplikationen brachte.

Ein gutgekleideter, braunhäutiger Herr mit einem kleinen Schnurrbart unter der Nase stieg aus, schob Zareb, der in der Haustür stand, vor sich her, schloß die Tür mit einem Fußtritt und schlug als Begrüßung seinen weichen Filzhut viermal mit aller Kraft Zareb um die Backen. Es klatschte laut, und Zareb hielt still, starr vor Staunen und plötzlicher Angst.

»So, mein Bruder«, sagte der fremde Besucher mit einer dunklen, herrischen Stimme. »Das war meine Visitenkarte. Genügt sie, oder soll ich mich noch einmal ausweisen?« Er griff in die Tasche seines eleganten Maßanzuges und zog einen stählernen, blitzenden Schlagring heraus.

Zareb riß die Augen auf und wich zurück. Er kannte die Wirkung dieser Ganovenwaffe. Ein Gesicht sieht hinterher aus wie eine zerriebene Kartoffel in Tomatensoße.

»Ich erkenne Sie«, sagt er deshalb schnell und dumpf. »Bitte kommen Sie herein.«

Der vornehme Herr betrat das große Wohnzimmer und ging zum Fenster. Mit dem Rücken stellte er sich davor, so daß sein Gesicht im Schatten lag, aber das ängstlich zuckende Gesicht Zarebs im hellen Licht.

»Der Junge wird bestens gepflegt«, sagte der Besucher. »Dr. Sikku sagt, daß er in acht Tagen aufstehen kann. Was dann weiter geschehen soll, erfährst du Ratte noch! Auf jeden Fall muß er kerngesund werden. Du bist verantwortlich dafür.«

Zareb nickte und hob die Schultern. »Es wird alles so geschehen ... aber ich verstehe nichts mehr. Es hat doch alles keinen Sinn.«

»Es ist genug, wenn wir es verstehen.« Der Besucher löste sich vom Fenster, ging an Zareb vorbei zur Tür und benutzte den Weg dazu, Zareb noch einmal die Faust in den Rücken zu stoßen. Der Ägypter taumelte und hielt sich mit Mühe an der Tischkante fest. »Noch Fragen?«

»Nein, mein Herr.« Zareb schwankte bis zur Haustür und starrte auf den großen Reisewagen. Hinter dem Steuer saß ein Chauffeur in unauffälliger, grauer Livree. »Doch, noch eine. Darf ich fragen, mit wem ich die Ehre hatte?«

Der elegante Besucher sah Zareb durchdringend an.

»Ich bin Delta II.«

Mit flatternden Augen schloß Zareb die Tür, als der Wagen abfuhr. Dann lehnte er sich an die Wand und wischte den kalten Schweiß von seinem Gesicht.

Der geheimnisvolle, berüchtigte Henker der Abwehr.

Zareb hatte dem Tod ins Auge gesehen.

12

Villa »Roseneck«, der Wohnsitz Hauptmann Brahms' im Villenviertel von Kairo, hatte einen neuen Bewohner.

Allerdings wußte das niemand als der Diener und Vertraute, der nubische Neger Baraf, ein riesenhafter Mensch mit dem Kopf eines Gorillas und mit Oberarmen wie dreifach gedrehte Schiffstaue. Baraf verdankte sein Leben dem deutschen Hauptmann Josef Brahms. Vor zwei Jahren war er von der ägyptischen Polizei ergriffen worden, als er gerade dabei war, zwei Menschen zu erwürgen, in jeder Hand einen. Er wurde zum Tode verurteilt, aber Brahms sah ihn in der Todeszelle, als er einen gefangenen Spion besuchte, und sagte später zu General Assban: »Dieses nubische Untier ist genau das, was ich brauche. Wenn dieser Baraf bei mir ist, brauchen wir keine weiteren Sicherheitsvorkehrungen. «

Der Nubier Baraf wurde begnadigt und Diener von Brahms. Seit zwei Jahren schwieg er wie das Grab, dem er entronnen war. Er hätte sich für seinen Herrn vierteilen lassen, ohne ein Wort zu sagen.

Als Zuraida in die Villa »Roseneck« gebracht wurde, war es Baraf, der sich ihrer annahm, ihr ein Zimmer unter dem Dach gab, sie mit Essen und Trinken und den neuesten Zeitungen und Illustrierten versorgte und sie vor allen Besuchern verborgen hielt.

Vier Tage darauf fuhr man Brahms nach Kairo. Seine Platzwunde heilte gut. General Assban sah ein, daß es besser sei, wenn Brahms zu Hause bliebe, als in einem Krankenhaus zu liegen, zumal die flüchtige Agentin noch nicht gefaßt war. Nach einem kurzen Gespräch ließ er ihn wieder zurückbringen. Kaum war der Militärkrankenwagen abgefahren, rannte Brahms die Treppe hinauf ins obere Stockwerk.

Zuraida empfing ihn mit offenen Armen. Mit einem lauten Seufzen umarmten sie sich.

»Der Herr ist sehr krank, er schläft gerade«, sagte der Diener Baraf zu jedem, der in den nächsten Stunden Brahms sprechen wollte. »Ich kann ihn unmöglich wecken. Es täte ihm nicht gut.«

Am nächsten Tag aber entwickelte die »Dienststelle Darahn« eine rege Tätigkeit. Nach guter, alter deutscher Polizeiarbeit begann man das Puzzlespiel mit den Mosaiken winziger Spuren und Frageergebnissen. Drei Tage lang wurde alles verhört, was mit europäischen Reisenden in Berührung kommen konnte ... vom Flugkapitän bis zur

Toilettenfrau, vom Kamelvermieter bis zum dreckigsten Ruderbootsverleiher. Sogar die Limonadenverkäufer am Nilufer wurden befragt und die »blinden Bettler« an den Anlegestellen. Auch die hatten nichts gesehen.

Aber dann, am dritten Tag, rannte Brahms in Zuraidas Zimmer und schwenkte eine Funkmeldung des Einsatzwagens VI.

»Das kann es sein!« rief er. »Das ist eine heiße Spur! Zuraida, Liebling, wie sieht diese Birgit Brockmann aus?«

»Mittelgroß, herrliches blondes Haar, ein ebenmäßiges, nicht zu schlankes Gesicht, eine schöne, frauliche Figur, blaue, strahlende Augen.«

»Also ein absolut ›deutscher Typ‹?«

»Nicht ganz. Sie sieht, wie soll ich sagen . . .« Zuraida suchte nach einem passenden Ausdruck. »Sie sieht interessant und doch süß aus.«

»Hier!« Brahms schwenkte wieder die Funkmeldung vom Nilufer. »Wir haben einen Dolmetscher verhört. Er hat vor drei Tagen einer deutschen blonden Frau Auskunft gegeben. Sie wollte wissen, wie man nach Fort Gizeh kommt. Das hat ihn maßlos verwundert.«

Zuraida sprang auf. »Das war sie. In Fort Gizeh hat Brockmann einmal gearbeitet, bis man ihn nach Bir Assi brachte.«

»Diese blonde Frau hat ein Boot bestiegen, ein Rundfahrtboot. Wir haben den Schiffsführer auch verhört. Er sagt, die blonde Frau sei nach der Rundfahrt wieder ausgestiegen.« Brahms setzte sich. »Merkwürdigerweise aber hat der Dolmetscher, der an diesem Tag bis zur Abenddämmerung Dienst hatte, sie nicht zurückkommen sehen.«

»Man sollte den Schiffsführer genauer verhören.«

»Er ist schon auf dem Wege hierher, mein Süßes.« Brahms lächelte, griff in Zuraidas Haare und zog sie an sich.

Baraf, der Nubier, war so diskret, erst dreimal zu klopfen, ehe er vor der Tür laut sagte: »Herr, der Verhaftete wartet unten.«

»Ich komme sofort.« Brahms löste sich aus den Armen Zuraidas und ordnete seine Haare und seine Kleidung. Leise sagte er: »Wir werden uns noch mit unserer Liebe umbringen.«

»Wäre das nicht der schönste Tod, Liebster?«

»Schöner wäre es, das Leben anzuhalten und ein Jahrzehnt lang so glücklich zu sein.«

Zuraida schüttelte den Kopf. Sie dachte nüchterner. Sie genoß die Stunde, sie gab sich ganz dem Augenblick hin. Sie wußte, daß dieses Wunder von Liebe und Glück ebenso jäh zusammenbrechen würde, wie es begonnen hatte. Es gab keinen Weg mehr zurück in ein bürgerliches Leben, in das kleine Paradies einer Familie mit einem geliebten Mann und einer Schar Kinder. Das waren Illusionen. Leutnant Zuraida war mit Haut und Haaren Besitz des Geheimdienstes; das allein bestimmte ihr Leben. Die Tage oder Wochen an der Seite Josef Brahms' waren so etwas wie ein Urlaub vom Ich, waren wie eine Henkersmahlzeit. Die Hinrichtung folgte bestimmt. Nur den Zeitpunkt, den wußte man nicht.

In dem schalldichten Verhörzimmer der Villa »Roseneck« stand der Schiffsführer mit auf den Rücken gebundenen Händen zwischen zwei stämmigen Geheimpolizisten und sah mit schreckensweiten Augen auf die sich öffnende Tür. Man sah: Er erwartete den Satan, aber es kam nur ein großer Mann herein, dem ein Riese von Mensch, ein pechschwarzes Untier, folgte.

»Du weißt, wo du bist?« fragte Brahms den Schiffsführer. Der Ägypter schüttelte den Kopf.

»Allah sei mein Zeuge, daß ich nicht . . .«

»Laß Allah aus dem Spiel! Du hast die Polizei belogen, und du bist hier . . .«

»Beim Barte des Propheten, ich habe nie gelogen!« Der Schiffsführer fiel auf die Knie und starrte Brahms aus flat-

ternden gelben Augen an. Über sein Gesicht lief ein heftiges Zucken. Die Polizisten standen neben ihm wie Pflöcke.

»Baraf!« Brahms drehte sich um. Der riesige Nubier trat
neben ihn. Er hielt in der Hand eine der gefürchteten
Nilpferdpeitschen, eine Waffe, mit der man einen Menschen zerfetzen, zerschneiden, zerstückeln kann. Der erste
Schlag der aus dicker Nilpferdhaut gedrehten Peitschenschnur reißt schon die Haut auf, der zweite Schlag fetzt
das Fleisch von den Knochen.

Dem Schiffsführer quollen die gelben Augäpfel aus den
Höhlen, als er das Marterinstrument in der Faust des
schwarzen Riesen sah. »Nein, Herr!« brüllte er laut.
»Nicht, o Herr! Habt Gnade! Allah wird Euch segnen
beim Eingang ins Paradies.«

Sein Kopf sank auf den Boden, mit der Stirn schlug er
ein paarmal auf, als bete er vor der Kaaba in Mekka.

Brahms winkte. Baraf hob die schwere Nilpferdpeitsche,
aber er hieb nicht zu, sondern ließ die Peitschenschnur nur
leicht über den gewölbten Rücken des Schiffsführers gleiten. Aber schon die Berührung genügte. Der Mann schrie
vor Qual und Angst grell auf.

»Gnade!« brüllte er heiser. »Gnade, o Allah!«

»Sag die Wahrheit! Wohin hast du die blonde Frau gebracht?« Brahms trat an den Knienden heran und trat ihm
in die Seite. »Der nächste Schlag von Baraf ist richtig!«

»Ich habe sie in El Ma'adi ausgeladen, Herr«, wimmerte
der Schiffsführer.

»Ausgeladen?«

»Ja. Sie war betäubt.«

»Betäubt?« schrie Brahms. »Wer hat sie betäubt?«

»Ein Herr.«

»Welcher Herr?«

»Ich kenne ihn nicht.«

»Baraf!« sagte Brahms kalt.

Es klatschte kurz und trocken. Der Mann auf dem Boden brüllte und wälzte sich auf den Rücken. Seine Augen,

blutunterlaufen, starrten gegen die Decke, aus dem Mund tropfte Speichel.

»Allah!« schrie er. »O Allah! Allah!«

»Wer war der Mann?« fragte Brahms ungerührt.

»Er mietete mein ganzes Boot, Herr. Er hatte drei schwerbewaffnete Wächter bei sich. Er war kein Ägypter. Er sah wie ein Araber aus. Wie ein reicher Scheich. Er betäubte die blonde Frau, und die drei Wächter trugen sie an Land. Das ist die Wahrheit, Herr. Ich schwöre es bei dem Propheten!«

»Und der Name?«

»Wer fragt nach dem Namen, Herr, wenn jemand ein ganzes Boot für sich allein mietet?«

Brahms ließ den wimmernden Schiffsführer liegen und trat an die große Wandkarte Oberägyptens. Der kleine Ort El Ma'adi lag auf dem rechten Nilufer am Ende des Wadi Digla. Nach einer schmalen Gartenzone begann die Wüste, die sich hinzog bis zum Golf von Suez. Hier, am Nil, im fruchtbaren Schlammgebiet, hatten Millionäre ihre Villen gebaut. Weiße Paläste, steingewordene Träume. Die Besitzer dieser Traumhäuser waren meistens einflußreiche Fabrikanten, Freunde der Minister, international bekannte Händler, Männer, deren Privatleben tabu war, selbst für einen Mann wie Jussuf Ibn Darahn.

Brahms wandte sich wieder um und winkte. Die beiden Polizisten rissen den Schiffsführer hoch und schleiften ihn aus dem Zimmer.

»Gruppe I soll sich einfinden«, sagte Brahms zu dem wartenden Baraf. »Und du gehst auch mit. Es wird ein heißer Tag werden.«

Baraf verbeugte sich stumm und ging.

Gruppe I war der Kommandotrupp des ehemaligen Hauptmanns Brahms. Er bestand aus zehn Männern, alle frühere Soldaten des Afrikakorps, meistens Pioniere, die mit Sprengladungen und Minen umzugehen verstanden. Es waren Kerle, die den Teufel in der Hölle ausräucherten, wenn man es verlangte. Abenteurer, die nicht fragten, sondern gehorchten. Gruppe I, das bedeutete: Gnadenlosigkeit. Sie war die winzige »Fremdenlegion« des Hauptmanns Brahms.

»Ich ahne jetzt, wo Birgit Brockmann ist«, sagte Brahms wenig später zu Zuraida. Er lag neben ihr auf dem Diwan und rauchte hastig und nervös eine flache, dicke ägyptische Zigarette. »Wahrscheinlich in einem Harem, verdammt noch mal! Und bei einem Kerl, der todsicher ein Freund irgendeines Ministers ist. Der nach links und nach rechts schmiert und den man mit Samthandschuhen anfassen muß.« Er warf die Zigarette in einen Aschenbecher, der mit Rosenwasser gefüllt war. Die Glut verzischte. »Aber nicht mit Josef Brahms!«

Ein Kommandotrupp »stahl« aus den Gärten der Villen sieben Gärtner. Sie wurden an Ort und Stelle im Regierungsboot verhört. Dann drohte man ihnen die Auspeitschung bis zum Tode an, wenn sie ein einziges Wort sagten und ließ sie wieder laufen. Auch den Gärtner des millionenschweren Faruk Ben Sahedi. Er berichtete, daß seit drei Tagen eine weiße Frau den Harem beherrschte.

»Faruk Ben Sahedi«, sagte Brahms, als er die Meldung per Funk erhielt. »Ein schöner Mist! Das ist ein Freund von Minister Feisal Abdul Mossou. Ich weiß, daß sie ihre Weiber untereinander austauschen. Und heimlich saufen tun sie auch, als Moslems! Ausgerechnet der!« Er sah seinen Stoßtruppführer, einen ehemaligen Oberfeldwebel der Pioniere, nachdenklich an. »Das wird 'ne harte Nuß, Franz!«

»Keine Sorge, Herr Hauptmann.« Franz Oberhalt lächelte breit. »Mit geschwärzten Gesichtern sehen wir alle aus wie zu lange gebackene Weckmänner.«

Birgit hatte sich in der langen Nacht, in der sie schlaflos in ihrem goldenen Käfig herumwanderte, einen Plan zurechtgelegt, der ihr als einzige Rettung erschien.

Sie mußte krank werden.

Am Morgen, als zwei zierliche, glutäugige Dienerinnen an ihr Bett traten, um sie zum Bad zu führen, das bereits mit stark nach Rosenöl duftendem Wasser gefüllt war, lag sie bleich und leise stöhnend unter der seidenen Decke und gab keine Antwort auf alle Fragen. Sie verdrehte sogar so schrecklich die Augen, daß die beiden Dienerinnen entsetzt wegliefen und nach Faruk Ben Sahedi riefen.

Keuchend rannte wenig später der dicke Faruk in Birgits Zimmer und setzte sich schweratmend auf die Bettkante.

»Was ist denn, meine goldene Taube?« fragte er und sah verwirrt auf das verzerrte, wie von großen Schmerzen zermarterte Gesicht Birgits. »Bist du krank? Hast du Schmerzen? So sprich doch, mein Augapfel.«

»Einen Arzt . . .«, flüsterte Birgit kaum hörbar. »Einen Arzt, schnell. Mein Herz . . . ich bekomme keine Luft . . . ich ersticke . . .« Sie zuckte plötzlich hoch, krallte sich an Faruk fest und hieb ihm die Fingernägel tief ins Fleisch. »Luft!« stöhnte sie laut. »Luft! O Luft!«

Sahedi verbiß den Schmerz, löste die Finger Birgits von seinen zerkratzten Armen und sprang auf. »Ich hole den besten Hakim Ägyptens!« rief er. »Nur ein paar Minuten, mein Engel! Der beste Hakim soll dich pflegen!«

»Ich ersticke!« keuchte Birgit und bemühte sich, starr zu blicken und die Augen hervorquellen zu lassen. Es gelang ihr, indem sie die Luft anhielt und wirklich Atemnot bekam. »Oh! Oh! Mein Herz . . .«

Sahedi rannte in panischem Schrecken hinaus.

Zwanzig Minuten später erschien der Arzt. »Der Hakim«, sagte Sahedi zu der erschöpften Birgit. »Er wird dich heilen. Er ist der beste Arzt. Er hat in Deutschland und Frankreich studiert.«

Und zu dem noch stummen und Birgit nur fragend ansehenden Arzt sagte er: »Machen Sie sie gesund, Doktor. Ich zahle Ihnen ein Vermögen, wenn mein blonder Engel wieder lachen kann.«

»Lassen Sie uns allein, Faruk.« Der Hakim setzte sich

neben Birgit auf den Diwan. Er ergriff ihre Hand und hielt sie fest. Eine unendliche Beruhigung ging von ihm aus.

Sahedi zögerte, doch dann ließ er Birgit und den Hakim allein. Aber vor der Tür zu dem Trakt der Lieblingsfrau postierte er zwei seiner schwerbewaffneten Wächter.

Der Arzt ließ die Hände Birgits los, sobald sie allein im Zimmer waren. Er stand sogar auf und legte seine Hände auf den Rücken.

»Sie sind gesund«, sagte er in deutscher Sprache. »Ich brauche nur in Ihre Augen zu sehen. Der Blick eines Kranken ist anders.«

Birgit nickte leicht. »Ja —« Ihre Stimme war klein und voller Hilflosigkeit. »Bitte, bitte helfen Sie mir, Doktor . . .«

Der Hakim sah sich um. Er kannte die orientalischen Paläste. Man war allein und doch nicht unbeobachtet. In einer Säule, in einer arabesken Verzierung, in einer Lampe konnte ein Abhörgerät eingebaut sein, hinter einer Wand durch einen Schlitz in dem zahlreichen Schnitzwerk konnten wache Augen lauern.

Er antwortete deshalb nicht, sondern packte seine Arzttasche aus, entnahm ihr ein Membranstethoskop und beugte sich zu Birgit herunter.

»Sprechen Sie ganz leise, ohne die Lippen zu bewegen«, flüsterte er, während er so tat, als horche er Birgit das Herz ab. »Können Sie das?«

»Ja —«, hauchte sie. Sie legte den Kopf zurück und starrte an die Decke. Der Hakim beugte sich näher zu ihr.

»Er hat mich betäubt und entführt«, flüsterte Birgit. »Er will mich zwingen . . . Sie wissen . . . was ich meine . . . Aber alle Millionen können mich nicht dazu bewegen . . . Ich suche meinen Mann . . . Dr. Alf Brockmann . . . Raketenwissenschaftler . . . deshalb bin ich in Ägypten . . .«

»Atmen Sie ein paarmal tief durch«, sagte der Hakim laut. »Und sagen Sie mal laut Ah!«

»Ah —«, machte Birgit.

212

Der Arzt nickte und »horchte« weiter ab. Er betastete Birgits Kopf und bewegte dabei die Lippen wie in einem stummen Selbstgespräch. In Wahrheit sagte er leise:

»Es gibt nur eine Möglichkeit herauszukommen: Sie müssen sehr krank sein und in eine Klinik gebracht werden. Ich werde Sahedi sagen, daß Sie sterben werden, wenn Sie nicht sofort zu Professor Babachelma kommen. Babachelma ist Facharzt für Herz und Kreislauf. Ich werde sagen, Sie haben einen schweren Herzschaden. Das muß er glauben.«

Birgit schloß die Augen. Es war ein Zeichen der Zustimmung. »Ich danke Ihnen, El Hakim«, sagte sie leise.

Der Arzt lächelte. Er rollte die Schläuche des Stethoskops zusammen und packte sie in die Tasche. Dann deckte er Birgit wieder zu. Im gleichen Augenblick öffnete sich wieder die Tür und Faruk trat ein.

Also doch beobachtet, dachte der Arzt. Es müßte kein Harem sein, wenn nicht ständig ein Paar Augen wachen.

»Was fehlt meiner Sonne?« fragte Sahedi blumig. »Ist sie sehr krank?« Besorgt sah er zu Birgit. Sie lag mit geschlossenen Augen und gefalteten Händen, als sei sie schon gestorben.

»Gehen wir hinaus«, sagte der Arzt gedämpft. »Sie muß jetzt schlafen.«

Vor dem Zimmer, in einer leeren, prunkvollen Halle, trat der Arzt an die vergitterten Fenster und sah hinaus in den märchenhaften Innenhof mit den Brunnen und den alabasternen Bänken.

»Sie ist sehr krank.«

Sahedi wurde blaß. »Sie erschrecken mich, Doktor.«

»Die Wahrheit ist immer erschreckend. Und ich soll doch die Wahrheit sagen.«

»Die volle! Rücksichtslos.«

»Sie hat einen schweren Herzschaden. Der linke Herzmuskel arbeitet nur noch zögernd, die Durchblutung ist gestört. Ein böser Fall von Coronarinsuffizienz.«

»Und was soll geschehen?« fragte Sahedi zurück.

»Sie muß sofort in die Klinik von Professor Babachelma.«

»Unmöglich!« Faruk wandte sich ab. Sein dicker Nakken zuckte. »Ich soll meine Sonne weggeben, wo ich sie gerade erobert habe?«

»Wollen Sie in drei oder sechs Tagen eine Tote umarmen?« fragte der Hakim grob.

»So akut wird es nicht sein.«

»So akut ist es!« Der Arzt löste sich vom Fenster und schritt zum Ausgang. Faruk rannte ihm nach und riß ihn am Ärmel zu sich herum.

»Ich habe genug Räume in meinem Haus. Ich kann mir eine eigene Klinik leisten. Ärzte, Schwestern, alle nötigen Geräte. Ich habe Millionen. Ich kann auch einen Professor Babachelma bezahlen. Er soll zu mir kommen und meine goldene Taube behandeln. Ich miete Babachelma!« rief Sahedi. Sein rundes Gesicht glühte.

Der Arzt sah ihn fast mitleidig an. »Es gibt Dinge, die man nicht mit Millionen kaufen kann ... Babachelma nicht, nicht ein neues Herz, und auch nicht die Liebe einer Frau.«

»Alles hat seinen Preis.«

»Dann kaufen Sie den Tod ab. Versuchen Sie es.« Der Arzt drückte die goldene Klinke herunter. Hinter der Tür warteten zwei stumme, riesige Diener in weißen Burnussen. In ihren Gürteln glitzerten Dolche und silberbeschlagene, langläufige Pistolen. »Ich habe Ihnen als Arzt einen Rat gegeben, den einzigen, den es gibt. Von jetzt ab tragen Sie allein die Verantwortung.«

Faruk Ben Sahedi winkte. Die riesigen Wächter traten zur Seite und ließen den Hakim passieren. Dann schloß sich die Tür wieder, und Faruk war allein in dem großen, leeren Saal. Vom Innenhof klang schwach das Plätschern des Marmorbrunnens durch die Stille.

Er trat an eine goldene Wandverzierung, schob sie etwas zur Seite und starrte durch ein kleines Guckloch in das Zimmer nebenan.

Birgit lag, wie er sie verlassen hatte, auf dem Rücken, die Hände gefaltet. Wie aufgebahrt sieht sie aus, dachte Sahedi schaudernd. O Allah, sie darf nicht sterben; nicht, bevor ich sie besessen habe, bevor ich ihren herrlichen Leib genossen habe wie eine aufgebrochene Granatfrucht. Dann mag sie, bei Allah, eingehen. Nur diese eine Nacht will ich genießen, dann kann sie begraben werden.

Er warf noch einen Blick auf Birgit, schob die goldene Verzierung wieder zurück und verließ schnell den Harem.

Zwei Tage warte ich noch, dachte er, als er wieder in seiner Bibliothek war und sein Sekretär ihm die Briefe zur Unterschrift vorlegte. Wenn sich ihr Zustand nicht bessert, soll sie wirklich zu Professor Babachelma kommen. Aber ich werde mitziehen. Ich werde neben ihr wohnen. Ich werde sie bewachen wie den größten Diamanten dieser Erde. Und wenn ich die ganze Klinik miete, für sie allein.

»Was gibt es Neues, Zehir?« fragte er den Sekretär.

Der junge Ägypter sah über den Kopf seines Herrn hinweg in den Garten.

»Eine israelische Agentin ist flüchtig. Man sucht sie überall. Sie hat den Chef des Geheimdienstes niedergeschlagen. So meldete mir mein Freund aus dem Ministerium.«

»Wenn schon!« Sahedi hob die fetten Schultern. »Was geht das uns an.«

So einsam die Oase Bir Assi liegt, mitten in einer weglosen Sandwüste, umgrenzt von ausgetrockneten Salzseen oder noch unbekannten, unerforschten und völlig unwegsamen schwammigen Salzsümpfen; so wenig man sie auf einer Karte findet und kaum jemand weiß, daß es überhaupt dort Lebewesen gibt: Es finden sich immer Menschen, die für Geld bereit sind, alles zu tun.

Aisha kam nach drei Stunden zurück und setzte sich mit

glänzenden Augen neben Brockmann, Lore und Ludwigs auf die Terrasse.

»Wir haben alles«, sagte sie. »Fünf Kamele, davon drei Reitkamele, zwei Zelte, Wasserschläuche und Fellsäcke für dreihundert Liter Wasser, Konserven, Orangensaft, Trockenfleisch, Decken, Käse in Dosen, Fruchtstangen, Mehl und Mais, Gerste und Reis, Milchpulver, zwei Kocher mit Hartspiritus, vier Schnellfeuergewehre mit Munition, drei Revolver, zwei Dolche, Beduinenkleidung und ein Sonnensegel.«

»Du bist ein fabelhaftes Mädchen, Aisha.« Brockmann beugte sich vor und streichelte ihr über die Wange. Obgleich es Lore nicht sehen konnte, ahnte sie doch, was diese Sekunde Stille bedeutete und womit sie ausgefüllt war. Er streichelt sie jetzt, dachte sie mit zuckendem Herzen. Und sie senkt die Augen und ist glücklich. Natürlich, was wäre er jetzt ohne Aisha? Sie kann ihm helfen, sie kann ihm ihre Liebe beweisen, indem sie ihm die Sterne vom Himmel holt — oder fünf Kamele besorgt. Ich kann ihm nicht helfen; ich kann nur herumsitzen, in die Welt hinauslauschen und warten, daß man mich anspricht, daß man mich bemerkt. Ich bin ihnen allen eine Last. Ich bin eine blinde Frau, zu nichts mehr nütze als zu den eigenen Gedanken.

»Ich trage zu dem Unternehmen einen Kompaß bei, meine Wüstenkarte, ein Paar Stiefel, ja, und meinen Wunsch, daß es euch gelingen möge«, sagte Ludwigs ernst. »Wann wollt ihr losziehen?«

»Die Kamele warten bei Eintritt der Dunkelheit außerhalb des Wadis.« Aisha sah Alf aus flimmernden Augen an. »Sie sind vollgefressen, ihre Höcker sind stramm voll Wasser wie eiserne Türme. Sie könnten drei Wochen ohne Wasser durch die Wüste ziehen. Es sind die besten Kamele von ganz Bir Assi.« Aisha legte die Arme um ihre Knie und zog sie an. Wie ein kleines Mädchen hockte sie auf dem Sessel. Ludwigs fand, daß sie bezaubernd aussah.

»Wir können heute nacht schon weit kommen. Sie sind schnell, die Kamele.«

»Heute nacht schon?« fragte Lore leise.

»Ja, Lorchen.« Brockmann legte den Arm um ihre Schulter. Zwischen den Augen Aishas bildete sich eine steile Falte. Sie soll verdursten, dachte sie grausam. Die Sonne soll ihr die Haut vom Körper brennen, sie soll ihre ganze, stolze Schönheit zerstören. Ich hasse sie. O Allah, wie ich sie hasse!

»Heute nacht ist die beste Zeit dazu«, sprach Brockmann weiter. »Ich habe für morgen nachmittag einen Brennversuch des neuen Treibsatzes angesagt. Bis dahin wird keiner unser Wegsein bemerken. Und wenn sie es dann erkennen, haben wir schon eine große Wegstrecke zurückgelegt. Zunächst wird man kopflos sein, dann wird man die Oase abriegeln, wird jedes Haus einzeln durchsuchen, jeden Stall, jedes Loch — und erst dann wird man glauben, daß wir nicht mehr in Bir Assi sind. Ein Gedanke, den keiner begreifen wird, weil er zu utopisch ist.«

»Und dann werden sie mit Hubschraubern die Wüste in allen Richtungen abfliegen und uns entdecken. Fünf winzige Punkte auf einer gelbsandigen Scheibe.« Lore warf den Kopf in den Nacken. »Und man wird uns abschießen wie Pappkameraden auf dem Schießstand.«

»Haben Sie Angst?« fragte Aisha aggressiv, ehe Brockmann etwas entgegnen konnte. »Dann bleiben Sie doch hier.«

»Aisha!« mahnte Brockmann.

Lores Kopf drehte sich zu ihm. »Ja, ich habe Angst«, sagte sie laut. »Nicht um mein bißchen Leben, was ist das schon wert? Ich habe Angst um dich, Alf. Es mag andere geben, die das Abenteuer lieben, ich aber liebe dich.«

Brockmann senkte den Kopf. Er war plötzlich verlegen und doch glücklich zugleich.

»Das ist das erste Mal, daß du es sagst«, bemerkte er leise in die Stille hinein.

»Ich glaube, es ist auch die richtige Stunde dazu.« Lore sah in die Richtung, in der sie Aisha vermutete. Sie hörte ihr Atmen und empfand ihre Nähe auf der Haut wie einen klebrigen Wind. »Ich liebe Alf!« sagte sie fest. »Und ich lasse nicht zu, daß er ein Risiko eingeht, das ihn das Leben kostet.« Und plötzlich, wie ein Vulkanausbruch, wild und ungehemmt, rief sie zu Aisha: »Ich habe meine Augen für ihn gegeben — und was kannst du ihm geben? Deinen Körper, weiter nichts! Aber auch der wird verwelken, und schneller als bei uns europäischen Frauen.«

Aisha schnellte aus dem Sessel hoch wie eine aufgescheuchte Katze. Ihre schwarzen Augen glühten. Wie schön, wie herrlich, wie unbeschreiblich, dachte Ludwigs. Verdammt, man kann verstehen, daß sich Männer einer Frau wegen ruinieren.

»Wenn Oulf hierbleibt, dann wird man ihn töten«, zischte Aisha. »Das Sprengstoffpäckchen war nicht das letzte. Es gibt noch andere Mittel.«

Das stimmt, dachte Ludwigs. Du mußt es am besten wissen. Du hast das Päckchen ins Haus gelegt. Daß dieses Mädchen blind ist, ist dein Werk.

Er biß sich auf die Lippen, um sich nicht zu verraten. Brockmann war hinter die erregte und bebende Lore getreten und streichelte ihr beruhigend über die Haare und Schultern. Aisha lehnte am Geländer der Terrasse; eine kleine, zierliche, mit allen Poren vibrierende Wildkatze. Durch den wirren Vorhang ihrer schwarzen, langen Haare starrte sie zu Brockmann hin.

»Wenn die Dunkelheit kommt, reiten wir los«, sagte er. Dabei sah er Aisha verzeihend an. Sie ist blind, hieß dieser Blick. Blinde sind besonders zartfühlend und erregbar. Die ewige Dunkelheit, in der sie leben, macht sie mißtrauisch und ungerecht.

Aisha warf den Kopf herum und verließ die Terrasse. Er liebt sie auch. Er nimmt sie in Schutz. Sie darf mich beleidigen. Ich bin ja nur ein Wüstenkind, ein dreckiger Mischling, ein Fellachenmädchen, dessen Zöpfe man früher mit Kamelmist einrieb, damit sie schön steif blieben. Oh, wenn er wüßte, wer ich bin. Ich habe in Kairo die Oberschule besucht, ich habe vier Semester Philologie studiert, ich spreche vier Sprachen, ich kenne das Weltbild des Plato ebensogut wie die Philosophie eines Sartre oder Heidegger. Aber in seinen Augen bin ich die kleine, braune Sklavin, das käufliche Dirnchen, das er aus dem Offiziersclub weggeholt hat.

O Allah, wann schenkst du mir die Stunde, ihm die Wahrheit zu sagen? Wann darf ich ihn lieben? Wann darf ich Aisha sein . . . so vollkommen in der Liebe wie die große Aisha, die Lieblingsfrau Mohammeds?

Sie hörte im Zimmer, wie Brockmann sagte: »Gehen wir ans Packen. Vor allem meine Hausapotheke nehme ich mit, Ludwigs. Kommen Sie, wir wollen erst einmal alle Papiere verbrennen. Ich will den alten Alf Brockmann in Feuer aufgehen lassen.«

Aisha rannte auf ihr Zimmer. Sie sah noch, wie Lore am Arm Brockmanns ins Haus kam. Sie weinte. Unter der Sonnenbrille her rannen ihre Tränen aus den toten Augen.

Sie schämte sich.

Die Dunkelheit senkt sich über die Wüste nicht nach weggleitender Dämmerung wie in Europa. Vielmehr taucht die Sonne nach einem kurzen Zwielicht weg ins Nichts, als verschlucke die Wüste den Feuerball. Dann wölbt sich der sagenhafte Sternenhimmel über Sanddünen und Palmen. Schakale heulen und Hyänen schreien. In den Tümpeln quaken die Ochsenfrösche. Das Konzert der Nacht beginnt, einer jener kalten Wüstennächte, die es rätselhaft erscheinen lassen, wieso es am Tage eine Glut von über 60 Grad geben kann.

Einzeln verließen Aisha, Ludwigs, Alf und Lore den Villenbezirk und gingen wie harmlose Nachtwanderer dem Eingeborenenviertel zu.

Zuerst Aisha. Wie ein Schatten glitt sie durch die Palmen und löste sich zwischen den Gartenmauern auf. Als zweiter folgte Ludwigs. Er spielte den leicht Angetrunkenen, sang leise vor sich hin und unterhielt sich sogar mit dem Pendelposten, einem jungen Soldaten, der nachts die Mauer des Europäerviertels umkreiste.

»Ich suche ein hübsches Mädchen«, sagte Ludwigs mit schwerer Zunge. »Ein Mädchen für diese Nacht. Kannst du mir eine empfehlen, mein Junge?«

Der Soldat grinste, schüttelte den Kopf und machte seine Runde weiter.

Brockmann, der Lore untergefaßt hatte, wurde überhaupt nicht gesehen. Im Inneren Bir Assis hielt man Sicherheitsvorkehrungen für sinnlos. Wer sollte schon unerkannt in die Oase kommen? Um so gründlicher waren die Sperrgürtel weit um die geheimnisvolle, kleine Stadt. Hier bewachten Hunderte von Soldaten und eine Staffel Hubschrauber das Geheimnis Ägyptens. Auch eine Kamelreiterkompanie war eingesetzt. Auf ihren weißen Hedschaskamelen durcheilten sie die Wüste. Ihnen entging nichts.

Nur der Westen war fast unbewacht, bis auf einige Patrouillen und ab und zu einem Hubschrauberflug.

Der Westen war keine Gefahr. Im Westen dehnte sich das Todesland. Von hier kam kein lebendes Wesen nach Bir Assi. Und niemand zog dorthin.

Der Abschied von Hans Ludwigs war kurz. Nachdem die Kamele im Wadi, im Schutze eines dunklen Gartens beladen worden waren, nachdem Brockmann dem Händler 1200 ägyptische Pfund überreicht hatte, gaben sich Alf und Ludwigs die Hand.

»Machen Sie's gut«, sagte Ludwigs etwas gepreßt. »Und . . . und passen Sie mir gut auf Aisha auf.«

»Ludwigs!« Brockmann hob erstaunt die Brauen. Hans Ludwigs nickte.

»Ja. Es hat mich gepackt. Ich habe nie mit Ihnen darüber gesprochen, obgleich ich wahnsinnig eifersüchtig war.

Aber dann sah ich, daß Lore Ihr Herz hat, nicht Aisha. Einen Augenblick war ich versucht, Sie zu bitten, Aisha hierzulassen, aber dann siegte die Erkenntnis, daß Sie Aisha brauchen, um durchzukommen. Nur eines, Brockmann«, Ludwigs hielt Alfs Hand umklammert, »kümmern Sie sich um das Mädchen wie um Lore. Und wenn Sie durchkommen, nehmen Sie Aisha mit nach Deutschland. Ich komme nach, ich hole sie mir dort ab. Ich liebe sie wirklich. Es ist nicht bloß so ein Anfall von Leidenschaft.«

»Ich verspreche es Ihnen, Hans«, sagte Brockmann ernst. »Ich werde Aisha nie im Stich lassen. Wir alle zusammen oder — keiner.«

»Danke, Alf.«

Die Männer umarmten sich. Dann setzten sie Lore in den breiten Sattel ihres Kamels und stiegen selbst auf. Die Tiere erhoben sich mit Brummen und dumpfen Schreien, störrisch und zähnebleckend, wie es zu einem Kamel gehört. Noch einmal hob Ludwigs beide Hände.

»Alles, alles Gute!«

»Allah wird uns führen«, sagte Aisha.

Auch Lore winkte. Ihre leeren Augen starrten dabei in den Sternenhimmel. Sie fror, aber sie sagte es nicht. Sie fror aus Angst.

Dann schritten die Kamele aus, Aisha nahm die Spitze, knirschend, patschend und dröhnend ritten sie den Wadi entlang, unten auf dem Grund des ausgetrockneten Flußbettes, das nicht einmal zur Regenzeit kniehoch gefüllt wurde.

Ludwigs winkte ihnen nach, bis sie hinter Palmen und Geröll verschwanden. Dann setzte er sich auf einen großen Stein und stützte den Kopf in beide Hände.

Jetzt, wo es geschehen war, wo die kleine Karawane in die Endlosigkeit der Wüste zog, bekam auch er das Gefühl völliger Verlorenheit.

Sie kommen nie durch, durchjagte es ihn. Sie werden nie die libysche Grenze erreichen. Noch niemand ist diese wahnsinnige Route durch die Wüste gezogen.

Er sprang auf und rannte zu der verlassenen weißen Villa Brockmanns zurück.

Ich muß Brahms sprechen, das war sein einziger Gedanke. Brahms muß helfen. Wie, das weiß ich noch nicht. Aber sie dürfen nicht umkommen. Die Wüste soll sie nicht behalten. Ich will Aisha wiedersehen.

Wie Alf Brockmann es vorhergesagt hatte, wurde sein Verschwinden erst am Nachmittag entdeckt, als er zu dem Versuch nicht kam, um das Startsignal zu geben. Ein Bote, zum Haus geschickt, kam zurück.

»Es ist keiner da. Das Haus steht leer. Alle Türen . . .«

Über Bir Assi heulten wieder Alarmsirenen. Sämtliche Zufahrtswege wurden gesperrt, alle Kolonnen angehalten. Die Hubschrauber stiegen auf, die Kamelreiter durchkämmten im Galopp die Beduinenpisten. General Assban landete am Abend in Bir Assi, rannte durch das leere Haus und brüllte, brüllte.

»Sie können nicht weg sein!« schrie er den Truppenkommandanten von Bir Assi an. »Wohin denn, bei Allah? Kann jemand vom Mond fliehen? Nein! Und von Bir Assi auch nicht, denn hier ist der Mond! Man muß sie also verschleppt haben, innerhalb der Oase!« Assban holte tief Luft. »Und wenn ich die ganze Oase umgraben lasse — ich finde sie!«

Um diese Zeit zogen die fünf Kamele hintereinander her, im sogenannten Gänsemarsch, durch den tiefen Sand. Alf ritt jetzt an der Spitze, Aisha hinter Lore als letzte. Zwischen ihnen trabten die beiden dunkleren Lastkamele mit den Wasservorräten und der Verpflegung.

An einem Seil schleifte das letzte Kamel einen mit festgebundenen Steinen beschwerten alten Teppich hinter sich her. Er verwischte die Hufspuren und hinterließ nur einen Streifen im Sand. Dieser aber, flach und breit, wurde innerhalb einer Stunde zugeweht.

Fünf Kamele und drei Menschen verschwanden im Nichts.

Während in Bir Assi die Durchkämmung jedes Hauses, jeder Hütte, jedes Stalles begann, hockte der Soldat Hassan Ben Alkir in dem Versteck Aishas und vernichtete die Sendeanlage. Er vergrub sie hinter dem Stall im Sand und beendete damit seine Tätigkeit für die »Zentrale«.

Hassan hatte sich von der allgemeinen Aufregung nicht anstecken lassen. Er dachte nüchtern, als er erfuhr, was der Großalarm bedeutete.

Sie ist mit dem Weißen weggezogen, dachte er. Sie hat mich betrogen. Sie hat mir Liebe versprochen und mich verraten, wie sie alle verraten hat, dieses Deutschen wegen,

Hassan brauchte keine langen Überlegungen. Er kannte Aisha. Er ahnte, daß sie einen Weg genommen hatte, den ein vernünftiger Mensch nie in Erwägung ziehen würde, weil er geradewegs in die Hölle führte. Aber Aisha würde ihn gehen . . . oh, sie kannten ja alle Aisha nicht.

An diesem Abend desertierte der ägyptische Soldat Hassan Ben Alkir. Er beschaffte sich Beduinenkleidung, kaufte sich von seinem Agentenlohn ein schnelles Kamel und ritt allein, mit einem Beutel voll Essen, aber hochbepackt mit Wassersäcken, in die Wüste. Nach Westen. In das Unendliche. In die Sahara, die Schweigende, wie sie der Araber nennt.

Ich jage ihn, diesen Weißen, dachte Hassan und streichelte liebevoll den rauhen Hals seines Kamels. Ich jage ihm Aisha ab . . . und vor ihren Augen werde ich ihn abstechen wie den Festhammel am Ende des Fastenmonats Ramadan . . .

13

D er »Stoßtrupp« Hauptmann Brahms' unter Führung
des Oberfeldwebels Franz landete in der Nacht mit
zwei flachen Booten am Nilufer, etwas unterhalb der An-
legestelle der Fähre zwischen Abu el Namrus und El
Ma'adi. Es waren zwei schnelle Boote mit starken Motoren, wie sie von den Pionieren benutzt wurden, um im
Kriegsfall auch unter großem Beschuß Flüsse zu überque-
ren.

Hauptmann Brahms war mitgekommen. Auch der riesige Nubier Baraf war dabei. Er war der lebende Ramm-
bock. Wo gab es eine Tür, die er nicht mit der Wucht seines Körpers aufsprengen konnte? Wo gab es einen
Menschen, dem nicht sofort der Mut aus allen Adern
wich, wenn er Baraf gegenüberstand?

Es war eine stille Nacht. Zwei Uhr. Das Ufer war leer,
auf den Kähnen und Fähren schliefen die Araber, ahnungslos, was sich wenige Meter weiter von ihnen abspie-
len würde. Einige Positionslampen schaukelten im Nacht-
wind. Aus der Wüste tönte das Heulen der Hyänen. Es
gehörte zur Nacht wie der Sternenhimmel.

Oberfeldwebel Franz überprüfte noch einmal die Ausrüstung, bevor sein Boot auf den flachen Sandstrand
knirschte. Der Stoßtrupp bestand aus sieben Mann. Sie
hatten die Gesichter mit Ruß geschwärzt und trugen neu-
trale Kleidung. Eine Khakihose, ein dunkles Hemd, weiter
nichts. Um den Kopf hatten sie braune Tücher gebunden,
nach Beduinenart. Niemand hätte sagen können, woher
sie kamen, wie sie aussahen, welche besonderen Merkmale
sie hatten. Es waren Menschen — weiter nichts. Menschen
mit rußigen Gesichtern.

»Alles klar, Herr Hauptmann!« meldete Franz völlig
unmilitärisch. Auch das zweite Boot lief im Ufersand auf.
Geduckte Gestalten glitten in der fahlen Dunkelheit an

Land. Nur Baraf blieb stehen. Er wartete auf seinen Herrn.

»Noch einmal, Franz«, sagte Brahms leise. »So wenig Lärm wie möglich! Keine Toten! Und nur schießen, wenn unbedingt nötig.«

Franz nickte. »Und das Riesenbaby?« Er sah zu Baraf hinüber. »Soll der mit? Wie kann ich den bremsen, wenn er die Hirnschalen zerdrückt wie Eier?«

»Baraf bleibt bei mir.« Brahms sah auf seine Armbanduhr. »Zwei Uhr fünfzehn. Los, Jungs! Ich bleibe in Reserve. Wenn's brenzlig wird . . . Baraf steht bereit.«

In dem großen, weißen Palast Sahedis schlief ebenfalls alles, als die acht Mann über die Mauer kletterten und in den Park sprangen. Am Tage hatte man den Grundriß der in sich verschachtelten Gebäude aufzuzeichnen versucht. Man wußte, welcher Gebäudeteil der Harem war, aber man hatte keine Ahnung, in welchem der vielen Zimmer und Innenhöfe sich Birgit Brockmann befand.

Oberfeldwebel Franz setzte sich unter eine Tamariske und kratzte sich am Kopf. Vor ihm lag der Palast, ein Labyrinth von Gängen, Höfen und Räumen, Flachdächern, Terrassen und Außentreppen, Türen und Wandelhallen.

»Das Frauenhaus liegt links, das mit dem kleinen Türmchen«, sagte Franz leise. »Aber es hat keinen Sinn, alle Weiber zu kontrollieren, wer nun diese Birgit ist.«

»Schön wär's«, grinste einer der Männer. »Sind bestimmt nicht die Häßlichsten, die dort wohnen. Und von der Liebe verstehen sie auch was.«

»Schnauze, Fritz. Es geht nicht anders: Wir müssen einen der Wärter klauen und ausquetschen.«

Die sieben Schatten glitten lautlos auf den Häuserkomplex zu. Sie erreichten einen offenen Säulengang, der auf ein großes, kunstvolles, schmiedeeisernes Tor mündete. Dahinter lag ein kleiner Hof mit einem Springbrunnen aus Marmor. Rund um den Hof zog sich eine vergitterte Veranda. Die Wände waren belegt mit goldenen und kobalte-

nen Kacheln. Exotische Riesenblumen blühten in Alaba-
sterkübeln.

»Hurra, der Harem!« flüsterte Franz. »Aber dieses Gittertor ist nur mit einer Pioniersprengladung zu knacken.«

»Und da kommt auch schon der schöne Emil«, wisperte
Franz. Er drückte sich in den Schatten der Säulenhalle.
Die sieben Männer verschmolzen mit der Nacht, als seien
sie arabeske Verzierungen.

Der einsame Wächter, der seine Runde um den Ha-
remsbau ging, kam ahnungslos an das hohe Gittertor. Er
sah in den Innenhof, kontrollierte das Schloß, blickte die
dunklen Fenster ab und ging dann weiter.

Vier Schritte weiter endete für ihn die Nacht. Es gab einen hohlen Klang, als wenn jemand einen schweren Sack
abstellt, für den Bruchteil einer Sekunde stierte der Araber
fassungslos gegen die Decke des Ganges, dann knickten
seine Beine ein und er fiel in die Arme von Oberfeldwebel
Franz.

Andere Hände griffen zu, schleiften den schlaffen Körper in eine Nische und gossen aus einer Feldflasche Wasser über das Gesicht. Gleichzeitig legte man dem Wächter
eine seidene Schnur um den Hals und zog sie ein wenig
an.

Mit einem Seufzer erwachte der Araber aus seiner Bewußtlosigkeit. Er starrte in schwarze Gesichter und schloß
schnell wieder die Augen. Der Scheitan, dachte er und
fühlte, wie es ganz kalt in ihm wurde. Der Teufel ist um
dich. Nun bist du tot, und deine Sünden hat dir Allah
nicht vergeben. Nun wird der Scheitan dich zerreißen, dich
foltern, mit glühenden Zangen zwicken. Er riß die Augen
wieder auf, als er den Teufel plötzlich sprechen hörte, und
wunderte sich nicht, daß der Scheitan Ägyptisch konnte.

Außerdem verlangte er etwas sehr Merkwürdiges. Die
Stimme sagte: »Los, gib den Schlüssel zum großen Tor
her!«

Karim, so hieß der Wächter, wollte aufspringen, aber

ein paar Fäuste drückten ihn auf die Erde zurück. Gleichzeitig schnürte ihm jemand die Kehle zu. Er rang nach Luft, sein Hirn wurde klarer, er erkannte seine Lage und spürte die Seidenschnur um seinen Hals.

»Ich habe ihn nicht«, sagte er mühsam. Dann setzte er an zu einem lauten Schrei, aber eine große Hand legte sich auf seinen Mund und erstickte alle Laute.

Was dann folgte, war ein stummes »Bearbeiten« Karims. Klatschende Schläge erfüllten die stille Nacht, bis der sich immer wieder aufbäumende Körper still lag. Nur die Augen waren beweglich und starrten haßerfüllt auf die Männer mit den schwarzen Gesichtern. Oberfeldwebel Franz hielt einen Schlüsselbund in der Hand, den er Karim aus der Hose gezogen hatte. »Welcher Schlüssel ist es?« fragte er.

Karim schwieg.

Wieder klatschende Schläge. Erneut die Frage: »Welcher Schlüssel?«

Karim schwieg.

Schwitzend setzte sich Franz neben dem Wärter auf die Erde. »Den können wir totschlagen«, sagte er auf deutsch. »Der redet keinen Ton. Jungs, wir haben nicht die richtige Masche, einen Orientalen zum Reden zu bringen. Los, einer holt das Riesentier! Ich wette, der Anblick genügt.«

Fünf Minuten später waren Hauptmann Brahms und Baraf unter dem Säulengang. Karims Blick wurde gehetzt und voll Grauen, als er den Riesen Baraf sah und die Nilpferdpeitsche die an einer Schlinge um das schwarze, oberarmdicke Handgelenk baumelte.

Baraf beugte sich etwas vor. Wortlos umschlossen seine Finger den Peitschengriff. Durch den Körper Karims lief ein heftiges Zucken. Speichel troff aus seinen Mundwinkeln. Die Todesangst löste alles in ihm auf.

Er hob beide Hände und drehte die Handflächen nach oben, als bete er die Sonne an.

»Die Schlüssel . . .«, stammelte er.

Franz warf ihm das Schlüsselbund zu, Karim hob einen Schlüssel hoch, einen ziemlich kleinen handgeschmiedeten Schlüssel.

Franz riß ihm das Bund wieder weg und rannte zu dem großen schmiedeeisernen Tor. Der Schlüssel paßte. Lautlos schwang das Tor auf. Der Weg in den Harem war frei.

»Wo schläft die weiße Frau?« fragte Brahms unterdessen. Karim schwieg. Aber als Baraf zum ersten Schlag ausholte und die stahlharte Peitschenschnur über die Brust Karims klatschte, warf er sich herum auf den Bauch und biß vor Schmerzen in den sandigen Boden.

»Im linken Flügel«, stöhnte er. »Geradeaus, die kleine Tür . . . Eine Treppe führt hinauf . . . dann kommt ein Saal. Dort ist wieder eine Tür.«

»Sind oben noch einmal Wächter?« fragte Brahms.

»Ja. Einer. Vor der Tür.«

Brahms nickte. »Bleibt bei ihm«, sagte er zu den Männern mit den geschwärzten Gesichtern. »Ich gehe selbst hinauf.«

In Begleitung von Baraf rannte er in den Innenhof, blieb im Mauerschatten und erreichte die Pforte in das Frauengebäude. Die Tür war unverschlossen.

»Laß mich das machen, Herr«, flüsterte Baraf, als sie im Dunkeln des Treppenhauses standen. »Bleib hier. Ich werde dich rufen.«

Brahms zögerte, aber dann blieb er doch stehen. Es war nicht nötig, daß durch ein unvorsichtiges Geräusch doch noch Kampflärm im Haus entstand. Als er sich umsah, war Baraf schon weg. Es war unheimlich, wie lautlos sich dieser Riesenkörper bewegen konnte.

Oben, in der langen Halle vor Birgits Zimmer, saß der zweite Wächter auf einem Stuhl vor der Tür und döste vor sich hin. Die zwei Stunden, die er hier abhocken mußte, waren lang. Er durfte seinen Platz nicht verlassen, er mußte seine Ohren und Augen offenhalten, er mußte jedem Geräusch nachgehen, und wenn es ein Knacken in den

Deckenbalken war oder der Flügelschlag einer verschlafenen Fledermaus.

Baraf hatte keine Mühe.

Wie ein Geist aus der Unterwelt stand er plötzlich vor dem Wächter. Bevor dieser schreien konnte, sauste die riesige Faust Barafs auf den ihm entgegenzuckenden Schädel. Der schwere Fall des Körpers war alles, was die Stille zerriß. Aber auch der wurde von den dicken Teppichen geschluckt.

Birgit erwachte durch das Geräusch von Schritten. Sie setzte sich im Bett hoch, abwehrbereit und mit geballten Fäusten. Die Tür zum Vorsaal stand offen, und zwei Männer kamen auf sie zu. Ein Riese und ein kleinerer, schlanker Mann. Sie sah trotz der Dunkelheit und ihrer Schlaftrunkenheit, daß Sahedi nicht dabei war.

»Was wollen Sie?« rief sie und sprang aus dem Bett. »Wer sind Sie?« Sie wich an die Rückwand zurück. »Bleiben Sie stehen, oder ich schreie . . .«

Der Riese verhielt den Schritt, der Kleinere kam näher.

»Gnädige Frau!« sagte Brahms leise. »Bitte, keine Aufregung. Wir kommen Sie abholen.« Zwei Meter vor Birgit blieb er stehen und sah in ihre aufgerissenen, flatternden Augen. »Sie gestatten: Brahms. Josef Brahms. Hauptmann a. D. Ich bin glücklich, daß wir Sie gefunden haben und alles so glimpflich abläuft. Aber Zeit haben wir deshalb trotzdem nicht. Haben Sie noch alles gepackt? Wir müssen so schnell wie möglich weg, ehe eine Wachablösung kommt. Denn dann wird es knallen. Und das ist nicht nötig.«

»Woher kommen Sie? Wer schickt Sie? Der Hakim —?«

»Welcher Hakim?« Brahms winkte. Baraf lief herbei und riß die eingebauten Schränke auf. Er warf alle Sachen Birgits auf den Boden und packte sie dann in die Reisetasche, die er ebenfalls im Schrank gefunden hatte.

»Wer schickt Sie?« fragte Birgit noch einmal. Sie spürte, wie ihre Kraft nachließ, wie sie gleich ohnmächtig umsinken würde. »Wo bringen Sie mich hin?«

»Nach Deutschland, gnädige Frau — und zu Ihrem Mann.«

»Zu meinem . . . zu Alf . . . Alf lebt?«

»Ja.« Brahms sah sich um. »Wir haben keine Zeit, uns groß anzuziehen. Baraf packt alles ein. Sie können sich auf dem Boot ankleiden. Kommen Sie, wir müssen erst mal weg.«

Er ergriff Birgits schlaffe Hand und zog sie aus dem Zimmer. Alf lebt, dachte sie nur. Er lebt . . . lebt . . . lebt . . . Die Urne mit der Asche, der Totenschein, alles war nur Betrug. O mein Gott, ich habe es gewußt, ich habe es von der ersten Stunde an gewußt.

Sie ließ sich mitziehen und schauderte nur zusammen, als sie den Wächter vor der Tür liegen sah.

»Tot?« fragte sie tonlos.

»Nein. Er schläft nur unfreiwillig fest. Wenn er aufwacht, wird er einen Brummschädel haben, weiter nichts.«

Hauptmann Brahms faßte die Hand Birgits fester. Hinter sich hörte er Baraf . . . keine Schritte, sondern nur seinen Atem.

Sie kamen in den Innenhof, liefen zum Tor, trafen in dem Säulengang auf die sieben schwarzen Männer und den unterdessen gefesselten und geknebelten Karim.

»Guten Morgen, Frau Brockmann«, sagte Franz und nahm Haltung an. Birgit sah in das lächelnde, geschwärzte Gesicht.

»Alles Deutsche —« stammelte sie.

»Ja, gnädige Frau.« Brahms warf Birgit einen Umhang um die Schultern. Sie zitterte in der Nachtkühle. »Ich werde es Ihnen später erklären. Jetzt müssen wir nur eins . . . laufen . . . laufen . . . laufen . . .«

Erst als Birgit in einem der flachen Boote saß und hinausglitt auf den Nil, kam ihr voll zum Bewußtsein, was in den vergangenen Minuten geschehen war.

Sie war frei. Sie fuhr Alf entgegen. Fremde, von denen sie nichts wußte, entführten sie in die Freiheit. Sie raste jetzt über den schwarzen Nil von einem Geheimnis in das andere, aber sie hatte die Gewißheit: Alf lebt. Der Fahrtwind riß an ihren blonden Haaren, sie legte den Umhang enger um sich und kuschelte sich zusammen Hauptmann Brahms legte den Arm um ihre Schulter.

»Wenn Sie es nicht als Anzüglichkeit auffassen, gnädige Frau: Schmiegen Sie sich an mich. Ich wärme Sie.«

Birgit lehnte den Kopf an Brahms' Brust. Frei, dachte sie. Frei. Und ich bin nicht mehr allein.

»Wer sind Sie?« fragte sie.

»Ein Wanderer im Niemandsland.« Brahms legte eine Decke um Birgit.

Die beiden flachen, kleinen Boote fegten den Nil hinunter, Kairo zu. Die Leuchtbuchstaben der großen Hotels am Nil flimmerten ihnen entgegen.

Es war Birgit, als habe die Freiheit einen riesigen Triumphbogen. Wer ihn durchschritt, dem gehörte das Leben.

Vier Tage Wüste, Glut, Flugsand, Feinster, pulverfeiner Sand, der in jede Ritze dringt. Durch die Kleider bis auf die Haut, wo er juckt; durch die geschlossenen Lippen in den Mund; durch die Nase, in die Augenwinkel, zwischen Zehen und Finger. Überall nur Sand. Sand. Und darüber ein farbloser Himmel, die Decke eines Backofens, eine Sonne, die kein Ball mehr ist, sondern ein weit auseinandergeflossenes, weißglühendes Feuer, das von Horizont zu Horizont reicht und kein Leben mehr duldet.

Vier Nächte.

Kalt und feindlich. Ein Sternenhimmel, der gläubig macht vor so viel Pracht, der die Unendlichkeit begreifbar werden läßt und die Winzigkeit des Menschen. Das ist die Grausamkeit der Wüstennacht. Am Tage dörrt die Glut das Hirn aus, aber unter den Sternen beginnt man glasklar zu denken und weiß: Du bist ein Nichts. Ein Sandkorn nur. Das Armseligste unter den Armseligen. Oben ist die Unendlichkeit, und unten ist sie auch. Die Wüste. Der

Sand. Der unaufhaltsam kommende Morgen mit der mordenden Sonne. Jetzt, in der Nacht, friert man, hockt neben seinen Kamelen, starrt in die Sterne und denkt: Morgen noch ... oder übermorgen ... dann ist es vorbei. Dann läufst du wahnsinnig durch den Sand und schreist ... schreist ... diese glühende, stehende Luft. Diese Einsamkeit. Diese Verlassenheit. Diese Hoffnungslosigkeit. Diese grauenvolle Unendlichkeit. Dieses verfluchte Warten auf den Tod.

Vier Tage durch die Wüste.

Es konnten auch vier Jahre sein.

Am Nachmittag des vierten Tages hielt Aisha die kleine Karawane an. Lore hing unter ihrem Sonnendach. Ihre Finger hatten sich um den Knauf des Kamelsattels gekrallt, und so hielt sie sich fest, ohne es zu wissen; denn sie dachte nicht mehr, sie schaukelte durch die Glut des Tages, durch eine brennende Dunkelheit, wo es nichts mehr zu tasten gab als den Stoff des Segeldaches, den Knopf des Sattelknaufes, das harte, wollige Haar des Kamelhalses, die eigene, wie Pergament sich anfühlende, ausgedörrte Haut. Sie hörte das Schnauben der Kamele, ab und zu einen Zuruf Aishas, das Tappen und Knirschen der Hufe, das Knarren der Sättel und Lasten. Ein paarmal am Tage kam Alf Brockmann an ihre Seite geritten, beugte sich vor und rief ihr zu: »Wie geht es dir, Lorchen?« Und sie antwortete tapfer, mit sandrauher Kehle: »Danke, Alf. Gut. Sehr gut. Mach dir keine Sorgen ... ich hatte es mir schrecklicher vorgestellt.«

In den Nächten war es dann anders. Aisha kochte auf dem Spirituskocher Maisbrei. Dazu gab es Fleisch aus Dosen und hinterher Obst. Auch Tee kochte sie. Er tat wunderbar gut, wenn die Sternenkälte über die Wüste fiel.

»Unser Wasser reicht bis zur nächsten Wasserstelle«, sagte Aisha am dritten Tag. »Wir sind sehr sparsam.«

Die Nacht. Sie war Lores große, tägliche Sehnsucht. Für

die Nacht litt sie unter der Sonne. Für die Nacht ritt sie durch die glühende Dunkelheit. Wenn das Kommando für die Kamele ertönte, wenn die Tiere sich niederknieten und Alfs Hand sie aus dem Sattel hob, wußte sie, daß die Dämmerung über die Wüste glitt. Dann war der heiße Tag vergessen, alle Qual fiel von Lore ab . . . sie wartete auf die Kälte, auf die Hände Alfs, die sie in die Decke wickelten, auf die Nähe seines Körpers, denn nachts schliefen sie alle drei eng aneinandergerückt, umgeben von den Kamelen.

Manchmal, wenn sie glaubte, daß alles schlief, richtete sich Lore auf und ließ ihre Hand ganz zart über Alfs Gesicht gleiten. Sie hörte seinen Atem, und ihre Hand glitt dem Klang nach und fand seinen Kopf.

Ich liebe dich, dachte sie dann. Es ist eine blutende Liebe. Ich werde an ihr verbluten, ich werde an ihr elend zugrunde gehen, denn wie kann ein Mann wie du ein blindes Mädchen lieben? Aber du bist da, liegst neben mir, ganz eng, nur getrennt durch eine Decke, wie Mann und Frau liegen wir beieinander, der Wüstensand ist unser Bett. Romantisch, mein Liebster, nicht wahr? Tödliche Romantik. Aber ich bin glücklich, so unendlich glücklich wie diese Wüste unendlich ist. Das haben wir beide gemeinsam, die Wüste und ich: Wir vergehen in unserer Glut.

Wie kalt dein Gesicht ist. Und wie hart und kantig es geworden ist in den vergangenen Tagen. Aber du schläfst so schön, so voller Hoffnung. Schlaf weiter, Geliebter!

Sie zog die Hand zurück, legte sich wieder und schloß auch die toten Augen. Und dabei war ihr, als habe sie alles gesehen. Die Sandkuhle, in der sie lagen, die Sterne über ihnen, die knienden Kamele, die verstreut herumliegenden Sättel, Alfs schlafendes Gesicht, Aishas im Schlaf verkrümmten Körper.

Aber Alf Brockmann schlief nicht. Er lag ganz still, als Lores Hand ihn streichelte. Er starrte zu den kalten Sternen hinauf und dachte, was alle nachts in der Wüste denken: Kommen wir durch? Oder ist die Wüste stärker als wir?

Auch Aisha schlief nicht. Unter den Wimpern her beobachtete sie Lore Hollerau. Sie ist weiß, dachte sie voll Haß. Sie ist rein weiß. Und ich bin nur ein Mischling. Das allein ist es, was sie zur Siegerin bei Oulf macht. Ihre weiße Haut. O Allah, könnte ich mich doch häuten wie eine Schlange. Könnte ich mir doch die Haut abziehen. Ich täte es, Allah, wenn ich wüßte, daß eine weiße Haut nachwächst.

Am Nachmittag des nächsten Tages hielt Aisha die Karawane an. Ein Lastkamel lahmte. Es schleifte den linken Hinterfuß durch den Sand, und die letzten Kilometer heulte es bei jedem Schritt jämmerlich und herzzerreißend auf. Schließlich schwankte es nur noch, und sein Schreien war fast unerträglich.

Aisha untersuchte den Fuß und kam zu Alf zurück, der noch wartend auf seinem Reittier saß. Lore trank in kleinen, vorsichtigen Zügen ein paar Schlucke Wasser. Es schmeckte schal und war warm wie Suppe.

»Ein Biß«, sagte Aisha mit ernster Miene. »Vielleicht ein Skorpion. Das ganze Gelenk ist dick geschwollen, und die Schwellung zieht das Bein hinauf. Es kann nicht mehr laufen.«

»Dann müssen wir hier Rast machen und es kühlen.«

»Nein. Wir brauchen das Wasser für uns.« Aisha schüttelte die langen, schweißnassen Haare. »Wir kommen auch mit einem Lastkamel an die Grenze.«

Brockmann sah hinüber zu dem verletzten Tier. Es hatte sich in den Sand gekniet und den Kopf weit in den Nacken gelegt, als wolle es die Sonne anflehen, ihm zu helfen. Aisha zog aus dem Gürtel eine Pistole und lud sie durch.

Brockmann hielt sie am Arm fest, als sie hinüber zu dem Kamel gehen wollte. »Ist das wirklich nötig, Aisha?« fragte er mit belegter Stimme. »Wenn wir wirklich kühlen und über Nacht versuchen, die Schwellung . . .«

Aisha sah ihn aus ihren großen, schwarzen Augen an. »Die Wüste kennt keine Gnade, Oulf. Weißt du, wie wertvoll ein Tag ist? Wir müssen überleben, nicht das Tier.« Sie ging zu ihrem Kamel und holte zwei große, schon leere Wassersäcke, die sie hinter ihren Sattel geschnallt hatte. Brockmann ließ sein Kamel niederknien und lief zu dem verletzten Tier.

»Ist etwas?« fragte Lore laut.

»Ein Kamel lahmt. Aisha will es erschießen.«

Lore schwieg. Sie würde auch mich erschießen, wenn sie es könnte, dachte sie. Ein lahmes Kamel, eine blinde Nebenbuhlerin, es wäre ein Aufwaschen. Ein zweimaliges Abdrücken, weiter nichts.

Aisha schleppte die Wassersäcke heran und warf sie in den Sand. Außerdem hatte sie vom zweiten Lastkamel einen großen Rührlöffel und einen Plastikeimer mitgebracht. Brockmann sah erstaunt zu, wie sie alles um das kranke Kamel legte, auch ein großes, spitzes Messer und plötzlich begriff er, fiel ihm ein, was er verschiedentlich gelesen hatte und was ihm damals schon einen Schauer des Ekels über den Rücken gejagt hatte.

Aisha hielt ihm den Rührlöffel und den Eimer hin.

»Das ist doch nicht nötig«, sagte Brockmann mit rauher Stimme.

»Vor uns liegen noch sieben Tage, Oulf.« Aisha trat an den Kopf des kranken Kamels. Sie hob die Pistole und setzte den Lauf gegen die Stirn des Tieres. »Wenn es umfällt, steche ich in die Halsschlagader. Du hältst den Eimer darunter und rührst ständig, damit das Blut flüssig bleibt.« Sie sah Brockmann aus ihren herrlichen, wilden Augen fast mitleidig an. »Kamelblut ist nicht nur Flüssigkeit, es ist auch Kraft«, sagte sie leise. »Und wir müssen sehr kräftig sein, Oulf, um jetzt zu überleben. Paß auf . . . ich schieße!«

Sie drückte ab. Der Schuß verhallte fast unhörbar in der Weite, doch Lore zuckte zusammen, als habe er ihr gegolten. Das Kamel blieb einen Augenblick auf den Knien liegen, es sah Aisha und Brockmann aus rotunterlaufenen, hervorquellenden Augen an, dann fiel es seitlich in den Sand, die Beine schlugen zuckend um sich und blieben dann hochgestreckt stehen, vier Pfähle in den glühenden Himmel, eine schauerliche Geste: Ich ergebe mich . . .

»Aufpassen!« rief Aisha. Sie beugte sich über den Hals des toten Tieres, legte die Finger auf die Schlagader und stach dann blitzschnell und sicher zu. Das Blut schoß in einem dicken Strom hervor, als sie das Messer wieder herauszog. Brockmann hielt den Eimer darunter. In seiner Kehle würgte es, sein Magen schien sich umzustülpen, alles in ihm zitterte vor Ekel, aber gehorsam rührte er das Blut, während Aisha den Schnitt erweiterte.

»Was macht ihr?« fragte Lore und blickte zu ihnen hin. Sie hatte den Kopf erhoben und lauschte angestrengt. »Ich höre nichts mehr von euch. Wo seid ihr? Alf? Aisha? Wo seid ihr?« Und plötzlich schrie sie, umklammerte den Sattelknauf und ihr ganzer Körper schien in dem Schrei mitzuzittern. »Laßt mich nicht allein! Laßt mich nicht zurück! Alf! Du darfst mich nicht hierlassen! Ich liebe dich! Ich liebe dich!«

Brockmann wollte den Eimer hinstellen und zu Lore laufen, aber die harte Stimme Aishas hielt ihn zurück. »Rühren! Es kann unser Leben bedeuten.«

Lore Hollerau hörte die Stimmen. Ihr Kopf schnellte vor, sie riß die dunkle Sonnenbrille von den toten Augen, als könne sie dadurch mehr sehen. Aber da war nichts als Dunkelheit, völlige Dunkelheit, und sie wußte, daß sie in der grellsten Sonne saß, die Gott geschaffen hatte.

»Ihr seid so weit weg!« rief sie. »Wo steht ihr? Was macht ihr? Reitet nicht weiter ohne mich — Ich flehe euch an —«

»Wir sind hier!« rief Brockmann zurück. »Wir kümmern uns um das tote Kamel.« Schweiß rann in Strömen über sein Gesicht, aber er rührte und rührte und sah mit Schaudern, wie Aisha Blut in einen der Wassersäcke laufen ließ und Roggenmehl dazuschüttete. Wie in einem großen Mixbecher schüttelte sie dann den Sack, bis sich das Mehl mit dem Blut vermengt hatte.

»Das ist eine gute Nahrung«, sagte sie. »Du kannst beim Essen die Augen zumachen, Oulf, aber du wirst kräftig bleiben und gesund.«

Brockmann schwieg. Nachdem sie den zweiten Wassersack mit dem dünnflüssig gebliebenen Blut gefüllt und ihn auf Aishas Kamel verladen hatten, setzte sich Alf völlig erschöpft in den kargen Schatten seines knienden Kamels. Er trank ganz vorsichtig einige Schlucke Wasser und schloß dann die Augen. Regungslos ließ er es geschehen, daß Aisha ihm das Gesicht wusch, ihm das Hemd auszog und auch seinen Oberkörper mit dem lauwarmen Wasser abrieb. Es erfrische wirklich, auch wenn er das Empfinden hatte, jetzt in der glühenden Sonne zu verdunsten. Dann warf Aisha ihm eine Decke über, daß er meinte, zu ersticken.

»Du verbrennst, wenn du naß in der Glut sitzt«, sagte Aisha. »Ruh dich etwas aus, wir müssen noch weiterarbeiten.«

Zwei Stunden brauchten sie später, um in den Wüstensand eine flache Grube zu schaufeln und das Kamel hineinzuzerren. Sie schaufelten es dann zu und stampften den Sand fest, so gut es ging.

»Aus der Luft könnten es die Hubschrauber sehen, wenn sie wirklich hier suchen«, sagte Aisha. »Und ein Kamel in dieser Einsamkeit ist eine sichere Spur. Nichts darf von uns zurückbleiben. Gar nichts.«

Noch vor dem Einbruch der Dunkelheit brachen sie wieder auf und ritten noch vier Stunden durch den Abend und die schnell einfallende Nacht. Lore Hollerau schlief. Alf ritt neben ihr und hielt sie in ihrem Sattel fest. Sie wird es nicht durchhalten, dachte er und sein Herz krampfte sich zusammen. Eines Tages wird sie im Wüstensand liegen wie das Kamel. Ob Aisha auch sie erschießen kann?

Ich werde es nie, nie können . . . auch wenn es dann eine Erlösung bedeutete.

Er sah zur Seite zu Aisha. Seit einem Tag ritten sie ohne den verwischenden Teppich und nicht mehr hintereinander. So ging es schneller, so trabten sie mehr Kilometer am Tag.

Aisha ritt, als gäbe es keine Hitze, keine Erschöpfung, keine bedrückende Seelenangst. Ihr langes, schwarzes Haar flatterte, und ab und zu beugte sie sich zu dem Kamel vor und sprach mit ihm. Es klang wie zärtliche Worte in einer unbekannten Sprache.

Welch ein Mädchen, dachte Brockmann. Ein schwarzer Engel mit der Kraft der Hölle. Ein neuer Beweis, welche Rätsel in einem Menschen wohnen.

Erst als die Kühle der Nacht zu groß wurde, ließen sie in einer Sanddünensenke die Kamele niederknien und rasteten. Aisha kochte Kaffee und Nudeln mit Rindfleisch aus der Dose.

Alf Brockmann ging hin und her, mit steifen, müden Beinen. Lore Hollerau lag auf ihrer Decke und schlief schon wieder. Es war, als habe die Sonne sie völlig apathisch gemacht. Der Duft des Kaffees zog über den toten Sand.

Brockmann blieb stehen und sah hinauf in den Sternenhimmel. Er stand so eine ganze Zeit, bis sich ein nackter Arm um seinen Hals legte. Ein weicher Körper drängte sich von hinten an ihn.

»Woran denkst du, Oulf?« fragte Aisha leise. Ihre Stimme bebte.

»An morgen . . . an übermorgen . . . an alle kommenden Tage . . .« Brockmann wandte sich um und zog Aisha an sich. Ihr Körper drängte sich ihm entgegen, aber er griff nicht zu, nahm nicht, was sich ihm darbot. Er machte sich steif und strich Aisha nur die Haare aus dem zuckenden Gesicht. »Ich glaube nicht mehr, daß wir durch die Wüste kommen.«

Aisha schwieg. Ihre schwarzen, großen Augen sahen ihn mit einem flimmernden Glanz an.

»Aisha«, sagte Brockmann heiser. »Du sagst nichts. Du . . . du glaubst auch nicht mehr daran, nicht wahr?«

»Ja, Oulf.« Ihr Kopf sank gegen seine Brust. »Ich glaube auch nicht mehr daran.«

»Wenn es soweit ist . . .« Er schluckte. » . . . Wirst du mich erschießen, wie das Kamel?«

»Ja, Oulf.«

»Und Lore auch?«

»Ja.«

»Und du?«

»Ich werde dich in meine Arme nehmen und mich auch töten.«

Ihr Kopf fuhr hoch. Ihre Augen flammten. »Im Tode werde ich dir gehören, ganz dir . . . und du mir, mir allein. Es wird ein schöner Tod sein . . ., fast sollte man ihn schnell herbeiwünschen.«

»Aisha!«

Sie riß sich los und sprang ein paar Schritte zurück, als müsse sie vor ihm flüchten. »Du wußtest gar nicht, wie sehr ich dich liebe«, sagte sie mit einer zitternden Wildheit. »Aber jetzt weißt du es. Oh . . . ich sehe es dir an . . . du schauderst davor, du findest es lächerlich, ich bin nur ein Mischling, ein dreckiges Fellachenkind . . . Du! Ich töte dich, ich töte dich sofort, wenn du mich weiter so ansiehst . . . so, so voll Mitleid.« Sie warf sich herum und rannte zurück zu den Kamelen. Langsam folgte ihr Brockmann. Lieben, hassen, sterben, das ist von unserem Leben übriggeblieben, dachte er und blieb stehen, als er vor sich die schlafende Lore Hollerau sah. Und Blindheit, dachte er. Aber sie war immer da — wir haben sie nur nicht bemerkt vor lauter Sehen.

Sterben. Morgen oder übermorgen oder in drei Tagen. Irgendwo in dieser gnadenlosen, kochenden Sandsuppe.

»Das Essen ist fertig, Herr!« sagte Aisha laut vom Spirituskocher her.

»Danke, Aisha.« Er setzte sich auf den abgeschnallten

Sattel und senkte den Kopf. »Wenn du wüßtest, wie schön es wäre für mich, bei Sonnenaufgang nicht mehr aufzuwachen.«

Der Abstand zwischen Hassan und der kleinen Karawane der Flüchtenden betrug kaum sechs Stunden.

Zweimal war er stundenweise auch nachts geritten, beseelt von seinem Haß, Alf Brockmann zu vernichten. Dieser Haß trieb ihn unaufhaltsam voran. Er ließ ihn am Tage die glühende Hitze vergessen, er brannte in ihm auch in der Nacht und ließ ihn die Kälte nicht spüren.

Hassan war ein Sohn der Wüste. Er kannte alle Tricks genauso wie Aisha. So ließ er sich nicht täuschen von den verwischten Spuren und fand nach drei Stunden Kreuz-und-quer-Reitens die Andeutung eines durch den Sand geschleiften Gegenstandes. Der Sand der Wüste ist sonst durch den Wind leicht gewellt, wie die Oberfläche früherer Waschbretter. Hier aber zog sich ein Streifen glatten Sandes schnurgerade zum Horizont. Hassans Gesicht verzerrte sich zu einem grausamen Lächeln.

»Ich hole euch ein«, sagte er leise, als er wieder auf sein Hedschaskamel stieg. »Ich bin allein und schneller als ihr.«

Am dritten Tag wurde er unsicher. Soviel Vorsprung können sie nicht haben, dachte er. Sie können auch nicht schneller reiten als ich. Er hielt sein Kamel an und starrte zum Horizont, der in der Sonnenglut auf und ab zu tanzen schien.

Sand. Nur Sand. Dreihundert, vierhundert Kilometer lang. Und dazwischen kein Brunnen, keine Wasserstelle, nicht einmal ein grüner Strauch. Nur gelber, toter Sand.

Hassan schüttelte den Kopf. Weiter. Nicht umkehren. Sie müssen diesen Weg genommen haben. Es paßt zu Aisha, auch vor der Hölle keine Angst zu haben.

Nach drei Stunden jubelte Hassan auf.

Kamelspuren. Wie von einer Geisterhand in den Sand

gedrückt, begannen sie plötzlich. Spuren von fünf Kamelen.

Es war die Stelle, an der Aisha den Schleifteppich aufgerollt hatte, weil sie glaubte, ihn von jetzt ab nicht mehr nötig zu haben.

Hassan beugte sich tief über den Hals seines weißen Kamels. Er klopfte das harte Fell und ließ seine braune Hand über die prustenden Nüstern gleiten.

»Mein tapferer Liebling«, sagte er zärtlich. »Nun müssen wir schnell sein, hörst du? Es gibt keine Hitze mehr, es gibt keine Kälte mehr . . . wir kennen nur noch die Rache. Lauf, mein Liebling, lauf! Fliege wie das Lieblingskamel Mohammeds beim Kampf um Mekka.« Er richtete sich auf, ließ die Zügel los und schrie in die heiße Luft: »Heih! Heih! Allah sei bei uns!«

Das Kamel warf die Beine durch den aufstäubenden Sand. Es sah wie Hassan die Spur, es roch die fünf Artgenossen, es witterte Gesellschaft, Geborgenheit, Sicherheit der Herde.

Gegen Mittag des fünften Tages kam Hassan an die Stelle, wo Aisha das lahmende Kamel erschossen hatte. Er sah noch den blutgetränkten Sand, der Boden war in weitem Umkreis zerstampft, auch das Grab erkannte er und begann, mit einer kleinen Schaufel das verscharrte Kamel bloßzulegen. Hinter ihm schrie sein eigenes Reittier, der Verwesungsgeruch machte es scheu.

»Es ist erst wenige Stunden tot, mein Liebling«, sagte Hassan zu seinem Hedschaskamel. »Sie haben nur noch einen kleinen Vorsprung. Morgen abend haben wir sie erreicht. Dann wird es keine Gnade geben, nicht wahr, mein Liebling?«

Er schnallte einen Ledereimer vom Sattel, füllte ihn halb voll mit Wasser und gab es dem Kamel zu trinken. Ich verschenke Wasser, dachte er dabei. Das Glücksgefühl erfüllten Hasses durchströmte ihn. Ich brauch nicht mehr zu sparen. Vor mir sind vier gut ausgerüstete Kamele . . . sie werden ausreichen, einen einzigen Menschen wieder zurück nach Bir Assi zu bringen. Denn nur ein Mensch wird übrigbleiben. Und dieser eine bin ich, Hassan Ben Alkir.

Und plötzlich sang er, trotz Hitze und Flugsand.

Er war fast wahnsinnig vor Mordlust.

14

Jörgi lief wieder herum. Zwar noch sehr langsam und auf unsicheren Beinchen, aber er hatte die schwere Operation gut überstanden, die Operationswunde heilte zufriedenstellend, die noch immer zu seiner Pflege anwesende Krankenschwester kochte ihm eine kräftigende Kost und verhinderte, daß Jörgi mehr als unbedingt nötig mit Zareb in Berührung kam.

Immer wieder fragte Jörgi in diesen Tagen: »Wann kann ich zu meiner Mami zurück? Warum kommt mich die Omi nicht abholen? Warum bin ich hier? Warum sperrt man mich ein? Was habe ich denn getan?« Fragen, auf die er immer wieder die Antwort erhielt:

»Du weißt doch, daß du sehr krank warst. Warte nur ab, bald bist du wieder bei deiner Mami. Du mußt erst ganz gesund werden.«

Der Tag kam schneller, als es Dr. Sikku zugelassen hätte, wenn er darauf einen Einfluß gehabt hätte. Das Telefon läutete bei Zareb, und fünf Minuten später erschien der Zwiebelimporteur im Zimmer der Krankenschwester.

»Süße Huri aus dem siebten Paradies, du kannst gehen«, sagte er mit breitem Lächeln. »Was jetzt kommt, braucht nicht mehr deine zarten Hände.«

»Ich spreche mit Ihnen nicht.« Die Krankenschwester wollte an Zareb vorbei das Zimmer verlassen, aber er hielt sie am Ärmel der gestreiften Bluse fest.

»Nicht so hochmütig, mein Engel. Geh ans Telefon. Dort ist jemand, dem auch du gehorchen wirst.«

Das Gespräch, das die Krankenschwester mit dem unbekannten Anrufer führte, dauerte fast eine Viertelstunde. Dann kam sie zurück. Ihr schönes Gesicht war bleich. Vor Zareb blieb sie stehen und sah ihn haßerfüllt an.

»Gut. Ich gehe. Ich gehorche dem Befehl. Aber eines sag ich dir, Zareb: Wenn dem Jungen etwas geschieht, verkrieche dich auf den Mond. Mir ist dein Leben genausowenig wert, wie dir das Leben der anderen.«

Zareb lachte rauh. Plötzlich griff er zu und kniff der Krankenschwester in die volle Brust. Eine schallende Ohrfeige warf ihn zurück an die Wand. Fassungslos starrte Zareb das Mädchen an. Fassungslos über die Kraft, die in ihren Armen steckte.

Am Nachmittag, als Jörgi schlief, verließ sie das einsame Haus. Ein kleiner, weißer Wagen holte sie ab. Zareb stand am Fenster und sah ihm mit verkniffenen Lippen nach. Er kam sich irgendwie alt und müde vor. Da hat man vier Wochen mit einem Mädchen unter einem Dach gewohnt, Tür an Tür geschlafen, und nichts ist geschehen. O Allah, wo sind die früheren Zeiten hin, wo man Zimmertüren aufsprengte mit der Kraft der Schultern und die Mädchen an sich riß und ihren Widerstand brach? Wo sind die Zeiten hin, in denen der Name Zareb ein Gütezeichen für gefährliche Aufträge war? Jetzt war er nur mehr ein Wärter, eine männliche Kinderschwester, der seit Wochen keine andere Aufgabe hatte, als einen Jungen zu beschäftigen, mit ihm Mensch-ärgere-dich-nicht zu spielen und ihn bei leidlich guter Laune zu halten. Es war entehrend. Eine Herabwürdigung. Ein Kaltstellen des einstmals großen Zareb.

Er wandte sich vom Fenster ab und ging zum Tisch zurück, um die Autokarte zu studieren. Sein neuer Auftrag beleidigte ihn. Er hieß unmißverständlich: Der Junge ist wieder in Freiheit zu setzen. Und zwar sofort.

Freiheit, dachte Zareb. Das ist ein weiter Begriff. Ich werde den Jungen freilassen, aber es soll noch ein wenig Sensation um ihn sein, ein kleiner Paukenschlag, mit dem Zareb seinen Auftrag abschließt, der ihm zum Halse heraushängt.

Wieder, wie damals bei der Entführung am Kanal, tränkte er einen Wattebausch mit Chloroform, ging in das Zimmer des Kindes und drückte ihn Jörgi gegen die Nase. Ein paarmal atmete der schlafende Junge tief durch, im Unterbewußtsein spürte er die Not, ersticken zu müssen er schlug impulsiv mit Händen und Beinen um sich, aber dann, nach weiteren drei Atemzügen, erschlafften die Muskeln und er sank betäubt in die Kissen zurück.

Zareb wickelte ihn in eine Decke, trug ihn in seinen Wagen und fuhr ab. Auf der Autobahn wandte er sich nach Süden, nach Hannover und Westfalen, und nicht, wie es angeordnet war, nach Lübeck. Unterwegs hielt er ein paarmal auf leeren Rastplätzen an und erneuerte die Chloroformnarkose bei Jörgi, wenn dieser sich bewegte und schwache Töne des Erwachens von sich gab.

In der Nacht erreichte Zareb die Autobahnausfahrt Warendorf in Westfalen. Er fuhr sie hinunter und schlich mit seinem kleinen Wagen durch die Dunkelheit und über die verlassenen Landstraßen. Weite Wiesen und große Waldstücke wechselten ab, verstreut lagen die Bauernhöfe in der Nacht, von Mauern oder hohen Hecken umgeben wie wehrhafte, alte Burgen.

Vor dem kleinen Ort Sassenberg hielt Zareb den Wagen an. Links von ihm zog sich ein ausgedehntes Waldstück hin, rechts lag, umgeben von Hecken und Weiden, ein kleines Gehöft.

Hier ist es, sagte sich Zareb. Er stieg aus, zog Jörgi vom Rücksitz und trug ihn wie ein Bündel über der Schulter hinüber in den Wald. Dort legte er den Jungen mit der Decke in ein Gestrüpp aus Buchenreisern und Farnen, überzeugte sich beim Rückweg, daß er keinerlei Abdrücke in dem Waldboden hinterlassen hatte, stieg in seinen Wagen und fuhr weiter nach Warendorf und von dort nach Münster.

In Münster fand er noch ein Zimmer in einem Hotel, legte sich angezogen aufs Bett und schlief sofort ein.

Sein letzter Gedanke war: Morgen wird es in aller Welt bekannt werden. Und keiner wird das Rätsel lösen. Es war eine Zareb-Arbeit. Zareb, der Mann, der das perfekte Verbrechen erfunden hat.

Jörgi wachte auf und lag, als er die Augen aufschlug, erst ganz still und steif in seiner Decke. Er sah über sich gegen den fahlen Nachthimmel die Wipfel der Bäume, ein großes Farnblatt wippte über seinen Augen, es roch nach feuchter Erde und faulenden Blättern.

Wo bin ich, dachte er. Wo ist der böse Mann, der mich bewacht? Wo ist die liebe Schwester? Als ich einschlief, lag ich doch in meinem Bett, in meinem Zimmer.

»Hallo!« rief er zaghaft. »Hallo! Wo seid ihr?«

Niemand antwortete. Da richtete er sich auf und sah sich um. Er war allein. Allein in einem Wald. Angst schnürte seine Kehle zu. Er dachte an die Geschichten von den Räubern, die im dunklen Wald hausten. An das Einhorn, an den weißen Hirsch, an Wildschweine und blutgierige Füchse. Vorsichtig schälte er sich aus der Decke, stand auf und lauschte in die Nacht hinein.

Ein Knacken. Ein Rauschen in den Baumwipfeln. Irgendwo ein leises Tappen.

Jörgi preßte die Fäuste gegen den Mund. Er hatte Angst. Unbeschreibliche Angst. Er wollte schreien, aber noch größer war die Angst, daß er durch sein Schreien die Räuber oder Tiere anlockte.

Ganz langsam, die Decke gegen die Brust gepreßt wie einen Schild, ging Jörgi durch die Büsche bis zum Waldrand. Dort begann eine Wiese, die an eine Straße stieß. Jenseits der Straße lag ein langgestrecktes Haus.

Menschen! Rettung! Ein Haus!

Jörgi rannte aus dem Wald heraus. Einige dunkle Schatten stoben von der Wiese zurück in die schützende Dunkelheit. Rehe, die äsend über die Wiese gezogen waren.

Mit keuchendem Atem, die Hände gegen die schmerzende Operationsnarbe gepreßt, rannte Jörgi auf das Bauernhaus zu. Erst als er im Wirtschaftshof stand, verließ ihn die panische Angst. Er sah sich um, entdeckte die Haustür und drückte mit seinem kleinen, zitternden Zeigefinger auf die Klingel.

Der Ton schrillte durch das stille, schlafende Haus.

Tappende Schritte kamen näher, Licht wurde im Flur angeknipst. Hinter der Tür hörte Jörgi Flüstern. Dann eine laute, rauhe Stimme:

»Wer ist da?«

»Ich«, antwortete Jörgi kläglich. »Ich, Jörgi . . .«

Hinter der Tür sahen sich der Bauer und die Bäuerin an. Der Bauer hatte in der Faust einen dicken Eichenknüppel, die Bäuerin zitterte unter ihrer gehäkelten, langen Stola.

»Nicht aufmachen«, flüsterte die Bäuerin mit angstgeweiteten Augen. »Das ist eine Falle. Da verstellt jemand seine Stimme. Wenn du aufmachst, schlagen sie dich nieder. Ich rufe die Polizei.«

»Tu das, Erna.« Der Bauer wippte mit dem Eichenknüppel. »Ich halte sie so lange hin. Lauf schon!«

Während die Bäuerin im dunklen Zimmer telefonierte, legte der Bauer das Ohr gegen die Tür.

»Wer ist Jörgi?« fragte er laut.

»Ich! Jörgi Brockmann.«

»Ach so. Der Jörgi! Wie alt bist du denn?«

»Fünfeinhalb Jahre. Bitte, machen Sie auf . . . Ich . . . ich friere ja so . . .«

Der Bauer schob die Unterlippe vor. Seine Frau huschte zurück und flüsterte: »Die Polizei kommt gleich. Was sagen sie?«

»Er sei fünfeinhalb Jahre alt.«

»Eine Falle. Nicht aufmachen, Josef.«

Der Bauer Josef brummte etwas vor sich hin und ging nebenan in die Küche. Dort lugte er vorsichtig durch die Gardine und einen Spalt der Klappläden.

Vor der Tür stand wirklich ein Kind. Ein kleiner Junge in einem Schlafanzug, eine Decke in der Hand.

»Es ist tatsächlich ein Kind, Erna!« rief er, als er in die Diele zurückrannte. »Verdammt noch mal! Ein Junge im Nachtpolter! Da stimmt doch was nicht.«

Er riß den Riegel zurück und stieß die Tür auf. »Josef!« schrie die Bäuerin auf. »Sie bringen uns um!«

Dann blieb ihr Mund offen, denn vor der Tür stand wirklich nur ein Kind, mit hängenden Armen, eine alte Decke zu Füßen. Ein kleiner, schmächtiger, weinender Junge.

»Komm rein«, sagte der Bauer und zog Jörgi in die Diele. »Wo kommst du denn her? Mitten in der Nacht. Wer bist du denn? Bist du ausgerissen?« Er führte Jörgi ins Wohnzimmer und setzte ihn auf das alte Sofa.

»Ich bin Detlef-Jörg Brockmann.« Jörgi wischte sich die Tränen aus den Augen und von dem Gesicht. »Ich wohne in Lübeck. Mein Vater ist in Ägypten und baut dort Raketen.«

Die Bäuerin zog die Häkelstola enger um die Schultern und beugte sich zu ihrem Mann vor.

»Er ist verrückt«, flüsterte sie ihm ins Ohr. »Bestimmt ist er aus einer Heilanstalt weggelaufen. Gut, daß die Polizei gleich kommt. Der arme, kleine Junge.«

Bauer Josef legte die Decke um Jörgi und setzte sich neben ihn auf das Sofa.

»Zuerst machst du ihm eine große Tasse heiße Milch, Erna«, sagte er und strich Jörgi die Haare aus der Stirn. »Und 'nen Schlag Honig tuste auch rein. Und dann ein dickes Schinkenbrot. Der Junge sieht ja wie verhungert aus. Verdammt noch mal, auch wenn die Kinder krank sind, sollte man ihnen anständig zu essen geben. Das werde ich auch der Polizei sagen.«

Der Bauer ahnte noch nicht, daß in wenigen Stunden sein Name um die ganze Welt gehen würde.

In Kairo, in der Villa »Roseneck«, empfing Brahms eine Meldung. Sie war von Hans Ludwigs durchgegeben worden und lautete unverfänglich:

»Drei Tonnen Spezialröhren sind auf dem Wege. Es wäre gut, wenn der Transport überwacht würde.«

Hauptmann Brahms las die kurze Meldung seines Funkers zweimal durch, ehe er zurück in den Nebenraum ging. Dort standen sich Zuraida und Birgit gegenüber wie Amazonen, die sich jeden Augenblick aufeinanderstürzen wollten.

Birgit fuhr herum, als Brahms eintrat.

»Was soll das?« schrie sie. »Ich denke, Sie sind ein Freund? Und dabei entführen Sie mich von einem Gefängnis ins andere! Sie handeln im Auftrag von Zuraida! Oh, wie gemein ihr alle seid. Wie gemein!« Sie wandte sich ab und weinte.

»Diesen Irrtum werden wir gleich aufklären, mein Liebling«, sagte Brahms, als Zuraida ihn hilflos ansah. »Aber vorerst müssen wir einen harten Brocken schlucken. Hier.« Er hob den Telefonzettel hoch. »Freund Hans hat aus Bir Assi Nachricht gegeben. Alles ist zum Kotzen, Freunde. Verzeihen Sie den Ausdruck, Frau Birgit, aber es gibt kein anderes Wort dafür. Ihr Mann . . .«

»Was ist mit Alf?« Birgit fuhr herum. Es war ein Aufschrei.

»Ihr Mann hat sich selbständig gemacht. Er ist seit dieser Nacht auf dem Weg in die Freiheit. Er ist aus Bir Assi geflüchtet.«

Zuraida schloß entsetzt für eine Sekunde die Augen. »Das ist ja Wahnsinn«, flüsterte sie.

»Wieso Wahnsinn?« Birgit lief auf Brahms zu und

klammerte sich an ihn. »Sagen Sie mir die Wahrheit, bitte, bitte. Was hat Alf getan? Warum ist es Wahnsinn?«

»Es gibt nur einen Weg aus Bir Assi . . . nach Westen, zur libyschen Grenze, durch die grauenvollste Wüste dieser Erde. Und Ihr Mann hat diesen Weg gewählt. Wir sind um wenige Stunden zu spät gekommen. Ich hätte jetzt, wo wir Sie hier in Sicherheit haben, Frau Birgit, für Alf einen anderen Weg gewußt. Nun ist es zu spät.«

»Zu spät . . .« Birgits Augen wurden starr. »Was heißt: Zu spät?«

Hauptmann Brahms sah über den Kopf Birgits zu Zuraida. Diese wandte sich ab. Auch sie kannte die Antwort.

»Zu spät heißt«, sagte Brahms leise, »daß noch nie ein Mensch diese Wüste durchquert hat. Noch nie. Man kennt sie nur aus der Luft.«

Birgit schloß die Augen. Ihr Kinn sank auf die Brust.

»Alf . . . Alf wird also nie mehr aus der Wüste zurück-kommen?« fragte sie kaum hörbar. »Er flüchtet jetzt in den Tod.«

»Ja. In den sicheren Tod — wenn wir ihm nicht helfen.«

Brahms hob beide Arme, eine Gebärde der Hilflosig-keit. Dann drückte er Birgit an sich und streichelte ihr trö-stend über die Haare. »Helfen. Aber wie? Ich habe dazu keine Möglichkeit mehr. Er ist ganze vier Stunden zu früh geflüchtet.« Er riß sich los und hieb mit beiden Fäusten gegen die Wand. »Es ist zum Verrücktwerden!« schrie er in ohnmächtiger Wut. »Da steht man hier herum und kann nichts tun! Gar nichts! Und man muß zusehen, wie ein Mensch in den schrecklichsten Tod rennt, den es gibt, den Tod in der Wüste.«

15

Der fünfte Tag.
Sonne. Glut. Wind. Sand. Einsamkeit. Schnauben
der Kamele. Farbloser Himmel. Aufwirbelnder Staub unter den Hufen. Durst. Kurze Rast. Vier, fünf Schluck Wasser. Das Auslutschen einer halben Zitrone. Und dann weiter . . . weiter . . . immer weiter in die Unendlichkeit
hinein, in das Nichts.

Am Nachmittag hielten sie an, weil Lore Hollerau über
wahnsinnige Kopfschmerzen klagte. Sie suchten wieder,
wie an allen Tagen, eine Sandhügelsenke, um dort die Kamele abzuschnallen und sich für die Nacht einzurichten.
Aisha sah zum Horizont, in die Sonne, auf ihre Uhr. Sie
schüttelte den Kopf und ritt nahe an Alf Brockmann heran.

»Es ist noch zu früh, Oulf, um für heute Schluß zu machen. Auch gestern haben wir Zeit verloren. Und wenn wir
täglich immer weniger reiten, erreichen wir die Grenze
nie.«

»Lore kann nicht mehr.« Brockmann sah hinüber zu
Lore Hollerau. Wie eine festgebundene Puppe mit zerbrochenen Gliedern schwankte sie im Paßgang des Kamels
hin und her.

Aisha schob die Unterlippe vor. Sie wußte, wie es werden würde. Die Ruhepausen wurden immer länger, die Ki-
lometerzahl, die sie wegritten, immer niedriger. Und eines
Tages würden sie im Sand liegen, und der Wüstenwind
wehte sie zu. Drei Menschen und vier Kamele.

Brockmann nickte, als er Aishas Gesichtsausdruck sah.
»Ich weiß«, sagte er langsam. »Warum sollen wir erreichen, was bisher noch niemand gekonnt hat? Sollen wir
umkehren, Aisha?«

»Nein.«

Es war eine klare, harte Antwort.

»Du wirst nie mehr ein freier Mensch sein, wenn du zurückkehrst.« Aisha sah Brockmann mit einem fast fanatischen Blick an. »Ich habe gelernt, daß die Freiheit mehr ist als alles Gold dieser Erde. Wir wissen, was Knechtschaft ist, Oulf. Immer gab es bei uns nur Herren und Sklaven, und ich komme aus einem Geschlecht, das nur dienen mußte und sich unter der Peitsche der Großen krümmte.« Sie beugte sich zu Brockmann und griff nach seinem Arm. »Ich werde lieber mit dir sterben, als mit dir in Unfreiheit leben.«

Brockmann schwieg. Was ist Freiheit, dachte er. Gibt es sie überhaupt? Immer und überall regiert die Gewalt, herrschen die Ellbogen und Fäuste, ist der Erfolg bei den Skrupellosen. Die Masse Mensch merkt es schon gar nicht mehr. Sie hat sich daran gewöhnt.

Ehe Alf etwas antworten konnte, sah er, wie Lore Hollerau stärker schwankte, wie sich ihre um den Sattelknauf gekrallten Finger lösten und der schlaffe Körper abzurutschen begann. Mit einem lauten Ruf und zwei Peitschenschlägen trieb er sein Kamel voran und erreichte Lore gerade noch, als sie aus dem Sattel fiel. Er griff daneben, faßte nur noch ihre Bluse, der Stoff zerriß, und mit entblößtem Oberkörper fiel Lore in den Sand und lag unbeweglich, mit ausgebreiteten Armen in der Glut, als sei sie eine weggeworfene, zerschlissene Puppe.

Brockmann ließ sich ebenfalls vom Kamel fallen, noch bevor die Zeremonie des Niederkniens beendet war. Er nahm Lores Kopf in beide Hände, massierte ihr die Wangen und dann die Brust und küßte sie auf die aufgesprungenen, trockenen, ausgedörrten Lippen. Aisha ritt heran und stieg ebenfalls ab. Steif stand sie neben Alf, starrte hinunter auf die schönen, weißen Brüste und mußte an sich halten, um nicht die Hände Brockmanns zurückzureißen, die immer wieder massierten und klopften und so grauenhaft zärtlich waren.

»Wasser!« schrie Brockmann Aisha an. Sie zuckte zusammen. Ihre schwarzen, großen Augen wurden zu Schlit-

zen wie die Augen einer Schlange. »Und die Medizinta-
sche! Steh doch nicht herum und sieh zu!« Und als sich
Aisha noch immer nicht rührte, legte er Lores Kopf in seinen Schoß und zog sein Hemd aus, deckte es über den
nackten Oberkörper des Mädchens und gab sich selbst der
gnadenlosen Sonne preis.

»Gut denn«, sagte er heiser. »Dann ist das hier das Ende. Nimm dein Kamel und reite weiter, Aisha. Ich brauche
dich nicht mehr!«

Aisha ging langsam zu dem Lastkamel und schnallte
den Wassersack und eine Kiste ab. In der Kiste war die
Reiseapotheke. Sie schleppte Wassersack und Apotheke
zu Brockmann, tauchte ein Handtuch in das Wasser und
begann wortlos, das Gesicht und die Brust Lores zu wa-
schen. Dann hielt sie Brockmann ein Röllchen mit Tabletten hin und füllte einen Lederbecher mit Wasser.

»Wieder ein Tag weniger«, sagte sie, als Lore mühsam
die Tabletten schluckte und das nasse Handtuch über ihre
Stirn legte. »Das war der Wasservorrat für vierundzwanzig
Stunden.«

Während sich Brockmann weiterhin um Lore bemühte,
baute Aisha das Nachtlager auf. Die Decken, ein Sonnensegel, der Spirituskocher, die Kiste mit den Verpflegungs-
büchsen. Die Kamele knieten im heißen Sand und schienen zu schlafen. Sie hatten die Augen geschlossen, und
ihre Köpfe schwebten knapp über dem Boden.

Nach einer halben Stunde trat Brockmann zu Aisha und
half ihr beim Aufrichten des kleinen Schlafzeltes. Da Zelt-
heringe in dem Sand keinen Halt fanden, beschwerte man
die Leinwand ringsherum mit Kisten und schaufelte Sandhügel darauf.

»Sie schläft«, sagte Brockmann und stützte sich auf seinen Spaten.

Aisha schwieg. Sie kniete vor dem Spirituskocher und
reinigte die verölten und verrußten Brennlöcher.

»Sie hat keinen auf der Welt als mich.« Brockmann

warf den Spaten zur Seite und setzte sich hinter Aisha auf eine Kiste. »Auch ich habe niemanden mehr. Birgit ist gestorben, meinen Jungen haben sie entführt. Ich werde auch ihn nie wiedersehen.« Er wischte sich mit zitternden Händen über das Gesicht und die Augen.

»Wir alle sind einsam.« Die Stimme Aishas war kalt. Noch nie hatte Brockmann sie so sprechen gehört. »Wen habe ich auf dieser Welt?«

»Ihr Orientalen habt eine andere Mentalität.«

»Haben wir die?« Aishas Kopf flog herum. Wieder verschlug es Brockmann den Atem vor dieser Wildheit in ihrem Blick. »Überall in der Welt sind die Frauen gleich. Überall haben sie ein Herz, und dieses Herz empfindet Liebe. Warum soll ich, gerade ich, anders sein?«

Brockmann griff nach Aishas Schultern und zog den sich wehrenden Körper zu sich heran. Sie machte sich steif und drückte die Schultern nach vorn, als Brockmann seine Hände darauflegte.

»Glaubst du wirklich, daß du und ich zusammenleben könnten?« fragte er. Der Abend am Schwimmbecken in Bir Assi, dachte er. Sie schwamm im Wasser wie ein goldener Fisch. Und dann stand sie vor mir, nackt und vom abperlenden Wasser gestreichelt, und sie schämte sich nicht, als sei es die natürlichste Sache der Welt, vor mir nackt zu stehen und ihre Schönheit preiszugeben. Wie lange ist das her? Nur ein paar Wochen? Schon ein paar Wochen? Es war ein Bild, das sich in ihm eingebrannt hatte. Ein bronzener Mädchenkörper. Ein lebendes Wunder der Schöpfung. Damals hatte er einen Druck auf dem Herzen gespürt, ein süßes Kribbeln in allen Adern, ein unbändiges Verlangen, gegen das er ankämpfte, das er unterdrückte, das aber in der Nacht wiederkam und ihn überfiel wie ein Fieber, als er allein im Bett lag und gegen die Decke starrte. Aisha, hatte er da gedacht. Das darfst du nie wieder tun. Ich spüre, daß ich beim zweitenmal nicht mehr die Kraft besitzen würde, mit ruhiger Stimme zu sagen: Zieh dich an —

»Wir würden uns bis zum Wahnsinn lieben, Oulf«, sagte Aisha leise. Ihr Widerstand ließ nach. Ihre Arme legten sich um seinen Rücken. Über Schultern und Brüste wehte der Schleier ihrer pechfarbenen Haare.

»Liebe allein macht nicht das Leben aus, Aisha.«

»Ich würde mich zerreißen lassen für dich.«

»Auch das ist nicht der Sinn des Lebens.«

»Ich würde alles tun, was du sagst.«

»Du würdest enttäuscht sein, wie unromantisch, wie nüchtern, wie brutal das Leben ist.«

Aisha beugte sich weit nach hinten. Ihr Kopf lag auf Brockmanns Knien, ihre herrlichen schwarzen Augen funkelten.

»Du hältst mich für eine Halbwilde, nicht wahr, Oulf?«

»Du bist ein Kind der Wüste, natürlich.«

Aisha lächelte. Ihre Zähne blinkten zwischen den vollen, roten Lippen. Sie ist wirklich ein Wunder Gottes, dachte Brockmann. Wie kann ein Mensch nur so schön sein —

»Wenn ich dir von mir erzähle, Oulf, werde ich anders aussehen«, sagte sie.

»Ich weiß alles von dir.«

»Alles?«

»Dein englischer Urgroßvater, deine vier Geschwister, deine Arbeit im Offiziersclub . . .«

»Und wenn das alles Lüge ist?«

»Du kannst nicht lügen, Aisha. Deine Augen würden es verraten.«

»Dann mache ich sie zu.« Sie schloß die Augen. »Ich bin in El Mansurah im Nildelta geboren. Mein Vater war nicht ein armer Fellache . . . er war ein reicher Großgrundbesitzer und arbeitete bis 1947 für die Engländer als Verwalter in Suez. 1947 wurde er totgeschlagen. Von seinen Landsleuten, von Ägyptern, auf offener Straße, weil er ein Freund der Weißen war. Es war ein Mord, der nie aufgeklärt wurde. Als es geschah, studierte ich in Oxford . . .«

Brockmann wollte aufspringen, aber Aisha umklammerte seine Knie und hinderte ihn daran.

»Ich kam zurück und keiner hatte Mitleid mit mir. Ich fühlte überall den Haß meiner Landsleute. Sie hat in England studiert . . . sie hat weißes Blut in sich . . . man sollte auch sie wie einen räudigen Hund totschlagen, wie den Vater. Ich war plötzlich allein auf der Welt, ganz allein, denn meine Mutter starb schon, als ich ein Kind war. Geschwister habe ich nicht, Verwandte kannten mich nicht mehr, aus Angst vor den Nationalisten. Ich stand am Grabe meines Vaters, und unbekannte Hände hatten über den Marmorgrabstein mit roter Farbe geschrieben: Verräter des Volkes!« Aisha legte das Gesicht auf die Knie Brockmanns. »Verräter. ein Vater. Totgeschlagen wie eine Ratte. Ich wurde nicht wahnsinnig, o nein, aber ich lernte, was Haß ist. Haß auf mein eigenes Volk. Und ich stellte mich denen zur Verfügung, die meine Landsleute mehr hassen als den Scheitan: Den Israelis. Ich wurde eine Agentin . . .«

Brockmann sprang nun doch auf. Aisha sank zurück in den Sand, ein Häufchen Mensch, sie kroch fast in sich zusammen und versteckte sich hinter dem Vorhang ihrer Haare.

»Du . . . du bist auch vom Geheimdienst?« fragte Brockmann stockend. »Und du bist nur zu mir gekommen, um mich zu überwachen?«

»Zunächst ja. Oh, ich kannte dich ja nicht, Oulf. Aber dann sah ich dich . . . weißt du noch, in der Nacht, am Brunnen von Bir Assi? Und in der ersten Sekunde, als ich dich sah, wußte ich, daß mein Leben von dieser Nacht an anders werden würde.«

Brockmann senkte den Kopf. Was Aisha erzählte, erschütterte ihn maßlos. Weniger ihr tragischer Lebenslauf als vielmehr das verrückt wachsende Gefühl, dieses heiße Drängen zu ihr, zu ihren Lippen, zu ihrem katzenhaften, bronzenen Körper. Er wandte sich schroff ab und blickte auf Lore Hollerau. Ihre Sonnenbrille war verrutscht. Die

Lider waren vernarbt. Und darunter lagen fahle, braune, leblose Augen. Lag das ewige Dunkel.

»Wer hat das Sprengstoffpaket zu mir gebracht?« fragte Brockmann plötzlich laut. Er wagte nicht, sich dabei umzudrehen und Aisha anzusehen. Das kann nicht sein, dachte er bloß. Wenn das wahr ist, o mein Gott, was mache ich dann?,

»Wer hat das Paket gebracht?« fragte er noch einmal, als er keine Antwort bekam.

Schweigen. Dann die Stimme Aishas, ganz klein und wie erstickt:

»Du wolltest den töten, der das Paket gebracht hat . . .«

»Ja.«

»Du wirst es nicht nötig haben, Oulf.«

Brockmann wirbelte herum. Aisha kniete im Sand und hatte die Pistole gegen ihre Schläfe gedrückt. Er sah, wie sich ihr Finger durchbog, wie er sich dem Druckpunkt näherte.

»Aisha!« brüllte er grell. »Aisha! Nein! Nein!«

Mit drei riesigen Sätzen sprang er auf sie zu, stürzte sich auf sie, schlug ihr die Waffe aus der Hand. Sie rollten ringend durch den aufstaubenden Sand, sie umklammerten sich, wie eine Wildkatze biß und kratzte Aisha um sich . . . dann lag sie plötzlich still, ihre Anne schlangen sich um Brockmanns Nacken und ihre halbgeöffneten Lippen glühten ihm entgegen.

»Oulf . . .«, flüsterte sie. »O Oulf — wie liebe ich dich.«

Willenlos ließ sich Brockmann zu ihr herunterziehen. Ihr Mund, ihr Körper wölbten sich ihm entgegen. Er starrte in ihre Augen, in diese großen, schwarzen, glühenden Augen, die unter seinen streichelnden Fingern zu explodieren schienen.

»Ich bringe dich um . . .«, stammelte Brockmann. »Ich bringe dich um . . .«

»Welch ein herrlicher Tod, Oulf.« Ihr Körper bebte.

»Aisha —«, flüsterte er. »Wir sind wahnsinnig.«

»Es ist der einzige Zustand, in dem wir glücklich sein dürfen.«

Sein Kopf sank auf ihre Brust . . . und dann war keine Wüste mehr um ihn, keine glühende Sonne, keine Hoffnungslosigkeit, keine Todesangst . . . er sah und fühlte und hörte nur Aisha und hätte heulen können vor Glückseligkeit.

Als die Nacht hereinbrach, weckten sie Lore und gaben ihr zu essen und zu trinken.

Sie vermieden es, sich anzusehen, sie sprachen kaum miteinander. Nach dem Vulkanausbruch ihrer Leidenschaft war die Ernüchterung gekommen, fiel über sie her mit einer vielfach verstärkten Gewalt.

Noch sieben Tage Wüste.

Noch sieben Tage Sand.

Noch sieben Tage Sonnenglut.

Aber die Wassersäcke hatten nur noch einen Vorrat für fünf Tage. Aisha hatte die Flüssigkeitsmenge durchgerechnet. Zwei Tage fehlten. Zwei Tage ohne Wasser bei 60 Grad Hitze. Man durfte nicht weiterdenken. Das Grauen kroch frierend durch den Körper.

»Es geht mir wieder besser«, sagte Lore Hollerau. Sie saß gegen eine Kiste gelehnt und trank den starken Kaffee, den Aisha gekocht hatte. »Vorhin dachte ich, es ist zu Ende. Ich bin heruntergefallen, nicht wahr?«

»Ja. Du warst völlig fertig.« Brockmann streichelte ihren Handrücken. Aishas Augen blitzten nicht mehr auf. Sie streichelt er, mich liebt er, dachte sie. Sie war die Siegerin; sie konnte sich den Luxus leisten, ihm das Mitleid für die andere zu gönnen.

»Aber jetzt fühle ich mich wieder stark.« Lore erhob sich und tastete nach Alf. »Sieh mal, wie sicher ich wieder gehen kann. Ich glaube, heute war der heißeste Tag.«

Langsam gingen Brockmann und Lore zwischen den ruhenden Kamelen hin und her. Er stützte sie, und sie hatte den Kopf hoch erhoben und ging an seiner Seite wie auf einer Großstadtpromenade.

Dabei fühlte sie sich elend und wie zerschlagen. Ich darf es ihm nicht zeigen, dachte sie und preßte die Lippen aufeinander. Er braucht eine starke Frau. Ihm kann nur eine Frau etwas bedeuten, die so sicher im Leben steht wie er. Und ich will stark sein, ganz stark. Auch wenn ich blind bin: In mir soll eine ungeheure Energie wachsen. Nicht seine Belastung will ich sein, sondern seine Hilfe.

Sie straffte sich, sammelte alle Kraft ihres müden Körpers und ging aufrecht und mit festen Schritten neben Brockmann im Kreis herum.

Plötzlich zuckte Alf zusammen und sprang einen Schritt zurück. »Verdammt!« rief er. »Da bin ich auf etwas getreten, und das Biest hat mich gestochen...« Er hüpfte auf einem Bein und riß den Strumpf von dem anderen Fuß. Aus einem kleinen Einstich im Ballen sickerten ein paar Tröpfchen Blut. Mehr war nicht zu sehen.

Aisha sprang auf und rannte auf die beiden zu. Mit einem Knüppel hieb sie in den Sand, und erst da sah Brockmann, wie ein kaum Fünfmarkstück großes, sandbedecktes Tier mit einem langen, spitz auslaufenden Stachelhinterleib sich aufbäumte und sich gegen den niedersausenden Stock wehrte.

»Teufel!« schrie Aisha und hieb in blinder Wut auf das Tier. »Teufel! Teufel!« Sie hieb noch immer, als das Tier schon zerquetscht im Sand lag und nun unter den Stockschlägen fast zerstampft wurde.

»Bist du verletzt?« fragte Lore. Ihre blinden Augen starrten Brockmann an. »Was war es denn?«

Aisha rannte unterdessen weg, suchte aus dem Medizinkasten ein Skalpell und legte es in die flackernde Spiritusflamme.

»Komm her, Oulf!« rief sie dabei. »Komm schnell her! Leg dich hin. Und beiß die Zähne zusammen! Es muß sein... es muß sein...«

Brockmann ließ sich auf den Rücken fallen, da, wo er gerade stand. Die Gefahr, in der er schwebte, kam ihm jetzt erst zum Bewußtsein. Ein Skorpionbiß. Ein Biß, der das Gift sofort in die Blutbahn trägt. Auch das Kamel war von einem Skorpion gebissen worden. Seine Gelenke waren angeschwollen, und es hatte geschrien, als zerteile man es bei lebendigem Leib. Und Aisha hatte keine andere Möglichkeit gesehen, als es zu erschießen.

Und nun war er selbst gebissen worden. Der Tod schickte sich an, durch seinen Körper zu kreisen.

Brockmann beugte sich vor und drückte die Beinschlagader mit beiden Daumen ab. Neben ihm stand Lore Holden Kopf lauschend erhoben. Sie ahnte nicht, was sich vor ihren Füßen abspielte. Sie wartete auf ein neues Wort Alfs, auf die Fortsetzung des Spazierganges.

Aisha kam herangerannt, das glühende Messer in der Hand. Sie kniete sich vor Brockmann in den Sand, legte seinen Fuß in ihren Schoß und sah ihn aus bittenden Augen an.

»Wenn es zu stark wird, dann schrei, Oulf . . .«, sagte sie leise. »Ich werde es nicht hören . . . ich werde es vergessen, daß du jemals geschrien hast.«

Dann setzte sie das glühende Messer an den Fuß und schnitt tief in das Ballenfleisch. Es zischte, der Geruch verbrannten Fleisches quoll auf, Blut rann über Aishas Hände, aber sie schnitt weiter, umkreiste die Bißstelle und schälte ein großes Loch heraus. Dann warf sie das Messer weg, hielt den Fuß hoch und ließ das Blut aus der großen, gräßlichen, an den Rändern verbrannten Wunde strömen.

Alf Brockmann war zusammengezuckt, als das glühende Messer in seinen Fuß schnitt. Der Schmerz war so unbeschreiblich, daß er meinte, sein Kopf zerspränge und sein Herz verdunste. Er riß den Mund auf, er wollte schreien, aber der Schmerz lähmte selbst den Schrei und verdampfte seine Stimme. Erst als das Blut strömte, stöhnte er wild auf und hieb mit bei den Fäusten in den Sand.

Lore Hollerau war bis zu dem Moment lauschend stehengeblieben, in dem sie das Zischen hörte und den Geruch des verbrannten Fleisches wahrnahm. Da wußte sie, was sich neben ihr abspielte und daß Aisha um das Leben Alfs rang. Sie ließ sich auf die Knie fallen und tastete mit weit ausgestreckten Händen nach Brockmann. Sie erfaßte etwas, aber es war die Schulter Aishas . . . sie tastete weiter und griff in warme, strömende Flüssigkeit.

Blut. Ein Sturzbach von Blut.

»Alf!« schrie sie auf. »Alf! Was ist geschehen? Aisha! Aisha! Ich flehe dich an . . . sag etwas! Lebt . . . lebt Alf noch?«

»Es ist alles gut.« Aishas Stimme war ruhig und völlig ohne Erregung. »Ein Skorpion hat ihn gebissen. Ich habe die Wunde ausgebrannt, so wie man es bei uns in der Wüste macht.« Sie nahm aus der Arzneikiste eine große Lage Zellstoff und drückte sie auf die Wunde. Dann schüttete sie Penicillinpuder in den geöffneten Fußballen und stillte die Blutung durch Clauden. Brockmann sah ihr mit verzerrtem Gesicht zu.

»Ich habe auch einen Sanitätskurs mitgemacht«, sagte Aisha und verband den Fuß Brockmanns. »Es gehörte zu unserer Ausbildung auf der Halbinsel Sinai.«

Brockmann nickte. Er griff nach Lores noch immer hilflos herumtastenden Hände und hielt sie fest. Ihre Nägel krallten sich in seine Handflächen.

»Keine Sorge, Lorchen«, sagte er mit knirschenden Zähnen. »Es ist alles gutgegangen. Es besteht überhaupt keine Gefahr.«

Diese Hoffnung war trügerisch.

Drei Stunden später begann Brockmann zu fiebern.

Eine Stunde darauf versank er in eine Art Delirium. Er phantasierte, redete von physikalischen Formeln und schrie: »Weg! Weg! Die Steuerung ist defekt! In Deckung!« Er träumte von einem mißglückten Raketenversuch und schlug mit Armen und Beinen wild um sich.

Aisha saß mit steinernem Gesicht neben ihm, kühlte ihm die glühendheiße Stirn, injizierte Herzstärkungsmittel, spritzte Supracillin, wickelte die Beine in nasse, kalte Tücher und hockte dann, sich in das Schicksal ergebend, neben dem im Delirium Tobenden.

Das Gift hatte bereits gewirkt. Der Körper rang mit dem Tod. Wer Sieger blieb . . . keiner konnte es wissen.

Beim Morgengrauen wurden die Kamele plötzlich unruhig. Ihre Köpfe hoben sich, ihre starren Augen glotzten den Weg zurück, ihre dicken Nüstern blähten sich.

Aisha sprang auf. Brockmann schlief jetzt, ein im Fieber glühender und zuckender Körper.

Am Horizont hob sich gegen den fahlen Morgenhimmel ein Reiter ab. Ein Kamel und ein Reiter. Er kam schnell näher . . . er wuchs von Sekunde zu Sekunde. Der Reiter mußte wie ein Wahnsinniger mit seinem Kamel über die Wüste rasen. Hinter ihm wölbten sich Staubwolken auf.

Hassan Ben Alkir hatte die Karawane erreicht.

Er flog seiner Rache entgegen. Sein Gesicht glänzte wie nach einer Umkreisung der Kaaba in Mekka.

Langsam trat Aisha aus dem schützenden Ring des kleinen Nachtlagers.

In der Hand hielt sie eine Pistole.

Sie ging langsam und mit sicherem Schritt dem Reiter entgegen. Als sie sich sahen und erkannten, Hassan und Aisha, hob sie den Arm mit der Waffe.

Ein heller Ruf. Das weiße Hedschaskamel stand, aus dem Galopp heraus. Eine große Sandwolke wirbelte unter den Hufen auf und hüllte Tier und Reiter ein.

Hassan sprang aus dem Sattel.

»Bleib stehen!« sagte Aisha kalt. »Der nächste Schritt führt in die Ewigkeit.«

Am Vormittag nach der Entführungsnacht wurde Hauptmann Brahms in den alten Königspalast bestellt. Minister Feisal Abdul Mossou ließ sagen, daß es dringend sei. Der

Bote, ein junger Leutnant der ägyptischen Armee, wartete im Arbeitszimmer von Brahms gleich auf das Mitkommen.

»Das kann ins Auge gehen, Mädels«, sagte Brahms, als er sich in dem Zimmer unter dem Dach schnell von Zuraida und Birgit verabschiedete. Er küßte Zuraida und drückte Birgit die Hände. »Wenn ich in — sagen wir — drei Stunden nicht wieder zurück bin, ist etwas geschehen. Dann wird euch Baraf an einen anderen Ort bringen. Ihr könnt ihm voll vertrauen. Und Oberfeldwebel Franz wird auch dafür sorgen, daß ihr sicher wegkommt.« Er knöpfte sein Hemd zu und zog Zuraida noch einmal an sich. »Aber wenn ich wirklich zurückkomme, das verspreche ich euch, brechen wir hier die Zelte ab. Mädels, drückt mir die Daumen.«

Er gab dem riesigen Baraf einen Stoß in die Rippen. Der Nubier grinste breit. »Ich passe auf, Herr!« sagte er mit seiner tiefen Stimme. »Es wird nichts geschehen.«

Knapp eine Stunde später war Hauptmann Brahms wieder in der Villa »Roseneck«. Zuraida flog ihm mit einem Jubelschrei um den Hals, als er ins Zimmer stürmte.

»Das war eine schwere Geburt«, sagte Brahms. Er setzte sich und trank erst einmal ein großes Glas Fruchtsaft mit Rum leer, ehe er weitersprach. »Minister Mossou war wie ein ausgehungerter Stier. ›Jussuf!‹ brüllte er, kaum daß ich im Zimmer stand. ›Man hat eine Frau gestohlen! Die Lieblingsfrau meines Freundes Sahedi! Mit Gewalt. Vier Tote haben die Lumpen zurückgelassen! Sie müssen den Fall sofort untersuchen!‹« Brahms lachte laut. »So ein Gauner. Vier Tote. Zwei Beulen hat's gegeben. Also, ich mache eine böse Miene, fluche auf die Räuber und verspreche, sie zu fangen. Und dann kommt dieser Sahedi herein. Dick, bleich, ein Bild vernichteten Stolzes. ›Wenn Sie meinen blonden Engel wiederfinden, schenke ich Ihnen 10 000 Pfund‹, jammert er. ›Blond?‹ frage ich. Und sie erzählen mir ein Märchen von einer weißen Frau, die Sahedi an der Riviera kennengelernt hatte und in Rom

heiratete. Es war eine Wonne, diese beiden Gauner anzu-
hören.« Brahms schlug sich auf die Schenkel. »Ich habe
sofort geschaltet. Ich habe mir Sondervollmachten geben
lassen. Hier.« Er griff in die Tasche und zog ein Bündel
Papiere heraus. »Ich verfüge über einen Militärhubschrauber, über alle Polizeigewalt, über das Recht, jedes Gebiet
Ägyptens betreten zu dürfen ... und das alles wegen einer
Frau ... Ihretwegen, Birgit. Sahedi wäre bereit, jedes Ihrer
blonden Haare mit Gold zu bestreichen. Man sollte sich
das überlegen.«

»Wenn ich Sie nicht kennen würde, Herr Hauptmann,
würde ich jetzt sagen: Sie sind maßlos geschmacklos.« Birgit lächelte gequält. Brahms erhob sich und steckte die Papiere wieder ein.

»Jetzt geht es an das große Packen, Mädels. Morgen
verlassen wir das Land, aus dem schon Moses flüchtete.
Und wir ziehen nicht durchs Rote Meer, sondern machen
es moderner. Wir fliegen mit dem Hubschrauber — hui —
ins Gelobte Land. «

»Du willst nach Israel?« fragte Zuraida mit glänzenden
Augen.

»Nein. Wieso? Ach so. Gelobtes Land. Ist so eine Re-
densart, Liebling. Wir werden nach Tobruk fliegen.«

»Nach Tobruk?«

»In Tobruk steht fast eine Kompanie alter Kumpels. Die
sind überall untergekrochen, wo's nur geht. Einer ist sogar
Voresser bei einem reichen Caid, der in ständiger Angst
lebt, vergiftet zu werden. Und so frißt sich der Julius seit
sechs Jahren durch und läßt dem Caid nur magere Brok-
ken zurück.« Brahms war in blendender Stimmung. Als er
sah, daß die bei den Frauen seine Fröhlichkeit nicht teilten
und auch nicht verstanden, brach er ab und setzte seine
»dienstliche Miene« auf.

»Also —«, sagte er, »in Tobruk stellen wir ein Kommando zusammen und kehren über die Ostgrenze nach Ägypten zurück. Mit anderen Worten, wir kommen Alf Brock-

mann von der anderen Seite der Wüste entgegen. Es sollte mit dem Teufel zugehen, wenn wir nicht auch diesmal rechtzeitig kämen und den Karren wieder flottmachten.«

Zuraida sah ihren Geliebten mit zweifelndem Blick an. »Das ist doch mehr als abenteuerlich. Das bedeutet, daß du einen Privatkrieg gegen die ägyptische Armee führst . . . von libyschem Gebiet aus.«

»Ja.«

»Das ist doch Irrsinn.«

»In den Augen eines Vernünftigen — gewiß. Aber wir sind keine Vernünftigen, mein Süßes. Ich habe seit fast zwanzig Jahren nicht mehr nach den Maßstäben normaler Gehirne gelebt. Und in der Situation, in der sich Brockmann befindet, kann auch nur ein Verrückter wie ich helfen.«

»Was Sie auch vorhaben, Hauptmann Brahms, ich mache mit; ich lasse nichts unversucht, um Alf zu finden!« rief Birgit.

»Bravo!« Brahms klatschte in die Hände. »Also, auf nach Tobruk. Morgen früh um sieben steht der Hubschrauber bereit. Wozu habe ich meine Vollmachten? Birgit, das verdanke ich Ihnen. Ohne Ihr Haremsabenteuer saßen wir jetzt herum und zerbrächen uns den Kopf, wie man an den Wüstenwanderer Brockmann herankommt. So aber haben wir den einzigen Weg frei, der Erfolg verspricht: die Rettung aus der Luft.« Brahms wurde wieder ernst. Was er mit seiner sarkastischen Burschikosität vortrug, war im Grunde genommen das erregendste Abenteuer seines an verzwickten Situationen bestimmt nicht kargen Lebens.

Er gab mit dem morgigen Tag sein ganzes bisheriges Leben auf. Seine sichere, gutbezahlte Stellung als ägyptischer Abwehrmann.

Die Villa »Roseneck«.

Seinen rätselhaften Machteinfluß bei ägyptischen Ministern.

Seine Zukunft als sorgloser Jussef Ibn Darahn.

Alles tauschte er nun ein gegen die völlige Ungewißheit einer sogenannten »Freiheit«.

Gelang es, Alf Brockmann aus der Wüste herauszuholen?

Was erwartete ihn selbst in Deutschland?

Was hatte er gelernt außer Taktik und Kommandieren, Schießen und Marschieren, Lehrbuch 08/15 und »In wieviel Teile zerfällt das Gewehr K 98?«

Hauptmann Brahms sah auf seine Armbanduhr. Fast 12 Uhr mittags. Eine entscheidende Stunde; der Marsch in eine völlig dunkle Zukunft begann.

»So wenig Gepäck wie möglich, Mädchen«, sagte er mit etwas belegter Stimme, die seine große innere Erregung verriet. »In der Luft ist jedes Pfund wie ein Zentner.«

»Gepäck?« Birgit verzog den Mund, »alles, was ich habe, ist eine Tasche voll.«

»Auch das kann noch zuviel sein. Wichtiger sind Waffen. Munition. Eine Kiste Handgranaten nützt uns mehr als drei Kleider.« Er sah Zuraida an, in deren Augen noch immer der Zweifel stand, ob dieses Unternehmen überhaupt einen Sinn habe. »Sorg du für alles, Liebling. Du kennst den Wüstenkrieg. Ich gehe jetzt und organisiere die Evakuierung meiner Leute.«

Den ganzen Nachmittag über lag die Villa »Roseneck« fast wie ausgestorben unter der Sonne. Erst gegen Abend trafen einzeln oder zu zweien Männer in Zivil oder in arabischen, wallenden Gewändern ein. Sie versammelten sich im Garten, standen herum, warteten, rauchten und unterhielten sich mit gedämpfter Stimme, obwohl dazu gar kein Anlaß bestand.

Über allen lag wie eine elektrische Spannung mühsam unterdrückte Nervosität.

Auch sie, die hier im Garten warteten, gaben alles auf, was sie sich in jahrelanger Kleinarbeit erworben hatten. Die Verheirateten waren nicht dabei, sie wollten hierbleiben. Sie hatten ägyptische Mädchen kennengelernt, hatten Familien gegründet, lebten das Leben braver Muselmanen und hatten vergessen, daß sie einmal Meyer oder Feldmann geheißen hatten, aus Neuß am Rhein oder aus Memmingen stammten und mit der Rommel-Armee in dieses heiße, schöne Land am Nil gekommen waren.

Die anderen aber, die »ohne Anhang«, standen nun im Garten der Villa »Roseneck« und warteten.

Hauptmann Brahms und sein »Adjutant« Oberfeldwebel Franz hatten die Organisation abgeschlossen.

Bei Einbruch der Dunkelheit rollte ein alter Omnibus in den Innenhof der Villa »Roseneck«. Er wurde von sechs Mechanikern, die bereits ungeduldig warteten, umgearbeitet. Die Wände wurden von innen mit Stahlplatten geschützt, und die Motorhaube wurde mit auseinandergetrennten Nylonschußwesten ausgekleidet, die Hauptmann Brahms sich aus dem Polizeihauptquartier aufgrund seines Sonderausweises geben ließ. Sämtliche Fenster wurden herausgenommen, denn splitterndes Glas kann böse Verletzungen geben. Die hinteren Sitzbänke montierte man ab, um Platz für Gepäck und Waffen zu schaffen. Das einzige, was man nicht umändern konnte, waren die Reifen. Sie bildeten den verwundbaren Punkt des wie eine rollende Festung ausgestatteten Omnibusses.

Gegen 23 Uhr war alles bereit. Die Männer stiegen ein. Ihr Leben in Ägypten war damit beendet. Sie gingen freiwillig. Mit jedem hatte Brahms vorher gesprochen. »Jungs, es zwingt euch keiner«, hatte er zu ihnen gesagt. »Aber eins ist sicher: Wenn man entdeckt, daß ich mich abgesetzt habe, wird man euch alle verhaften und durch die Mangel drehen. Alle, die einmal mit mir zu tun hatten. Das ist euch doch klar. Und ihr werdet kein Bein mehr auf die Erde kriegen. Vielleicht schiebt man euch ab . . . über die Grenze in den Sudan. Dann könnt ihr Wurzeln fressen oder den Häuptlingen Luft zufächeln. Wie gesagt, ich überlasse es euch. Als Ausweg bleibt euch ja immer noch der Kongo.«

Die Männer nickten. Es ist ja doch alles Scheiße, dachten sie. Das Leben ist so oder so verpfuscht. Man ist eben eine Landsknechttype, und die Heimat ist da, wo man zu fressen und zu saufen bekommt und wo sich einem ein Mädel ins Bett legt. Ob das nun Kairo oder Tobruk ist, Léopoldville oder Daressalam — was sind Namen? In der Welt findet sich überall ein Platz, wo man leben kann.

Unbeachtet fuhr der scheibenlose, schwergepanzerte und deshalb schnaufende und langsam fahrende Omnibus durch die nächtlichen Kairoer Straßen nach Norden. Auf der Küstenstraße sollte er über Alexandria, El Alamein, Marsa Matruk bis Bardia es Sollum fahren, der kleinen Grenzstadt an der libyschen Grenze. Dort begann dann das Abenteuer: Der Durchbruch nach Westen.

Hauptmann Brahms saß in seinem großen Arbeitszimmer. Birgit und Zuraida hockten ihm gegenüber in den tiefen Sesseln.

»Wenn sie durchfahren können, werden sie morgen früh um neun Uhr an der Grenze sein«, sagte er. »Das ist gut gerechnet. Um sieben Uhr kommt unser Hubschrauber. Wir werden die Grenze etwas südlicher auch gegen neun Uhr überfliegen. Beide Aktionen müssen zur gleichen Zeit erfolgen, denn spätestens bis Mittag wird hier der Teufel los sein.«

In dieser Nacht schliefen weder Birgit noch Zuraida. Nur Brahms schnarchte. Er besaß Nerven wie Drahtseile. Baraf, der nubische Riese, schlief auch nicht. Er hockte wie ein überdimensionales Standbild in einer Ecke des Zimmers, bewegungslos und unhörbar. Nur das Weiße seiner Augen leuchtete im Widerschein der Tischlampe, die als einzige Lichtquelle im Zimmer brannte.

Um halb sieben weckte Oberfeldwebel Franz seinen Hauptmann. »Der Hubschrauber ist da!«

Brahms sah auf seine Uhr und rieb sich die Augen. »Jetzt schon? Was fällt denen denn ein? Zwanzig Jahre lang kämpfe ich gegen den Schlendrian, und auf einmal, gerade jetzt, werden sie überpünktlich.« Er reckte sich und sah zu Baraf, dem schwarzen Standbild in der Ecke. »Wer fliegt die Mücke?«

»Ein junger Sergeant, Herr Hauptmann.«

»Hast du Eberhard schon geweckt?«

Eberhard Haller war der Pilot, der den Hubschrauber fliegen sollte. Früher war er als Oberfeldwebel Flugzeugführer einer Jagdmaschine gewesen. Zwölf Abschüsse über Afrika. In der Staffel des schon legendären Hauptmanns Marseille.

»Er klettert bereits in die Kombination, Herr Hauptmann.«

»Baraf.«

»Herr —«

Der Riesenschatten wurde beweglich.

»Geh hinaus zum Hubschrauber und erkläre dem Sergeanten, daß er hierbleiben muß.«

Baraf grinste. Lautlos verließ er das Zimmer. Oberfeldwebel Franz hob die Schultern, als habe ihn ein eisiger Hauch angeweht. »Mit diesem Baraf möchte ich außerdienstlich nichts zu tun haben, Chef«, sagte er. »Hat er überhaupt ein Hirn?«

»Ich weiß nicht.« Brahms schnallte sich seinen Gürtel mit der Pistole um. »Aber er hat ein Herz und das schlägt für mich. Mehr verlange ich nicht von ihm.«

Baraf »sprach« mit dem Sergeanten. Kurz darauf trug man den jungen Flieger ins Haus, legte ihm Handschellen an Händen und Füßen an und schloß ihn in einem Kellerraum ein. Dann stiegen Baraf, Birgit, Zuraida, der Pilot, Oberfeldwebel Franz und vier andere Männer in den großen Transporthubschrauber der ägyptischen Armee. Als letzter folgte Brahms. Er umfaßte noch einmal mit einem langen Blick die Villa »Roseneck«, den Garten, die weißen Mauern, das Schwimmbecken, den in der Ferne im Morgenlicht silbern schimmernden Nil. Ein

Drittel Menschenalter ließ er zurück. Jahre der Zufriedenheit, aber auch Jahre des heimlichen, quälenden Heimwehs. Er nahm Abschied von einem Abschnitt seines Lebens, der gefährlich, aber auch schön gewesen war.

Dann stieg er ein und setzte sich stumm, in sich gekehrt, neben Birgit in die gläserne Kanzel des Hubschraubers. Birgit legte ihre Hand auf sein Knie.

»Es fällt Ihnen schwer, nicht wahr?«

Brahms nickte. Dann straffte er sich und stieß dem Piloten die Faust in den Rücken. »Hau ab, Eberhard! Raus aus diesem Land! Oh, verdammt noch mal, darauf habe ich zwanzig Jahre gewartet! Wenn dieses dämliche Heimweh nach Deutschland nicht wäre!«

Um neun Uhr vormittags durchbrach mit heulendem Motor ein schwerfälliger, fensterloser Omnibus die Grenzbefestigungen bei Bardia es Sollum, überwälzte die Schlagbäume und setzte seinen Weg trotz wilden Beschusses der ägyptischen Soldaten fort. Auf dem Boden des Busses lagen die deutschen Männer. Sie hörten, wie die Kugeln gegen die Panzerplatten schlugen und als Querschläger durch die Luft kreischten. Hinter dem Steuer hockte der deutsche Obergefreite Peter Meyer IV und gab Vollgas. Handgranaten explodierten hinter dem Fahrzeug und alle, die auf dem Boden lagen, hatten nur einen Gedanken: Hoffentlich trifft keiner die Reifen. Hoffentlich halten wir durch. Nur wenige Meter noch durch das Niemandsland . . . fahr, Peter, fahr.

Um neun Uhr überflog auch, von der fassungslosen Bodenabwehr deutlich beobachtet und auf den Radarschirmen verfolgt, ein großer Transporthubschrauber der ägyptischen Armee die Grenze nach Libyen. Ehe die Vierlingsflak ihre Rohre emporgekurbelt hatte und der Feuerbefehl erteilt werden konnte, war die erdbraun gestrichene Libelle schon auf libyschem Gebiet und drehte zur Küste ab. Völlig sinnlos feuerte die Flak eine Salve in den verlassenen ägyptischen Himmel. Dann tickten die Funker die ungeheuerliche Meldung an das Armeekommando nach Kairo.

Ein Hubschrauber ist nach Libyen. Ein Omnibus hat mit Gewalt die Grenze durchbrochen. Ein vollbesetzter Bus.

Hauptmann Brahms sah auf seine Uhr, als zwei libysche Hubschrauber ihnen entgegenkamen und ihnen per Funk befahlen, sofort zu landen.

»9 Uhr 17«, sagte er. »Der Durchbruch ist gelungen. Wir werden jetzt um politisches Asyl nachsuchen.«

Der dröhnende Lärm der rotierenden Flügel ließ nach. Die Erde kam näher. Sie landeten.

Hatten sie die Freiheit erreicht?

16

Noch bevor Konrad Gerrath aus Lübeck in Warendorf eintraf, wurde Jörgi von einer Sonderkommission der Kriminalpolizei Münster verhört. Man hatte ihn am frühen Morgen aus Sassenberg von dem Polizeiposten abgeholt und zunächst beim Pfarrer von Warendorf in Verwahrung gegeben. Dort schlief er erst ein paar Stunden, trank dann zwei Tassen Kakao, aß drei dick mit westfälischem Knochenschinken belegte Brote und wurde von dem herbeigerufenen Arzt untersucht.

»Der Junge muß ins Krankenhaus«, sagte der Arzt später zum Pfarrer. »Ob er eine Lungenentzündung bekommt, ist noch nicht sicher, aber seine Blinddarmnarbe macht mir Sorgen. Mir ist überhaupt unverständlich, wie der Junge schon aus einer Klinik entlassen werden konnte. Ich habe ihn gefragt, und er sagte mir da etwas von einem Arzt, einer Schwester und einem Zimmer mit

Gittern. Von der Operation selbst weiß er gar nichts; er sei einmal aufgewacht, und da sei sein Bauch aufgeschnitten gewesen.«

»Wir werden noch vieles hören und sehen«, sagte der Pfarrer ahnungsvoll. »Was mir der kleine Jörgi in der Nacht schon alles erzählt hat ... wenn alles wahr ist und nicht nur eine übersteigerte kindliche Phantasie ... lieber Doktor, dann sitzen wir mit dem Hintern in einem Wespennest.«

Die Sonderkommission aus Münster, gebildet nach einer telefonischen Rückfrage in Lübeck und bei der politischen Polizei in Hamburg, nahm die Ermittlungen sofort auf.

Es war ein Suchen im Dunkel, ein Luftschnappen im luftleeren Raum.

Jörgi erzählte, satt und Bonbons lutschend, von dem Haus mit dem verwilderten Garten, von einem Mann, der gut bekannt war mit Menschenfressern, von einem Onkel Doktor.

»Es war ganz schön da, bis ich Bauchschmerzen bekam«, sagte er und schielte auf die Tafel Nußschokolade, die ein Beamter mitgebracht hatte. »Und daß ich Omi nicht mehr sah und auch Onkel Konrad, und Mutti war auch weg ... alle waren weg ... ich habe oft geweint. Und immer hat mir der Mann versprochen, einen Film zu zeigen aus Afrika. Da, wo mein Vati ist und Raketen baut.«

»Wo ist das Haus?« fragte der Kommissar geduldig.

Jörgi hob die Schultern. »Ich weiß nicht.«

»Wie sah es aus?«

»Alt.«

»War ein Fluß in der Nähe?«

»Ja.«

»Mit Schiffen?«

»Viele große Schiffe. Nachts tuteten sie immer. Ich konnte erst gar nicht schlafen.«

»Hast du Namen gehört. Überleg mal, Jörgi. Wie haben sie sich angeredet?«

»Sie sprachen immer in einer fremden Sprache. Ganz komisch hat das geklungen. Wie die Indianer im Fernsehen.«

Gegen Mittag trafen die Leiter der politischen Polizei und ein Regierungsrat des Amtes für Verfassungsschutz in Warendorf ein. Auch ihnen erzählte Jörgi das gleiche.

»Der Mann war immer braun im Gesicht. Alle, die in das Haus kamen, waren so braun. Sie haben mir Schokolade mitgebracht. Ich weiß aber nicht, warum sie mich nicht mehr zu Omi und Onkel Konrad gelassen haben. Sie haben mich abends immer eingeschlossen.«

»Die Lage ist völlig klar«, sagte der Regierungsrat nach den Verhören. »Der Junge war als Druckmittel gedacht. Wie Sie schon erwähnten, Herr Kollege ... Frau Brockmann fuhr trotzdem nach Ägypten weiter, und damit wurde er uninteressant und wieder ausgesetzt. Operiert wurde der Kleine in diesem Haus? Das ist fast unvorstellbar. Nun — wo liegt diese Haus? In Lübeck, in Hamburg, irgendwo an der Küste, an einem Kanal, wo? Wie kommt der Junge ausgerechnet nach Sassenberg? Wenn man ihn loswerden will, gibt es andere Orte. Die Küste zum Beispiel. Aber mitten im Westfälischen? Das ist doch zu blöd. Ich habe den Eindruck, daß unsere Gegenspieler einen fatalen Sinn für Humor haben ... und eine gefährliche Sicherheit. Aus dem Jungen ist jedenfalls nichts mehr herauszuholen.«

Mittags traf Konrad Gerrath ein. Sein großer Citroën war staubbedeckt bis zum Dach. Er war über die Autobahn und über die Landstraßen gerast wie ein Irrer. In Lübeck hatte Oma Berta Koller wieder einen Herzanfall bekommen, diesmal vor Freude. Den Rat des Arztes, ins Bett zu gehen, ignorierte sie. Sie saß im Sessel, trank starken Kaffee und beschäftigte den Arzt mit Erzählungen aus dem Leben Jörgis.

»Ein lieber Junge!« rief sie immer wieder. »Ein braver Junge! Ein mutiger Junge! Und operiert haben sie ihn. Das arme Würmchen. Ich werde mit ihm sofort wegfahren, zur Kur, in ein Bad. Er soll die schrecklichen Erlebnisse so schnell wie möglich vergessen.«

Und so geschah es auch.

Nur einen Tag war Jörgi noch in Lübeck, dann verreiste er mit der Oma. Niemand wußte, wohin. »Wir wollen allem vorbeugen«, sagte der Leiter der politischen Polizei. »Ziel unbekannt, das ist der beste Schutz.«

In einem kleinen Schwarzwalddorf an der Guttach krochen Berta Koller und Jörgi unter. Sie mieteten zwei Zimmer in einem der breit hingeduckten Schwarzwaldhäuser, gleich am Waldrand, ein Haus ohne Telefon, ohne Fernsehen, ohne Radio.

Sie schlossen sich völlig ab von der Welt. Und warteten.

Warteten auf das Wunder, daß Alf und Birgit Brockmann wiederkommen würden.

Bis heute weiß noch keiner, woher ein Reporter Wind von dieser Sache bekam. Plötzlich erschien ein großer Bericht über die Rückkehr Jörgi Brockmanns, mit Bildern aus Sassenberg und Warendorf, mit Fotos des Bauern und des Pfarrers.

Und alle Zeitungen übernahmen diesen Sensationsbericht. Auch die libysche Zeitung, die in Tobruk verkauft wurde.

Hassan blieb stehen. Das etwas einfältige Grinsen in seinem Gesicht täuschte nicht darüber hinweg, daß er ganz genau wußte, wie ernst die Worte Aishas waren.

»Allah sei mit dir, wilder Wüstenfalke!« sagte er. Es sollte spöttisch klingen, aber in dieser Situation mischte sich ein lauernder Unterton ein.

Aisha hielt die Pistole von sich gestreckt. Der Lauf zeigte auf die Brust Hassans, der Zeigefinger lag am Abzug.

»Einer von uns wird sterben«, sagte sie völlig ruhig. »Das siehst du doch ein, Hassan.«

»Ich sehe es nicht ein. Warum du oder ich? Es geht um deinen weißen Freund.«

»Oulf und ich sind eins. Wer ihn töten will, muß erst mich töten.«

Schweigen. Hassan stand leicht geduckt im Sand. Hinter ihm schnaubte das Kamel. Am blaßblauen Himmel kletterte die Sonne empor. Eine weißgelbe Scheibe. Ein neuer Tag begann. Ein Tag unbarmherziger Glut.

»Du hast keine Waffen?« fragte Aisha, als Hassan wie eine Säule stand.

»Auf dem Kamel.«

»Dann hole sie.«

»Warum?«

»Ich erschieße keinen Wehrlosen.«

Schweigen. Hassan sah sich um. Dann blickte er hinüber zu dem kleinen Lager. Dort rührte sich nichts.

»Warum kommt dein weißer Freund nicht?« fragte er laut. »Ist er zu feig? Hat er sich zitternd ins Zelt verkrochen und überläßt es einer Frau, sein Leben zu verteidigen?« Hassan hob sich auf die Zehenspitzen. »Komm heraus, du feiger Hund! Zeige dich, du weißer Affe!«

»Er hört dich nicht, Hassan«, sagte Aisha ruhig. »Er braucht nicht auf den Tod aus deiner Hand zu warten . . . er ist schon auf dem Weg zu Allah.«

»Das lügst du!«

»Ein Skorpion hat ihn gestochen.«

Hassan drückte das Kinn an. Er wußte in diesem Moment, daß Aisha die Wahrheit sagte. Und eine unbändige Freude überkam ihn, ein Gefühl des Triumphes, ein mächtiger Stolz des Siegers.

»Ich kann ihn retten«, sagte er mit plötzlich belegter Stimme. »Ich habe Serum bei mir. Ich habe daran gedacht, als ich dir nachritt. Beim Barte des Propheten, ich könnte ihn retten!«

»Und was verlangst du?« fragte Aisha nüchtern.

»Nichts!« schrie Hassan. »Ich will sein Leben! Ich kann ihm sein Leiden verkürzen, indem ich ihm den Schädel einschlage. Wenn du ihn liebst, Aisha, dann geh zur Seite und halte dir die Ohren zu.«

»Das Serum, Hassan!«

»Du bekommst es nicht.«

»Das Serum —«,

»Nein!« schrie Hassan hell.

»Das Serum —«

»Und wenn es Allah fordern würde für diesen Zweck: Eher soll mich der Teufel holen!«

Ohne ein weiteres Wort drückte Aisha ab. Der Schuß zerflatterte in der Weite der Wüste, wurde aufgesaugt von der beginnenden Hitze. Hassan fiel in die Knie, sein Gesicht verzerrte sich, mit beiden Händen hielt er seinen linken Oberschenkel fest. Zwischen den Fingern sickerte Blut hervor und tropfte in den Sand.

»Das Serum«, sagte Aisha kalt und trat vor ihn hin.

»Nein! Nein! Nein!« brüllte Hassan. »Bring mich um, du Hure!«

Aisha schüttelte den Kopf. Mit dem Pistolenknauf schlug sie Hassan gegen die Stirn, und er kippte um wie ein gefällter Baum. Dann zerrte sie das weiße Hedschaskamel in die Ruhelage, schnallte das Gepäck vom Sattel und durchwühlte es. In einer Blechdose fand sie eine flache Schachtel mit fünf Ampullen. Dazu eine alte Spritze und zwei dicke Nadeln.

Das Serum.

Das Leben Alf Brockmanns.

Die nächste halbe Stunde war Aisha mit Hassan beschäftigt. Sie verband seinen Oberschenkel, eine Fleischwunde, die schnell heilen würde. Dann sortierte sie von Hassans Gepäck alles aus, was nicht mehr nötig war, schnallte von seinem Wasservorrat nur noch zwei Fellsäcke auf und schleifte dann den Ohnmächtigen zum Kamel. Unter Aufbietung aller Kraft schob sie den schlaffen Körper in den Sattel, band die Hände am Sattelknauf fest und die Beine an den Sattelgurten, schlang einen Strick um den Leib, zurrte ihn hinten am Gepäck fest und band so Hassan auf das Kamel, zur Bewegungslosigkeit verurteilt, aber sicher vor einem Absturz in den Wüstensand.

Dann ließ sie das Kamel wieder aufstehen und hieb mit ihrer Peitsche ein paarmal mit alle Wucht dem Tier über die Kruppe.

»Lauf, du Satan!« schrie sie dabei. »Los! Lauf! Mach dich davon! Zurück nach Bir Assi! Du kennst den Weg ja . . . hei — hei —«

Das weiße Kamel hob den Kopf und schrie. Dann warf es die Beine von sich und galoppierte den Weg zurück, den es gekommen war. Auf seinem Rücken schwankte die Gestalt Hassans, in den Stricken sicher hängend.

Zweimal blieb das Tier stehen und blickte zurück. Da hob Aisha jedesmal die Peitsche, und das Kamel wandte sich ab und rannte weiter. Schließlich waren Tier und Reiter nur noch ein Punkt gegen den Horizont, bis auch dieser Punkt aufgesaugt wurde und sich in Nichts auflöste.

Zwei Tage später umkreiste eine Patrouille des Kamelreiterkorps einen einzelnen Reiter und brachte ein wild rennendes Kamel zum Stehen. Mit Entsetzen starrten sie auf den gefesselten, halb verdursteten, kaum noch seiner Sinne mächtigen Mann. Sie schnallten ihn vom Sattel, flößten ihm Wasser ein und warteten darauf, daß er gleich aufspringen und sich wie ein Irrer benehmen würde. Wer so wie dieser Mann aus der Wüste kam, mußte wahnsinnig geworden sein.

Hassan lag langgestreckt unter einem Sonnendach und trank seinen vierten Becher Wasser. Das Wasser lief ihm über das Kinn, den Hals und die Brust, und es war ein wunderbares Gefühl, wieder schlucken zu können und Kühle zu spüren.

»Sie sind da draußen . . .«, sagte er schwach, als ein Offizier ihn fragte, woher er komme. »Sie sind kurz vor der Grenze. Der deutsche Forscher . . . und Aisha . . . und die weiße Frau . . . Ihr . . . ihr müßt euch beeilen, wenn ihr sie noch bekommen wollt.«

Dann fiel Hassan wieder in Bewußtlosigkeit.

Aber er lächelte in der Ohnmacht.

Jetzt werden sie die Grenze nie erreichen, war sein letzter Gedanke.

Nachdem Aisha mit kalter Grausamkeit und tödlicher Konsequenz Hassan auf den Rückweg geschickt hatte und das rasende Kamel von Sand, Hitze und flimmernder Luft aufgesaugt worden war, ging sie zurück zum Lager.

Lore Hollerau saß neben dem besinnungslosen, fiebernden Brockmann und kühlte ihm die Stirn mit einem abgerissenen Handtuchstück. Ihre tastenden Hände glitten über sein heißes Gesicht, über seine eingefallenen Wangen, über die aufgesprungenen Lippen. Noch nie hatte sie das Schreckliche der Blindheit mehr gefühlt als in dieser Stunde. Wehrlos hockte sie neben Alf, konnte ihn nur ertasten und war verurteilt, mit sich geschehen zu lassen, was die Umwelt, was Aisha jetzt beschloß.

»Ich habe Serum«, sagte Aisha und setzte sich neben Lore in den Sand. »Ich werde es ihm einspritzen . . . aber ob es noch hilft?«

»Können Sie denn überhaupt injizieren?«

»Ja. Ich habe es gelernt.«

»Gelernt?« Lores Kopf hob sich verwundert. »Aisha, wer sind Sie? Sie sind kein einfaches Fellachenmädchen.«

»Ist das so wichtig, wer ich bin?« Aisha knipste die Spitze einer der Serumampullen ab und zog die wasserhelle Flüssigkeit in den Glaskörper der Spritze. »Ich weiß nur eins: Ich habe keine weiße Haut.«

»Sie sagen es, als sei es ein Fluch.«

»Es ist ein Fluch. Die Welt gehört den Weißen . . . wenigstens tun sie immer so. In ihrem Blick ist Mitleid oder Abscheu, Minderwenigkeitsdenken oder Abwehr, wenn sie uns Farbige ansehen. Warum vergessen sie, daß auch wir Menschen sind?«

»Sie lieben Alf, nicht wahr?«

Aisha schwieg. Sie legte den Arm Brockmanns auf ihre Knie, band den Oberarm ab, staute das Blut in der Vene und tastete mit dem Zeigefinger über die blaßblau durch die lederne Haut schimmernde Ader. Dann stach sie flach zu, zog etwas Blut aus der Vene, sah, daß die Nadel richtig saß, und drückte darauf langsam das Serum in die Blutbahn. Mit einem schnellen Ruck zog sie die Spritzennadel wieder heraus und drückte ein kleines Wattebäuschchen auf den Einstich.

»Sie antworten nicht«, sagte Lore Hollerau. Ihre toten Augen starrten in den Gluthimmel.

»Ich habe das Serum injiziert.«

»Sie lieben Alf?« fragte Lore beharrlich. »Sagen Sie ja, Aisha ... ich habe es bemerkt ... als ich noch sehen konnte. Und jetzt spüre ich es. Mit meinen Poren, mit allen Nerven spüre ich es.«

»Oulf muß gesund werden«, sagte Aisha und deckte ein Tuch über den Körper Brockmanns. »Und wir müssen weiter ...«

»Wir können doch jetzt nicht reiten. Alf ist ohne Besinnung. Er braucht Ruhe.«

»Wir brauchen Kilometer unter unseren Hufen. Jeder Tag kostet uns Wasser und Kraft. Ein Zurück gibt es nicht mehr, nur noch ein Vorwärts.«

»Aber Alf ...«

»Er muß auf dem Sattel liegen!«

»Unmöglich.« Lore tastete nach Brockmann. Ihre Finger glitten über das Tuch und zuckten schaudernd zurück. Wie ein Leichentuch, durchfuhr es sie. Er liegt da wie ein Toter. »Sie können doch Alf nicht wie ein Stück Holz transportieren.«

»Mehr ist er jetzt nicht.«

»Oh, Sie lieben Alf nicht. Nein, Sie können ihn nicht

lieben.« Lore Hollerau sprang auf. »Liebe kennt Mitleid. Aber Mitleid haben Sie noch nie empfunden.«

»Ich habe keine Lust, durch Mitleid zu verdursten und von Sandflöhen und Ameisen abgenagt zu werden. Hier in der Wüste hat Jammern noch nie einen Regen erzeugt . . . sie wäre sonst ein blühender Garten. Wir können nicht hier liegenbleiben.«

»Und wenn Alf stirbt?«

Lore sah in die Richtung, in der sie Aisha nach dem Klang der Stimme vermutete.

Aisha packte die Spritze weg und schloß den kleinen Kasten mit den Instrumenten.

»Dann brauchen wir nicht mehr zu reiten.« Ihre Stimme klang ruhig wie immer, aber durch Lores Körper zog trotz der Sonnenglut ein eisiger Strom.

»Das würden Sie tun?«

»Was wäre ein Leben ohne Oulf!«

»Als Sie ihn das erste Mal sahen, wußten Sie da schon, daß seine Frau tot war?«

»Nein. Aber nun ist sie tot. Und wir reiten mit ihm durch die Wüste in die Freiheit. Dort wird er sich entscheiden zwischen Ihnen und mir.«

»Und wenn er sich für mich entscheidet?« fragte Lore Hollerau leise. Aisha sah vor sich in den gelben Sand.

»Warum schweigen Sie wieder?« schrie Lore. »Ihr Schweigen macht mich wahnsinnig! Wenn ich meine Augen noch hätte, wäre ich ein ebenbürtiger Gegner. Aber so bin ich nur ein blinder Krüppel. Ein Geschöpf, das im Mitleid der anderen schwimmt. Doch glauben Sie nicht, daß ich in der Dunkelheit wehrlos bin!«

Aisha erhob sich von der Seite Brockmanns. Sie dachte an die vergangene Nacht, an die Stunden der wilden Leidenschaft, und etwas wie Traurigkeit überkam sie vor dem Schicksal der schönen, weißen Frau, die an Liebe und an die Zukunft glaubte und die Gegenwart doch schon verloren hatte.

»Erst müssen wir die Grenze erreicht haben.« Aisha blickte zurück zum Horizont, der Hassan und sein weißes Kamel aufgesaugt hatte. Von dort werden sie bald kommen, dachte sie. Sie werden Hassan auflesen und wissen, wo sie zu suchen haben. Mit Hubschraubern werden sie jeden Quadratkilometer absuchen. Das Kamelreiterkorps wird von ihnen per Funk gelenkt werden. Sie werden Markierungsbomben werfen und die Kamele mit ihrem Motorenlärm scheu machen, daß sie wie irr werden und uns abwerfen wie Staubflocken.

»Wir reiten gegen die Zeit«, sagte Aisha fest. »Wenn nicht alles vergeblich gewesen sein soll, müssen wir jetzt weiter.«

Eine Stunde später ritten sie wieder durch den glühenden Tag.

Aisha hatte Brockmann in den Sattel gesetzt und ritt neben ihm her, stützte ihn, hielt ihn fest, umklammerte seinen schlaffen Körper. Unendlich langsam schlichen sie durch die Wüste, im Bummelschritt, mühsam Meter um Meter gewinnend.

Am Horizont, mit jeder Stunde ein wenig größer und deutlicher werdend, zeichnete sich ein kahles, in der Sonne ausgeglühtes, felsiges Bergland ab.

Unser Ziel, dachte Aisha. Wir müssen es erreichen, bis die Hubschrauber kommen. In dem Labyrinth der Felsen können wir uns verstecken, niemand wird uns aus der Luft sehen können. Und der Wind wird unsere Spuren verwehen. Dort werden wir einen Tag ausruhen können . . . oder auch zwei und drei Tage, denn ganz in der Nähe ist die kleine Wasserstelle Bir Abu Massa. Ein Witz der Natur. Ein Loch im felsigen Boden, und auf dem Grunde des Loches Wasser. Köstliches, reines Wasser.

Mit einem roten Kreis hatte Hans Ludwigs auf seiner Wüstenkarte diese Stelle eingezeichnet. »Wenn ihr bis dahin kommt«, hatte er gesagt, »könnt ihr Halbzeit sagen. Zwar liegen noch knapp 300 Kilometer vor euch, aber ihr habt frisches Wasser, die Kamele können sich wieder vollpumpen. Glaubt mir, das gibt frischen Mut.« Den brauchen wir, dachte Aisha. Mut und Zeit und die Gnade Allahs.

Langsam, unendlich langsam wuchsen die kahlen Felsen vor ihnen auf und beherrschten den sonst so weiten Horizont. Brockmann stöhnte laut, aber Schmerzen empfand er nicht. Er war noch besinnungslos. Er lag in dem hohen Kamelsattel, festgehalten von Aisha, und schaukelte durch den Sand.

Aisha hielt ein paarmal an, um den schlaffen Körper zurechtzuschieben und auf das müde stolpernde Kamel zu warten, auf dem Lore Hollerau saß.

Welch ein Zug, dachte Aisha. Eine Blinde und ein Sterbender taumeln durch die Wüste. Wozu denn noch, wozu? Warum klammert man sich bloß so an das Leben, warum hat man nicht den Mut, sich einzugestehen, daß alles sinnlos geworden ist? Warum nimmt man nicht die Pistole und drückt sie ein paarmal ab. Es ist doch so einfach ... Zeigefinger krümmen, drücken ... ein dumpfer Knall ... und man ist erlöst.

Der Abend dämmerte herein. Die Felsen wurden lila. Sie waren jetzt wie eine türmebesetzte Mauer, die die Wüste abschloß von einem unbekannten Land hinter der Mauer. Aber nur ein Irrer glaubte, daß dahinter das Paradies begann ... auch da war Wüste, war Sonnenglut, war Einsamkeit, war Allahs Fluch.

Nach einem Ritt von zehn Stunden erreichten sie die Felsen. Vor einer bizarren Höhle hielt Aisha, schwang sich hinüber auf Brockmanns Kamel und hielt ihn von hinten fest. Dann ließ sie das Tier knien und trug den fieberheißen Körper in die Kühle der Felsennische.

Lore Hollerau rutschte aus dem Sattel, kaum daß ihr Kamel auf den Knien lag. Sie fiel auf die felsige Erde, streckte die Arme weit von sich und lag da, als solle sie ans Kreuz geschlagen werden.

»Mach ein Ende«, röchelte sie. »Aisha... mach Schluß. Es geht nicht mehr ... es geht nicht mehr ...«

Aisha reckte und dehnte sich, als stehe sie gerade auf aus einem tiefen Schlaf. »Wir sind in den Felsen von Bir Abu Massa«, sagte sie laut und beugte sich über Lore, als müsse sie es ihr in die Ohren schreien. »In Bir Abu Massa. In der Nähe von Wasser. In Sicherheit. Wir haben die Hälfte geschafft.«

»Die Hälfte...« Lore Hollerau wälzte sich auf die Seite. Ihr ganzer Körper zuckte. »Oh, die Häfte... erschieß uns. Ich flehe dich an ... erschieß uns. Ich will nicht verrecken wie ein Fisch auf dem Trockenen.«

Die Dunkelheit fiel über die Wüste. Am wolkenlosen Himmel flimmerten die Sterne auf. Aus den zerklüfteten Felsen kroch die Kälte. Der Wind rauschte um die Grate.

Die sechste Nacht.

O Gott, hab Erbarmen.

Hauptmann Brahms begrüßte den Leutnant der libyschen Luftstreife wie einen alten Kameraden. Er legte die Hand an den Kopf, nachdem man sich auf drei Schritte genähert hatte und der Propellerlärm der drei Hubschrauber verklungen war

»Jussuf Ben Darahn«, stellte er sich vor. »Hauptmann in ägyptischen Diensten.«

»Leutnant Abkir Omaran. Darf ich fragen, warum Sie in den libyschen Luftraum eingedrungen sind? Haben Sie sich verflogen? Versagten Ihre Instrumente?« Dann schwieg der junge Leutnant, denn aus dem ägyptischen Hubschrauber kletterten Birgit und Zuraida, Oberfeldwebel Franz und der riesige schwarze Nubier Baraf. Fassungslos starrte Abkir Omaran auf die beiden Frauen.

»Wir haben uns weder verflogen noch versagten die Instrumente«, sagte Hauptmann Brahms. Die Unterhaltung wurde in englischer Sprache geführt. »Wir sind nach Libyen gekommen, um in der freien Welt um Asyl nachzusuchen. Ich bitte Sie, uns zu Ihrem Kommandeur zu bringen.«

Der junge Luftwaffenleutnant nickte. Birgits blonde Haare leuchteten in der Sonne. Welcher Orientale wird da nicht besinnlich? Er beachtete Hauptmann Brahms nicht mehr, er ging mit großen Schritten auf die beiden Frauen zu und grüßte noch einmal mit einer leichten Verbeugung. Vor allem Birgit strahlte er an ... schwarze Schönheiten wie Zuraida gab es auch in Libyen genug, aber diese goldenen Haare waren wie eine zerflatterte Sonne.

»Darf ich Sie bitten, in einen unserer Hubschrauber umzusteigen, meine Damen«, sagte er. »Die Maschine, mit der Sie gekommen sind, muß leider beschlagnahmt werden.«

Er verbeugte sich noch einmal und schob sich zwischen Birgit und Zuraida.

»Bitte!«

Mit schnellen Schritten gingen sie zu einer der libyschen Maschinen. Um Hauptmann Brahms, Franz und Baraf hatte sich ein Kreis bewaffneter libyscher Soldaten gebildet. Franz kratzte sich den Kopf.

»Ich glaube, Chef, die betrachten uns als Gefangene. Das alles erinnert mich verdammt an El Alamein. Da standen wir auch in der Wüste, umringt von Maschinenpistolen, und ließen unser Gehirn bescheinen.«

»Es wird sich alles regeln, Franz.« Brahms steckte sich eine Zigarette an. »Auf jeden Fall sind wir einen Schritt weiter. Und der nächste Schritt wird die Rückkehr nach Ägypten sein.« Oberfeldwebel Franz starrte seinen Hauptmann an, als donnere es aus blauem Himmel. »Zurück?« stotterte er. »Aber warum sind wir dann erst ...«

»Das verstehst du nicht, Franz.« Brahms rauchte hastig. Der erste Hubschrauber mit Birgit und Zuraida hob bereits wieder über den Sand ab und stieg auf. »Es gibt Umwege, die schneller zum Ziel führen als eine gerade Straße.«

Drei Tage lang wurden Brahms und seine Männer im libyschen Kriegsministerium verhört. Aus Ägypten traf ein harter Protest in Tripolis ein. Man verlangte die Auslieferung von Jussuf Ben Darahn. In der Protestnote stand unter anderem: » . . . Darahn ist verdächtigt des Mordes an zehn ägyptischen Staatsangehörigen. Er hat seine Machtbefugnis als ägyptischer Offizier schamlos ausgenutzt und unbequeme Mitwisser einfach getötet. Er steht auch im Verdacht, Spionage für die USA zum Nachteil des großarabischen Gedankens betrieben zu haben. Als ägyptischer Bürger untersteht er der ägyptischen Gerichtsbarkeit. Wir bitten um seine schnellste Überstellung . . .«

»Alles Blödsinn!« sagte Hauptmann Brahms vor der Untersuchungskommission in Tripolis. »Es geht um ganz andere Dinge. Meine Herren, haben Sie schon von der neuen Langstreckenrakete ›Walküre‹ gehört?«

Die Herren vom libyschen Kriegsministerium sahen sich schnell an. Rakete »Walküre« . . . das war, so hatte man vage gehört, die Geheimwaffe Ägyptens. Sie sollte irgendwo an einem unbekannten Ort entwickelt werden. Entwickelt von einem deutschen Forscherteam.

»Der Chefkonstrukteur dieser Rakete, vielmehr des wichtigsten Bestandteils, des Treibsatzes, befindet sich in diesem Augenblick irgendwo in der libyschen Wüste auf der Flucht in Ihr Land, meine Herren. Um ihn zu retten, mit Ihrer Hilfe, habe ich mein ganzes bisheriges Leben aufgegeben und bin ebenfalls zu Ihnen geflohen. Es ist der deutsche Physiker Dr. Alf Brockmann aus Lübeck. Wenn alles nach Plan gelaufen ist, muß er jetzt ungefähr 300 Kilometer von Ihrer Grenze entfernt sein.«

»In der Wüste?«

»Ja.«

»Das gibt es nicht.« Ein Oberst der libyschen Armee trat an eine große Wandkarte. Dort, wo sich Alf Brockmann befinden sollte, war eine große, gelbe Fläche.

Sand. Glühender Sand. Kein Karawanenweg. Keine

Wasserstelle. Nicht ein Hauch von Leben oder Überleben. Ein Fleck auf der Landkarte. Ein verbranntes Stückchen Haut unserer Erde.

»Durch dieses Gebiet ist noch nie ein Mensch gekommen«, sagte der Oberst laut.

»Brockmann wird der erste sein.« Brahms trat an die Karte und zeigte, wo die unbekannte Oase Bir Assi liegen mußte. »Von hier aus, von Bir Assi, das keiner kennt und das für die übrige Welt auch gar nicht besteht, ist er in gerader Richtung losgeritten. Er muß jetzt in der Nähe der Felsenriegel sein.«

»Und?« fragte der Chef des libyschen Geheimdienstes. »Was sollen wir da tun?«

»Nichts, meine Herren.« Hauptmann Brahms trat zurück an den Tisch. »Doch, etwas können Sie tun. Geben Sie mir den Status einer freien Person. Betrachten Sie mich nicht als Staatsgefangenen. Wenden Sie die alte Weisheit an: Nichts sehen, nichts hören, nichts sprechen. Lassen Sie mich laufen . . . und von allem, was in den nächsten Tagen geschieht, Sie wissen gar nichts. Ich garantiere Ihnen, daß ich Ihnen in Kürze den geheimnisvollen Dr. Alf Brockmann vorführe.« Und dann fügte er etwas hinzu, was die Herren schon von der Stunde an dachten, in der sie wußten, worum es ging. »Im übrigen sollte es Ihnen als Nachbarstaat recht sein, nicht einen Nachbarn zu haben, der durch seine modernste Rüstung zum mächtigsten Staat in Afrika wird. Dr. Alf Brockmann ist bei diesen Plänen eine der wichtigsten Persönlichkeiten.«

Am Abend des dritten Tages wurde Hauptmann Brahms freigelassen. Auch die Überwachung seiner Leute und der beiden Frauen in einem Hotel in Tripolis wurde aufgehoben. Es war ein Urlaub auf Ehrenwort. Brahms versprach durch Handdruck als Offizier, sich zurückzumelden, wenn seine Aktion beendet war . . . ob erfolgreich oder nicht. Bis dahin betrachtete die libysche Regierung Jussuf Ben Darahn als nicht gefährlichen, aber lästigen

Ausländer, den man in Kürze ausweisen wollte, dessen Inhaftierung aber nicht gerechtfertigt sei.

In Tobruk, der Stadt zwischen Meer und Wüste, erwartete man Brahms und seine kleine Truppe bereits. Die »deutsche Kolonie« war fast vollzählig im Lagerraum einer Früchtehandlung versammelt, die einem Omar Hedhab gehörte, einem stolzen Araber, der vor zwanzig Jahren noch Fritz Heddenkamp geheißen hatte und aus Ibbenbüren stammte. Und wie dieser Omar waren auch die anderen: würdevolle Moslems, brave Familienväter, erfolgreiche Kaufleute oder Handwerker. Und doch Strandgut jenes Zweiten Weltkriegs, der keine Grenzen mehr gekannt hatte.

Hauptmann Brahms saß mit Birgit und Zuraida auf einer Art Podium. Hinter ihm stand als riesiges Monument der Nubier Baraf.

»Kameraden!« sagte Brahms. Und schon dieses eine Wort wirkte wie ein Funken. Kameraden ... das sagte man in den vergangenen Jahren oft. Aber wie Brahms es in die Lagerhalle knallen ließ, das fuhr in die Glieder, es zuckte bis in die Fingerspitzen.

»Durch die Wüste, auf unsere Ostgrenze zu, zieht ein Deutscher. Allein mit zwei jungen Mädchen ...«

»Mit denen wüßte ich was Besseres anzufangen!« rief jemand. Brüllendes Gelächter. Die Stimmung war da. Selten so gelacht ...

»Er flüchtet zu uns, er will in die Freiheit. Aber wenn wir ihm nicht helfen, geht er vor die Hunde. Noch niemand hat die Wüste auf dieser Route durchquert. Wir müssen ihm entgegen. Und ich brauche euch, Kameraden. Wir haben früher zusammen die Cyrenaika bezwungen — sollen wir unseren Kameraden jetzt verrecken lassen, nur weil wir selbst sicher und fett über die Runden gekommen sind?« Brahms sah in die »arabischen« Gesichter, in die braunen Gesichter mit den sorgsam gepflegten Bärten. »Ich brauche zwanzig Mann mit guten Kamelen, kriegsmäßig ausgerüstet. Und ich brauche einen Hubschrauber. Weiter nichts.«

»Weiter nichts«, rief jemand. »Als ob wir uns 'nen Hubschrauber aus dem Hintern schneiden könnten.«

»Ich weiß zum Beispiel«, sagte Hauptmann Brahms und lächelte breit, »daß hier in Tobruk ein Fieseler Storch eingemottet liegt. Jemand von euch pflegt ihn wie eine Nippesfigur. Kameraden, der tut es auch. Ich muß nur schnell sein; schneller als der Tod in der Wüste. Wenn ihr den Storch startklar macht . . .«

Schweigen in der Lagerhalle. Dann erhob sich ein »Araber«, schlug den Burnus enger um sich und verließ die Reihen der Versammlung. An der Tür blieb er stehen und drehte sich um.

»Det sag ick dir . . .«, rief er in bestem Berlinerisch, »wennste mit der Kiste abschmierst, mach ick Bouletten aus dir!«

Am Abend stand der Fieseler Storch startklar außerhalb Tobruks auf einem Fabrikgelände.

In der Nacht wachte Alf Brockmann aus seiner Ohnmacht auf. Aisha hatte ihm die dritte Seruminjektion gegeben und den Verband gewechselt.

Der Fuß war dick geschwollen und braunrot geworden. Aber was Aisha befürchtet hatte, war nicht eingetreten: Es zeigte sich kein Fortschreiten der Schwellung über das ganze Bein, es gab keine Atembeschwerden, die Glieder waren frei beweglich und nicht gelähmt, denn auch in der Bewußtlosigkeit bewegte sich Brockmann und zog manchmal Arme und Beine nahe an den Körper, um sich dann wieder in die gestreckte Lage schnellen zu lassen wie ein schwimmender, das Wasser von sich stoßender Frosch.

»Wo sind wir?« war seine erste Frage. Er hob den Kopf und starrte auf die Felsen. Er begriff nicht, wie es möglich war, daß nach tagelanger Weite und Glut nun plötzlich der

Horizont nicht mehr zu sehen und unter ihnen keine Sand, sondern Felsgestein war.

Aisha drückte Brockmann zurück auf die Decke. Lore Hollerau lag tiefer in der Höhle in einem ohnmachtsähnlichen Schlaf. Der letzte Tag war zuviel für sie gewesen. Alle Reserve ihrer Kraft war verbraucht; sie war auf die Decke gefallen und hatte sich bis jetzt nicht gerührt. Es gibt eine Grenze der Anstrengung, hinter der es dem Menschen gleichgültig ist, ob er weiterlebt oder stirbt.

»Wir sind in Sicherheit, Oulf.« Aisha wusch Brockmanns staubiges Gesicht mit Wasser. Das Fieber hatte ihn aufgedunsen. Er sah aus, als habe man unter seine Haut Luft gepumpt. »Wie geht es dir?«

»Mir ist schwindlig.« Brockmann schloß die Augen. Die Kühle des Wassers und die Kälte der Nacht waren wohltuend. Er wollte die Decke, die über ihm lag, abwerfen, aber Aisha hinderte ihn daran. »Mir ist so heiß«, sagte er leise.

»Du hast hohes Fieber, aber ich bin glücklich, daß du wieder lebst.«

»War ich denn tot?«

»Du warst noch mit einem Zipfel deines Lebens bei uns. Aber das Serum hat geholfen.«

»Welches Serum?«

»Hassan hatte es bei sich. Du kennst Hassan nicht. Er ist uns gefolgt, um dich zu töten. Aber ich war schneller.«

»Du . . . du hast ihn umgebracht?«

»Ich weiß es nicht. Ich habe ihn hinaus in die Wüste gejagt.« Aisha beugte sich über Brockmann. »Warum fragen wir, Oulf? Er hatte das Serum, ich mußte es haben, ich mußte dich retten . . . ich habe nur an dich gedacht.«

Brockmann schwieg. Als sich Aisha wieder über ihn beugte, schlief er bereits wieder. Aber es war ein anderer Schlaf. Seine Atemzüge waren tief und regelmäßig. Es war der Schlaf eines Genesenden.

Am frühen Morgen, kaum daß die Sonne wieder auf

den Sand brannte, summte es in der heißen Luft. Die Kamele zwischen den zerklüfteten Felsen hoben die Köpfe. Brockmann und Lore richteten sich auf, Aisha kroch aus der Höhle und sah in die flimmernde Luft.

»Hubschrauber«, sagte sie. »Zwei Stück. Sie fliegen unsere Route ab. Aber sie werden nichts finden. In der Nacht war ein starker Wind. Unsere Spuren sind ausgelöscht. Und hier zwischen den Felsen werden sie nichts entdecken.«

Sie haben Hassan bereits aufgegriffen, dachte sie dabei. Von heute an wird der Weg zur Grenze eine doppelte, eine dreifache, eine hundertfache Qual werden. Wir werden nur nachts reiten können. Am Tag müssen wir uns eingraben in den Sand und Hügel zwischen Hügeln sein. Sobald wir den schützenden Felsenriegel verlassen, werden wir wieder in gelber, glühender Einsamkeit sein.

Die ägyptischen Hubschrauber kreisten in weiten Bögen über Wüste und Felsen. Dreimal überflogen sie auch die zerklüftete Schlucht, in der sich die kleine Karawane verborgen hielt. Aber sie konnten nichts entdecken. Leblos lag das Land unter ihnen, leblos wie seit Jahrhunderten. Hier gab es keine Menschen, hier gab es nicht einmal Sandflöhe.

Als Aisha in die Höhle zurückkam, hafte Brockmann versucht, sich aufzurichten. Er lehnte an der Wand und schwankte bedrohlich. Sie sprang zu ihm und stützte ihn.

»Es ist vorbei«, sagte Brockmann tiefatmend. »Hier ist unsere Endstation. Hubschrauber — sie werden uns morgen oder übermorgen sehen wie vier Krümel auf einer Tischdecke.«

»Wir können hier ein paar Tage bleiben.« Aisha half Brockmann, sich auf eine Kiste zu setzen. »In der Nähe ist eine Wasserstelle. Ich kann die Wassersäcke auffüllen. Und außerdem haben wir noch das Kamelblut und den Blutkuchen.«

Brockmann nickte. Es würgte ihn in der Kehle, der Magen revoltierte. Aber er fühlte sich wesentlich stärker als in der Nacht. Er konnte wieder stehen, die Schwellung am Fuß ging zurück, das Fieber umklammerte nicht mehr sein Gehirn.

»Und nach diesen paar Tagen? Was dann?« fragte er.

»Dann reiten wir weiter.« Aisha schüttelte den Kopf. »Nein. Sie werden uns nicht mehr suchen. Sie werden glauben, daß die Wüste uns behalten und der Sand uns zugeweht hat.«

General Assban saß in Bir Assi vor dem Funkgerät und empfing laufend die Meldungen der suchenden Hubschrauber.

»Nichts!« schrie er. »Gar nichts! Sie können sich doch nicht in Luft aufgelöst haben? Das gibt es doch gar nicht! Habe ich denn nur Idioten in der Armee? Man muß doch drei Menschen und fünf Kamele in der Wüste sehen!«

»Vier Kamele, Herr General«, berichtigte ein Major hinter ihm.

»Fünf! Das fünfte sind Sie!« brüllte Assban. Er war außer sich. Der Staatspräsident hatte mit ihm durch das Telefon gesprochen. Kurz und prägnant.

»Entweder Sie holen Dr. Alf Brockmann zurück, oder Sie nehmen Ihren Hut und werden Bauer in einer Oase.«

General Assban wußte, daß dies keine billige Drohung war. Wer heute versagte, hatte keinen Platz mehr in der Gemeinschaft. Die verwegene Flucht der deutschen Geheimdienstgruppe mit Omnibus und Hubschrauber war ein zweiter Schlag gewesen, der das Ansehen Assbans fast völlig zerstörte. Heulend vor Wut war er in seinem Hauptquartier herumgerannt und hatte gedroht, Jussuf Ibn Darahn die Augen auszustechen und ihn zu entmannen, wenn er ihn jemals wieder in die Hände bekäme.

Was nutzte aber Fluchen und Schreien? Hauptmann Brahms war in Tripolis, das wußte man jetzt. Alf Brockmann war in die Wüste gezogen, das wußte man nun auch.

»Suchen! Suchen! Suchen!« schrie General Assban, als die Hubschrauber meldeten, auch im Felsenriegel von Bir Abu Massa sei kein Hauch von Leben zu sehen. »Sie müssen ja in diese Richtung gezogen sein! Es muß doch Spuren geben!«

»In der vergangenen Nacht war ein Sandsturm, General«, sagte der beschimpfte Major steif. »Sandstürme haben die Eigenschaft, Spuren im Sand zuzuwehen.«

»Das habe ich noch nicht gewußt. Danke für diese Belehrung«, zischte Assban giftig. Dann hieb er mit beiden Fäusten auf den Kartentisch, wo er mit einem dicken Rotstiftstrich die mögliche Reitroute Brockmanns eingezeichnet hatte. Wie eine Blutspur auf gelbem Grund sah es aus.

»Was sollen wir tun, wenn auch Allah gegen uns ist?« klagte er und hieb noch einmal auf den Tisch. »Es wird mir niemand glauben, daß drei Menschen und vier Kamele einfach verschwinden können.«

Der Fieseler Storch zitterte in allen Spanten, als der Motor angeworfen wurde und der Propeller sich fauchend und dröhnend drehte. Aus dem Motor quollen dunkle, fettige Ölqualmwolken.

»Det Ding ist seit vielen Jahren nicht mehr in Betrieb«, sagte der berlinische Araber. »Aba fliejen tut et. Ick habe nischt daran jeändert. Lassen wir det Ding mal 'ne Stunde im Leerlauf qualmen, dann is alles jeritzt.«

Hauptmann Brahms sah nachdenklich auf den alten, deutschen Vogel. Das war einmal der Stolz der deutschen Luftwaffe, dachte er.

Birgit zupfte Brahms am Ärmel und riß ihn so aus seinen wehmütigen Betrachtungen.

»Wann fliegen wir?« fragte sie.

»Wir? Wieso wir?«

»Ich komme selbstverständlich mit.«

»Sie bleiben selbstverständlich hier.«

»Nein.«

»Doch. Glauben Sie, ich nehme eine Frau mit, wo's knallt? Das hier ist kein Spaziergang.«

»Mein Weg nach Ägypten war alles andere als ein Spaziergang. Soll ich jetzt, kurz vor dem Ziel, umkehren?« Birgit hielt Brahms' Arm fest, als dieser weggehen wollte. »Können Sie nicht verstehen, daß ich Alf wiedersehen will?«

»Natürlich. Aber nicht in der Wüste. In einem Hotelbett ist das angenehmer.«

»Sie sind geschmacklos, Brahms.«

»Verdammt noch mal, überlegen Sie doch! Ich brauche Ihren Platz für einen Mann, der schießen kann. Es wird überhaupt alles sehr brenzlig werden. Der Storch kann nur ein paar Mann mitnehmen. Und ob der alte Vogel sich dann noch in die Luft heben wird, ist auch eine Frage. Himmel, was soll ich da mit Ihnen? Warten Sie hier, bis ich Ihnen Ihren Alf in die Arme lege.«

Um die gleiche Zeit flogen mit einem Liniendienst der libyschen Fluggesellschaft zwanzig Deutsche in das riesige Oasengebiet Kufra, ein grünes, blühendes Stück Landschaft mit hunderttausend Palmen und vielen kleinen Dörfern mitten in der Wüste. Eine Oase, größer als das Rheinland. Von Kufra aus bis zur ägyptischen Grenze waren es kaum 200 Kilometer. Eine alte Karawanenstraße führte von El Ddschof bis zu einer meist versandeten Wasserstelle. Dort endete sie; denn dahinter, auf ägyptischem Gebiet, war das Nichts.

Diese zwanzig ehemaligen deutschen Soldaten mieteten sich gleich nach ihrer Ankunft in den Kufra-Oasen in dem großen Ort Bzéma einen Lastwagen, zwei Jeeps und sechs Kamele und machten sich auf den Weg an die Grenze. Die Eingeborenen hielten sie für Selbstmörder oder Irre, sie begleiteten den Treck noch eine Weile mit Geschrei und Warnungen und kehrten erst um, als nach dem grünen Gürtel der Oasen die gelbe Weite der Sanddünen begann.

In Tobruk stieg der Fieseler Storch auf, kreiste dreimal

über dem Fabrikgelände und entfernte sich dann rasselnd nach Südosten.

Der Berliner starrte in die blauflimmernde Luft und winkte mit beiden Händen. Es war ein merkwürdiges Gefühl, das ihn ergriff; es war, als sei die Zeit zurückgedreht worden.

Auch die Libyer starrten in den Himmel, als der Fieseler Storch über sie hinwegbrummte. Die Bodenstationen der libyschen Luftabwehr hatten Befehl bekommen, das Flugzeug nicht zu beachten. Es gab es einfach nicht.

Hauptmann Brahms hockte neben dem Piloten und studierte die Wüstenkarte. Hinter ihm saßen Oberfeldwebel Franz und der Riese Baraf. Sie hatten auf den Knien Maschinenpistolen liegen und in den Koppeln alte, deutsche Stielhandgranaten. Aus einem verborgenen Magazin waren sie plötzlich aufgetaucht. Drei Kisten voll. Vorzüglich gepflegt. Bei einem Probewurf in der Wüste zeigte sich, daß sie noch explodierten.

»Jenseits des Felsenriegels zu suchen ist sinnlos«, sagte Brahms und tippte auf die Karte. »Sie können vor den Felsen sein oder — wenn sie gut geritten sind— in ihnen. Hoffentlich kommen wir noch rechtzeitig. Ich habe keine Lust, die drei aus einer Kompanie Kamelreiter herauszuhauen.«

Summend zog der Fieseler Storch nach Süden. Er überflog auch die Oase von Kufra und wurde dort, wie überall, wie ein Weltwunder, wie ein fliegender Geist bestaunt.

»Da sind sie!« schrie Oberfeldwebel Franz plötzlich und zeigte zur Seite. In der Wüste krochen drei Wagen und sechs Kamele durch den Sand. Sie hatten den letzten Brunnen hinter sich. Da die Wüstengrenze nur eine Linienziehung auf der Karte ist und im Sand nur alle dreißig oder fünfzig Kilometer durch eine einsame Stange mit der ägyptischen Fahne kenntlich ist — Fahnen, die per Hubschrauber abgesteckt worden waren —, bewegte sich die kleine Truppe dort unten bereits auf ägyptischem Gebiet.

Weit hinten am Horizont, im Sonnenglast schwimmend, wie eine bläuliche Fata Morgana, sah man den Felsenriegel.

Der Fieseler Storch ging etwas tiefer. Die Männer unten in den Wagen winkten hinauf, der Pilot wackelte mit den Tragflächen zur Begrüßung, dann zog er die Maschine wieder hoch und nahm Kurs auf das blaue Gebirge.

Eine einmalige Befreiungsaktion lief an.

Sie war generalstabsmäßig vorbereitet und so unglaublich, daß sowohl Ägypten wie auch Libyen darüber schwiegen, weil in der Welt kein Platz mehr ist für Abenteuer, die nicht wahr sein können.

Am späten Nachmittag erreichte der Fieseler Storch den Felsenriegel. Um die gleiche Stunde landeten auch zwei Hubschrauber der ägyptischen Luftwaffe vor den Felsen und luden zehn Soldaten aus. Sie hatten den Auftrag, mit Luftunterstützung die Felsen und Schluchten systematisch durchzukämmen. »Nur da können sie sich versteckt halten!« hatte General Assban geschrien. »Nur da! Ihr findet sie — sonst braucht ihr gar nicht wieder zurückzukommen!«

Das Schicksal Alf Brockmanns war auf wenige Stunden zusammengeschrumpft.

17

Eine Stunde nach dem Abflug des Fieseler Storchs entzog sich Birgit Brockmann der von Hauptmann Brahms angeordneten Bewachung durch Zuraida, entwischte aus ihrem Hotelzimmer und fuhr mit einem schnellen Taxi nach Bengasi. Dort erreichte sie das letzte Transportflugzeug der libyschen Transportgesellschaft, die täglich viermal Waren in die Oasengruppe Kufra flog.

»Ich gebe Ihnen ein dickes Bakschisch«, sagte sie zu dem Flugzeugführer in der Wellblechbaracke am Rande des Flugfeldes. »Nehmen Sie mich mit. Ich setze mich auf eine Kiste. Ich nehme keinen Platz weg, und schwer bin ich auch nicht. Und fragen Sie nicht: Ich gebe Ihnen soviel, wie Sie sonst im ganzen Monat verdienen.«

Der libysche Flugzeugführer hob die Schultern. Geld ist der stärkste Magnet, dachte er. Es saugt selbst die Vernunft aus dem Gehirn.

»Ich werde Sie nachher in dem Transportraum der Maschine verstecken«, sagte er in holprigem Englisch. »Aber wenn Sie einer entdeckt — ich weiß von nichts. Sie sind blinder Passagier.«

»Abgemacht.« Birgit drückte ein paar große Geldscheine in die braune Hand des Libyers. »Wann fliegen Sie?«

»In zehn Minuten.«

Als Zuraida den neuerlichen Alleingang Birgits entdeckte, war es bereits zu spät, etwas zu unternehmen. Hauptmann Brahms konnte nicht verständigt werden. Birgit schwebte bereits in der Luft, der »Stoßtrupp« hatte die Oase Kufra längst verlassen und befand sich in der Wüste.

»Man hätte sie festbinden sollen!« rief Zuraida verzweifelt. »Jetzt wird sie in ein Räderwerk geraten und zermahlen werden. Sie kann doch jetzt gar nichts mehr ausrichten. Wo will sie denn bloß hin?«

Mit der Abenddämmerung landete Birgit auf dem kleinen Flugplatz Bzéma der Oase Kufra.

400 Kilometer weiter südöstlich trafen in dieser Stunde Hauptmann Brahms und die ägyptische Militärsuchgruppe in den Felsen aufeinander.

Der Fieseler Storch kreiste wie ein riesiger Geier über dem Felsenriegel. Zuerst waren es große Bogen, aber dann wurden die Kreise immer kleiner und enger, wie bei einem Raubvogel, der sein Opfer gesichtet hat.

Hauptmann Brahms tastete die Felsen Stück für Stück ab, immer in der großen Hoffnung, daß Alf Brockmann sich wirklich hier verborgen hielt.

Zum viertenmal kreiste der alte Vogel mit dem knatternden Motor bereits über der Schlucht, in der die Höhle lag. Die Kamele hatte Aisha einzeln in eine Seitenschlucht geführt, an dicken Steinen festgebunden und sich niederlegen lassen. Sie sahen aus der Luft wie verwitterte Felsen aus, über die graubrauner Sand geweht war. Dann, als das Flugzeug näher kam, rannte sie zur Höhle zurück und beobachtete vom Eingang aus das beängstigende Kreisen über ihrer Schlucht.

»Wieder die Hubschrauber, Aisha?« fragte Brockmann. Er war bis zum Eingang geschwankt. Hinter ihm tastete sich an der Felswand Lore Hollerau heran. Auch sie wußte, daß die Hubschrauber das Ende ihrer Flucht bedeuteten. So grausam die Zukunft werden würde — fast war sie froh, daß die Hetze durch Sand und Sonnenglut ein Ende hatte. Sie werden Alf nichts tun, dachte sie. Sie brauchen ihn und seine Forschungen. Ich bin eine blinde Frau, ich bin mitgeschleppt worden wie ein Wassersack oder ein Sattel. Aber Aisha werden sie verurteilen, erschießen und verscharren. Sie wird die Verliererin sein in diesem Abenteuer.

»Das ist kein Hubschrauber«, sagte Aisha vom Eingang her. »Das ist ein normales Flugzeug mit einem merkwürdigen Zeichen unter den Tragflächen und am Rumpf. Es sieht wie ein schwarzes Kreuz aus.«

»Wie ein schwarzes Kreuz?« Alf Brockmann wischte sich über das Gesicht. Staub und Schweiß bedeckten ihn. Am Tage waren auch die Höhlen heiß, und der Flugsand machte einen Umweg um sie. »So etwas gibt es ja gar nicht mehr«, sagte er schwach.

»Doch. Doch. Es ist ein Kreuz.«

Brockmann stolperte zu Aisha. Er stützte sich auf ihre Schulter, trat einen Schritt ins Freie und starrte in den Himmel.

Dieser Fieseler Storch zog wieder seine Kreise. Das Balkenkreuz der alten deutschen Luftwaffe glänzte in der Abendsonne.

»Ein deutsches Flugzeug...«, stammelte Brockmann und rang nach Luft. »Ein deutsches... aus dem letzten Krieg... ein Storch... Aisha... Aisha... die suchen uns... es sind Freunde...«

Ehe Aisha ihn festhalten konnte, war er in die Schlucht hinausgestürzt. Schwankend stand er auf den Steinen, riß sich sein Hemd vom Körper und schwenkte es hoch durch die Luft. Und dann schrie er... die ganze Qual der vergangenen Tage löste sich in einem sinnlosen Schrei und in einem noch sinnloseren Wort von ihm. Er brüllte: »Hurra! Hurra! Hurra!« und warf das Hemd in die Luft, fing es wieder auf, schwenkte es und lief taumelnd hin und her. Entsetzt, aber wie gelähmt stand Aisha am Höhleneingang und ließ ihn gewähren. Es hat keinen Sinn mehr, dachte sie. Es ist zuviel für uns alle. Wir haben uns überschätzt.

Allah schütze uns jetzt.

»Da!« brüllte Hauptmann Brahms nach einer langen Schleife und stieß mit dem Zeigefinger gegen das Glas der Kabine. »Da. In dem Einschnitt! Da winkt einer! Das ist er! Das ist er!«

»Wo landen wir?« Der Pilot zog den Storch wieder hoch und überflog den Felsenkamm. Jenseits der Schlucht, wo die Unendlichkeit begann, die drei schwache Menschen überwunden hatten, schaukelten wie zwei Hornissen zwei Hubschrauber heran.

»Mist!« sagte Brahms, als der Pilot wortlos mit dem Daumen nach vorn zeigte. »Jetzt wird es doch krachen. Junge, lande irgendwo auf freiem Feld. Wir müssen uns den Rückflug doch freischießen. Es ist zum Kotzen!« Er wandte den Kopf zu Baraf, der wie unbeteiligt in der engen Kabine hockte. »Baraf?«

»Herr?«

»Du kümmerst dich um die Gefundenen. Du rennst sofort in die Schlucht. Alles andere wird sich finden. So, und jetzt runter, mein Junge. Von mir aus lande auf den Köpfen der Ägypter.«

Der Fieseler Storch schwebte noch einmal in einem Bogen über der Schlucht. Unten in den Felsen schwenkte Alf Brockmann noch immer sein heruntergerissenes Hemd. Dann zog das Flugzeug tief über die Grate und setzt in einer riesigen Staubwolke im Sand der Wüste auf.

»O Jammer«, sagte der Pilot, als die Maschine ausrollte und sich der Staub langsam verzog. »So etwas hätten wir auf der Kampffliegerschule lernen müssen. Aber da hatten wir nur Betonpisten. Auf jeden Fall — der Kasten steht. Nur, wie wir hier wieder hoch sollen, ist mir 'n Rätsel.«

»Mir auch, mein Junge.« Brahms schob die Glaskanzel auf. An der Seite kippte die Tür der Kabine herunter. Mit einem Tigersatz sprang Baraf in den Wüstensand. Vereinzelte, ferne Schüsse empfingen ihn. Von der Seite, von den Felsen her, näherte sich eine Schützenkette von Soldaten. Oberfeldwebel Franz war der nächste, der in den Sand rollte und hinter den Flugzeugrädern in Deckung ging.

»Das erinnert mich an Marsa Matruk«, sagte Hauptmann Brahms und drückte den Sicherungsflügel der Maschinenpistole herum. »Da griffen die Tommies auch in Schützenkette an, und wir saßen in einem Erdbunker, sieben Mann hoch, und hatten seit drei Tagen nichts mehr gefressen. Bis auf dreißig Meter ließen wir sie heranmarschieren und dann . . .« Er wischte sich über die Augen. »Also denn, Leute — es muß sein.«

Als Brahms in den Sand fiel und hinter das Leitwerk des Fieseler Storchs robbte, begann Franz bereits zu schießen. Über die Wüste, wie ein riesiges schwarzes Tier, hetzte Baraf auf die Felsen zu. Hinter ihm spritzten die Einschläge der ägyptischen Gewehrschüsse in den Sand. Er rannte, nach vorn geduckt, vor seinem Tod her.

»Schüsse niedrig halten!« schrie Brahms. »Wir wollen keinen töten!« Er feuerte ein paar Salven auf die Schützenkette und sah mit grimmigem Lächeln, wie die Soldaten sich hinwarfen und sich wie Sandechsen in den Wüstensand wühlten.

Baraf rannte und rannte. Er erreichte das Vorfeld der Felsen, übersprang große Steine und stolperte über verwitterte Steinbarrikaden. Dann blieb er wie zurückgerissen stehen. Aus der Schlucht taumelte ihm ein weißer Mann mit auf gerissenen, flackernden, fiebernden Augen entgegen. Er schwenkte noch immer sein zerrissenes Hemd über dem Kopf und stieß unverständliche, fast irre Laute aus.

Als er Baraf sah, diesen riesigen schwarzen Nubier, fiel er auf die Knie und kroch weiter auf ihn zu. In diesem Augenblick rannte aus den Felsen ein Mädchen mit langen, flatternden Haaren, in der Hand eine Pistole. Sie richtete sie auf Baraf, spreizte die Beine und rief mit heller Stimme:

»Stehenbleiben! Noch einen Schritt, und ich schieße!« Und als Baraf sie fassungslos anstarrte, schrie sie: »Nimm die Hände hoch, du schwarzer Affe! Dreh dich um! Und rühr dich nicht!«

Gehorsam tat Baraf alles, was Aisha verlangte.

Aus der Wüste ertönte neuerlich Gewehrfeuer.

Von seinem Platz aus, einem Felsblock, gegen den er sich stützte, überblickte Alf Brockmann die vor ihm liegende Wüste.

Er sah das gelandete Flugzeug mit den schwarzen Balkenkreuzen, sah, wie drei Männer im Schutze der Räder in Stellung gingen und das Feuer auf die in Schützenkette vorgehenden ägyptischen Soldaten eröffneten.

»Es sind Deutsche!« schrie Brockmann und warf wieder die Arme hoch. »Aisha! Nicht schießen! Es sind Freunde — sie helfen uns! Sie holen uns! Wir sind gerettet! Gerettet!«

Aisha musterte den breiten, schwarzglänzenden Rücken Barafs. Zwischen den Felsen tauchte nun auch Lore Hollerau auf . . . sie tastete sich mit vorgestreckten Armen durch das Steinlabyrinth und ging dem Klang der Schüsse nach.

»Alf!« rief sie dabei. »Alf, wo bist du? Nimm mich mit! Sie sollen mich auch töten, wenn sie dich umbringen!«

Baraf drehte sich langsam wieder um. Sein breites Gesicht war durch ein Grinsen noch breiter geworden. Aisha hatte die Pistole gesenkt.

»Habt ihr noch mehr Waffen?« rief er mit seiner rauhen, dunklen Stimme.

»Natürlich! Gewehre.«

»Wo?«

»Dort in der Höhle.«

Baraf lief hin und kam kurz darauf mit zwei Gewehren und einigen Gurten Munition zurück. Er warf Aisha ein Gewehr zu und ging selbst hinter einem großen, verwitterten Steinhaufen in Deckung.

»Los!« schrie er. »Steh nicht herum, du Hexe! Wenn wir sie von der Seite beschießen, lassen sie von meinem Herrn ab.«

Aisha sah Brockmann mit einem langen Blick an. Er lag kraftlos auf den Knien und schwankte in einem Zustand zwischen Bewußtsein und Ohnmacht. Lore Hollerau saß am Ausgang der Schlucht, den Kopf weit in den Nacken gelegt, und lauschte auf das Gewehrfeuer. Sie konnte nicht mehr weiter, ihre Hände hatten keinen Halt mehr, griffen ins Leere. Sie zuckte zusammen und duckte sich unwillkürlich, als nahe bei ihr die ersten Gewehrschüsse aufpeitschten. Aisha und Baraf beschossen die ägyptischen Soldaten.

»Nicht schießen!« wimmerte Brockmann gegen den nackten, heißen Felsen. Er glaubte, daß Aisha auf das deutsche Flugzeug zielte. »Nicht schießen! Es sind Deutsche ...« Er versuchte, sich aufzurichten, aber seine Beine versagten völlig den Dienst, sie rutschten unter ihm weg wie Hölzer auf einer Eisfläche.

Die Ägypter stellten das Feuer ein. Ein Offizier erhob sich aus seinem schnell in den Wüstensand gegrabenen, flachen Deckungsloch und schwenkte ein weißes Tuch.

Brahms kroch hinter den schützenden Flugzeugrädern hervor und stand gleichfalls auf. Die plötzliche Stille in der Wüste war bedrückend.

Die Ägypter sammelten sich nun. In ihrer Mitte trugen sie vier verwundete Kameraden und schleppten sie zu den Hubschraubern. Der junge Offizier schwenkte noch immer sein Taschentuch und ging als letzter der Kolonne zu den Kamelen zurück.

Mit eisiger Ruhe zielte Baraf auf diesen letzten Mann. Aber bevor er abdrücken konnte, schlug ihm Aisha auf den Lauf des Gewehrs. Die Kugel schlug in die Felsen und surrte als Querschläger über ihre Köpfe zurück.

»Er hat sich ergeben!« schrie sie. Baraf war aufgesprungen und machte Anstalten, Aisha mit dem Kolben des Gewehrs zu erschlagen. Er schwenkte die Waffe über seinem Kopf, und es war sicher, daß dieser Schlag den Kopf Aishas völlig zertrümmern würde.

»Eine List ist das!« schrie er dabei. »Sie wollen Zeit gewinnen! Sie holen Verstärkung! Töten, alle töten. Nur ein toter Mann ist friedlich.«

Durch den Sand rannten Hauptmann Brahms und Oberfeldwebel Franz auf die Felsen zu. Der Pilot war wieder in die Kabine geklettert und ließ den Motor laufen. Der Propeller drehte sich, aber nach ein paar Meter versanken die Räder im tiefen Sand und wirbelten eine undurchsichtige Staubwolke auf, die das ganze Flugzeug einhüllte.

»So eine Scheiße!« sagte der Pilot dabei. »Ich habe es geahnt . . . hier kommen wir nicht wieder raus.«

Alf Brockmann lehnte mit dem Rücken gegen den Felsen und stierte auf das Bild, das sich ihm bot. Aisha stand hochaufgerichtet vor einem riesigen Neger, der sein Gewehr über dem Kopf kreisen ließ und jeden Augenblick zuschlagen konnte. »Nein«, stammelte er kaum hörbar. »Nein. Nicht Aisha. Nicht.« Er zog seinen Revolver aus dem Gürtel und es war ihm, als wiege er einige Zentner.

Mit zitternden Händen umkrallte er den Griff, hob den Revolver in Augenhöhe und zielte, so gut es der schwankende Lauf zuließ. Dann drückte er ab und sah, noch bevor ihm die Waffe aus den erlahmenden Händen fiel, wie Baraf zusammenzuckte, sein Gewehr fallen ließ und mit tierischem Gebrüll an seinen Oberschenkel griff. Wie ein gefällter Baum fiel er dann um, schlug mit dem Hinterkopf auf die Steine und blieb reglos liegen.

In diesem Augenblick erreichte Hauptmann Brahms die Felsen. Schwitzend, keuchend, nach Luft ringend überblickte er die kleine Menschengruppe und den hingestreckten Baraf.

»Was habt ihr mit Baraf gemacht?« brüllte er. »Seid ihr verrückt?« Er sah Aisha neben dem Nubier stehen, die Pistole noch immer in der Hand. »Oh, du Hurenaas!« schrie Brahms. »Wenn Baraf tot ist, himmelst du auch ab!« Er hob sein Schnellfeuergewehr und ging auf Aisha zu.

Das Mädchen wich zurück. In ihren Augen waren Angst und Haß. Sie wagte nicht, die Pistole zur Abwehr zu heben. Brahms würde rücksichtslos schießen, das wußte sie. Sein Finger lag am Abzug, er brauchte ihn bloß noch zu krümmen.

Alf Brockmann stemmte sich mit dem Rücken an seinem Felsblock hoch, bis er stand. Woher er die Kraft nahm, war ihm selbst ein Rätsel. Aber er stand, er konnte sich sogar bewegen, die bisher schlaffen Beine trugen seinen Körper, er ging ein paar Schritte, und wenn es auch nur ein Schwanken war . . . er bewegte sich auf Brahms zu.

»Nein!« rief er mit letzter Kraftreserve. »Lassen Sie Aisha in Ruhe! Ich habe geschossen! Ich! Er wollte Aisha erschlagen . . .«

Hauptmann Brahms fuhr herum. Er warf das Gewehr am Gurt über den Rücken und rannte zu Brockmann. Oberfeldwebel Franz kniete bereits bei Baraf und untersuchte ihn. In der Wüste stiegen die beiden ägyptischen Hubschrauber auf. Der Fieseler Storch bemühte sich noch immer, aus dem tiefen Sand herauszukommen und näher an die Felsen heranzurollen.

»Mensch, ist das ein Durcheinander! Ich bin glücklich wie eine Jungfrau, die die Liebe entdeckt hat, weil ich Sie gefunden habe, und Sie legen meinen besten Mann um.« Hauptmann Brahms umarmte Alf Brockmann und stützte den Schwankenden gleichzeitig.

»Ich danke Ihnen, ich danke Ihnen . . .«, sagte Brockmann mühsam. Er legte den Kopf auf Brahms' Schulter. »Ich hatte schon mit allem abgeschlossen.«

»Nicht, solange Brahms noch Meff sagen kann.« Er blickte zur Seite. Oberfeldwebel Franz und Aisha schleppten Baraf zu der Höhle. »Sie haben dem guten Baraf in den Batzen geknallt?«

»Ja. Er wollte . . .«

»Alles Mißverständnisse. Die Leute haben keine militärische Ausbildung. Wenn sie knallen können, schießen sie nach links und rechts, wenn's nur schön ballert. Auf jeden Fall bin ich beruhigt, daß Baraf nur leicht verletzt ist. Wissen Sie, Brockmann, dieser Baraf ist so etwas wie eine Versicherungspolice. Solange ich sie habe, kenne ich keine Zukunftssorgen. Baraf ist für mich sicherer als eine Nylonschußweste.« Er faßte Brockmann unter die Achseln und richtete den Zusammengesunkenen auf. »Wie geht es Ihnen?«

»So wie es einem Skorpionvergifteten geht.«

»Skorpion? So eine Scheiße!« Brahms sah auf den verbundenen, nackten Fuß Brockmanns. »Und Sie leben noch? Hat diese Aisha Ihnen die Wunde ausgebrannt?«

»Ja. Aber sie hatte auch Serum. Woher, weiß ich nicht. Mir fehlen einige Stunden völlig . . . vielleicht auch ein ganzer Tag.«

Brahms schraubte das Mundstück von einer Feldflasche und hielt sie Brockmann an die Lippen. Nach dem ersten Schluck begann er heftig zu husten.

»Was ist das für ein Teufelszeug?« keuchte er.

»Tee mit Gin. Das bringt mümmelnde Greise auf die Beine. Noch einen Schluck, Brockmann. Beim vierten Schluck tanzen Sie Samba.«

Die ägyptischen Soldaten aus den beiden Hubschraubern hatten inzwischen Verstärkung durch Kamelreiter erhalten, die jetzt bei ihren Tieren standen und warteten. Sie sahen zu, wie sich der Fieseler Storch vergeblich bemühte, aus dem tiefen Sand herauszukommen. Der junge Leutnant saß vor einem Funkgerät und empfing die Schimpfkanonade General Assbans.

»Angreifen!« funkte er aus Bir Assi zu den vierhundert Kilometer weit entfernten Soldaten in der glühenden Wüste. »Wenn in einer Stunde nicht die Meldung eintrifft, daß der Kampf weitergeht, wird die gesamte Patrouille wegen Feigheit vor dem Feind erschossen! . . . Es sind weitere Verstärkungen angefordert. Vier Hubschrauber mit Granatwerfern. Verhindert die Flucht der Deutschen, bis die Verstärkung eintrifft«

Der junge Leutnant schaltete das Funkgerät aus. Feigheit hat er uns vorgeworfen, dachte er. Ich will meine Ehre nicht verlieren. Bevor ich als Feigling an einem Pfahl sterbe, will ich untergehen wie ein tapferer Moslem, wie ein Kind des Propheten.

»Fertigmachen!« kommandierte er. »Wir holen uns das Flugzeug!«

Die Kamelreiter saßen auf. Schreiend erhoben sich die Kamele und fielen sofort in einen Galopp. Der Leutnant folgte ihnen mit den Soldaten aus den Hubschraubern.

»Sie stürmen unseren Storch!« schrie Hauptmann Brahms, ließ Brockmann los und umklammerte das Schnellfeuergewehr. »Himmel, Arsch und Wolkenbruch!« Mit ein paar Sätzen rannte er zurück, warf sich in den Sand und begann, auf die Kamele zu schießen.

In diesem Augenblick hatte sich das Flugzeug in einer riesigen Staubwolke durch die Sandkuhle gebohrt und schien etwas härteren Boden unter die Räder zu bekommen. Mit einem Ruck schoß der Fieseler Storch vorwärts, als sei er von einem Katapult geschleudert worden. Er preschte aus der Staubwolke hervor und geradewegs auf die anstürmenden Kamele zu.

»O lieber Gott!« stammelte Brahms und stellte sein Gewehrfeuer ein. »Das gibt einen seltenen Zusammenstoß.«

Die ersten Kamele blieben aus dem Galopp heraus stehen. Sie stemmten die Beine wie Rammpfähle in den Sand, und die Soldaten flogen in hohem Bogen über den Hals in den Staub. Die nachfolgenden Kamele schlugen einen Haken und rasten im rechten Winkel oder nach rückwärts davon. Das donnernde Propellergeräusch, das im Sand wippende, große, weitflügelige Wesen erschreckte sie maßlos. Außerdem warf der Pilot aus der geöffneten Kabine rechts und links Handgranaten von sich. Es war ein Höllenlärm, dem kein Kamel widerstand. Auch die Soldaten ohne Kamele wurden mitgerissen in die Flucht.

Der letzte, der in wilder Verzweiflung eine Wendung der Dinge versuchte, war der junge Leutnant. Er stand mit dem Mut der Verzweiflung im Sand und schoß auf die rasenden Propellerflügel.

Hauptmann Brahms kniff die Lippen zusammen. Er hatte die einsame, tapfere Gestalt im Visier. Es blieb ihm keine andere Wahl, als abzudrücken, um das Flugzeug und damit sie alle zu retten.

»Armer Kerl«, sagte er, als der junge Leutnant die Arme hochwarf und in den Sand fiel. »Was hast du nun davon, morgen als Held gefeiert zu werden?«

Das Flugzeug zog einen weiten Halbkreis und kam dann mit gedrosseltem Motor auf die Felsen zu. Die wildgewordenen Kamele rasten dem Horizont entgegen. So sehr die Soldaten an den Zügeln rissen und auf die Tiere mit ihren dicken Kamelpeitschen einschlugen — sie waren nicht mehr zu bändigen. In schreiender Panik rannten sie zurück in die Unendlichkeit der Wüste.

Brahms ging zurück zu Alf Brockmann, der hinter seinem Felsbrocken in Deckung gegangen war. Er sah nicht Lore Hollerau, die sich weitergetastet hatte und zwei Meter von ihm zwischen Geröll und Steinen lag, mit zerschundenen Händen und Knien und aufgeschürftem Gesicht. Sie war ein paarmal gestolpert und hingefallen und klaglos wieder aufgestanden.

»Wir müssen sofort abfliegen, Brockmann«, sagte Brahms und setzte sich neben Alf. »Es ist sicher, daß Verstärkungen aus Bir Assi herangeflogen werden, und dann beginnt die Kacke zu dampfen. Dann müssen Sie längst über alle Berge sein. Übrigens —«, Brahms lächelte breit und klopfte Brockmann auf die Schulter, »in Tobruk wartet jemand auf Sie. Ich wollte es Ihnen erst im Flugzeug sagen, aber nach vier Schlucken Tee mit Gin sind Sie stark genug, das zu ertragen.« Er machte eine lange Pause, während ihn Brockmann erstaunt ansah.

»Mich erwartet jemand?« fragte Alf kopfschüttelnd.

»Ja. Mittelgroß. Blonde Haare. Wohlgeformte Figur mit Rundungen überall da, wo sie hingehören. Und ein mutiges Geschöpf dazu, das keinen Teufel fürchtet und sich durch die Hölle beißt, nur um zu seinem Alf zu kommen, an dessen Tod es nie geglaubt hat.«

Brockmann setzte fast der Herzschlag aus. Das ist nicht möglich, dachte er. Das ist eine Verwechslung. Birgit liegt in Bir Assi. Unter einem Malvenstrauch steht ihre wundervoll ziselierte, kupferne Urne. Mit einem Flugzeug ist sie aus Deutschland gekommen. General Assban hat sie selbst gebracht . . . So etwas gibt es ja gar nicht —

»Na?« sagte Hauptmann Brahms mit breitem Lächeln. »Nun jubeln Sie mal, Brockmann.«

»Das ist nicht wahr«, stammelte Alf. »Das kann nicht wahr sein . . .«

»Es geschehen noch Wunder. Ich habe Ihr wundervolles Weib selbst nach Tobruk gebracht. Ja. Glauben Sie es nur. Birgit wartet auf Sie.«

»Sie ist tot. Ihre Urne . . .«

»Ich weiß. Sie haben sie mir ja gezeigt. Ein ganz übler Trick von Assban. Man wollte Sie für immer in Ägypten festhalten, Ihre Vergangenheit auslöschen, alle Brücken zu Deutschland hinter Ihnen abbrechen. Darum mußte Ihre Birgit für Sie sterben, wie Sie ebenfalls durch einen Unfall ums Leben kamen und man Ihrer Frau auch eine Urne aushändigte — mit Ihrer Asche. Nur glaubte Ihre tapfere Frau nicht an Ihren Tod und machte sich auf, Sie zu suchen.«

»Und um sie zurückzuhalten, wurde mein Jörgi entführt . . .«

»Genauso war es.«

»Und Birgit lebt?« Brockmann schloß die Augen, Tränen rannen unter seinen geschlossenen Lidern über seine eingefallenen, zuckenden Wangen und gruben schmale Rillen in den dicken Staub, der sein Gesicht bedeckte. »Sie lebt wirklich?«

»Sie wartet in Tobruk auf Sie, sie wollte erst mitfliegen, aber ich habe sie mit Gewalt zurückgehalten.«

Brockmann nickte. Er war jetzt unfähig, zu sprechen.

Birgit lebt, dachte er nur immer wieder. Sie lebt. Sie lebt. Meine Birgit!

Und dann wandte er den Kopf weg, als wenn Brahms sehen könnte, was jetzt in seiner Seele tobte.

Was wird aus Lore, dachte er und spürte, wie sein Herz zentnerschwer wurde. Was wird aus Aisha? Lore liebt mich, und sie hat ihre Augen für mich geopfert. Und Aisha ist meine Geliebte geworden, vor zwei Tagen, im weichen Bett des Wüstensandes.

Aber Birgit lebt!

O mein Gott, wie konnte ich so etwas ahnen?

Hauptmann Brahms schwieg. Er empfand selbst, daß jetzt Worte nicht mehr helfen konnten.

Niemand hörte, wie hinter ihnen Lore Hollerau zurück durch die Steine und das Geröll kroch. Der Motorenlärm des näher kommenden Fieseler Storchs deckte alle anderen Geräusche zu.

Birgit lebt, dachte sie. Ihr schönes Gesicht mit den leblosen, braunen Augen zuckte. Sie hatte alles mitangehört.

Mein Gott, laß mich sterben. Schmerzlos und schnell ... denn schlimmer als mein Herz jetzt blutet, kann es nicht werden.

Jemand ergriff sie an den Schultern, richtete sie auf, lehnte sie gegen eine Felswand.

»Wie sehen Sie denn aus?« fragte eine Stimme.

Aisha.

Lore Hollerau tastete mit beiden Händen nach vorn und bekam Aishas Brust zu fassen. Ihre Finger schlossen sich, sie krallte sich in dem weichen Fleisch fest.

»Sie lebt ...«, keuchte sie. »Sie lebt ... seine Frau ... Sie wartet auf ihn in Tobruk ... Brahms hat es eben erzählt ... Birgit Brockmann lebt.«

Aisha verbiß den Schmerz, den Lores Finger an ihrer Brust aufrissen. Wie Eis war plötzlich ihr heißes Blut. Es schien ihr, als erstarre sie von innen.

Sie lebt, dachte sie.

Die selige Nacht in der Wüste werden wir vergessen.

Die Einsamkeit wird wieder um mich sein, wie früher und immer. Es wird kein Glück mehr geben. Was aber ist das Leben ohne Glück?

»Aisha!« Lores Kopf fuhr vor. »Was willst du tun?«

»Ich will nicht mehr leben«, antwortete Aisha ruhig.

»Dann nimm mich mit«, flüsterte Lore. Ihr Kopf fiel auf die Brust. »Laß mich nicht zurück in dieser fürchterlichen Welt.«

Aisha nickte. »Komm!« sagte sie mit fester Stimme, legte den Arm um Lores zuckende Schultern und führte sie zurück zur Höhle.

Der Fieseler Storch hatte den Rand des Felsenriegels erreicht und drehte bei. Der Untergrund war so hart mit Kieseln durchsetzt, daß sich eine leidlich gute Startbahn ergab, wenn man zum Piloten begabt war. Der Propeller drehte sich im Leerlauf. Hauptmann Brahms wischte sich über das staubige Gesicht und wandte sich dem still vor sich hin starrenden Brockmann zu.

»Kommen Sie!« sagte er. »Ich möchte längst über der libyschen Grenze sein, wenn die Hubschrauber von General Assban anwackeln. Ich habe mir das so gedacht, daß Sie und Ihre Begleiterin —«, er meinte Lore » — zusammen mit mir fliegen, während Baraf und Franz sich mit Aisha weiter nach Westen durchschlagen. Von Kufra aus kommt ihnen eine wohlausgerüstete Kolonne entgegen, ein Stoßtrupp alter Prägung. Lauter rauhe Kerle, die nicht vergessen haben, wie man einen Wüstenkrieg führt. Beide Gruppen können sich morgen abend begegnen. Meine Leute sind motorisiert und haben einen Weg entdeckt, der fast gefahrlos bis zu diesem mistigen Felsenriegel führt.«

Alf Brockmann schüttelte den Kopf. Verblüfft sah ihn Brahms an.

»Was heißt das? Sie schütteln den Kopf?«

»Ich kann Aisha nicht hierlassen. Garantieren Sie mir, daß ihr nichts geschieht?«

»Sie wissen genau, Brockmann, daß eine solche Garantie Blödsinn ist. Die Ägypter werden laufend die Karawane angreifen.«

»Sehen Sie!«

»Baraf und Franz sind mit den modernsten Feuerwaffen ausgerüstet . . .«

»Ich habe Aisha viel, wenn nicht alles zu verdanken. Daß ich lebe, ist ihr Verdienst. Andererseits hat Lore Hollerau ihr Augenlicht geopfert. Ich weiß, ich weiß — Aisha hat das Paket mit der Bombe gebracht . . . aber was sie in den letzten Tagen für mich getan hat, war mehr als ein Abbüßen.«

»Alles ganz schön und gut. Aber was soll's?« Brahms stand auf und zog Brockmann mit sich hoch. Der Pilot winkte. »Beeilung! Wir müssen zur Maschine. Ich hole Ihre . . .«

»Halt!« Brockmann hielt Brahms fest. »Holen Sie Lore und Aisha . . . ich reite mit Baraf und Franz.«

»Total verrückt, was?« Brahms brüllte plötzlich. »Glauben Sie, ich mache hier einen Privatkrieg, um zwei verliebte Weiber herauszuhauen? Sie hole ich, Brockmann! Sie allein sind wichtig! Ihre Frau wartet in Tobruk auf Sie. Ihre Frau! Auch sie hat große Opfer gebracht!«

»Ich weiß.« Brockmann lehnte sich gegen den Felsen. »Aber ich weiß auch, was ich den Mädchen schuldig bin. Es wäre eine Schuftigkeit, eine von ihnen allein in der Wüste zu lassen.«

»Verdammt noch mal, diese verfluchte Ehrauffassung!« Brahms hieb gegen den heißen Stein. »Haben Sie von der Wüste noch nicht die Nase voll?«

»Laden Sie die Mädchen ein!« Brockmanns Stimme war auf einmal hart. »Ich weigere mich, allein zu fliegen. Ich sehe ein, daß der Storch nicht überladen werden darf . . . also nehmen Sie die Mädchen.«

»Nein!« brüllte Brahms mit hochrotem Kopf.

»Gut denn!« Brockmann setzte sich wieder. »Dann gehen wir alle geschlossen vor die Hunde.«

Es war sinnlos, auf Brockmann einzureden. Einen Augenblick dachte Brahms daran, dem Gelehrten über den Schädel zu schlagen und ihn einfach mitzunehmen wie ein Gepäckstück. Aber dann verwarf er den Gedanken wieder. Wer weiß, was man in einem solchen Kopf alles beschädigen kann, dachte er. Er ist ein Genie. Genies haben ein anerkannt leichtes Hirn. Ein Bums auf den Hinterkopf kann da viel zerstören.

»Gut denn«, wiederholte er Brockmanns Worte. »Ich nehme die Mädchen mit. Von mir aus verrecken Sie in der Wüste. Idioten haben es nicht anders verdient.«

Wenige Minuten später war alles abflugbereit. Der Abschied war kurz. Brockmann küßte Lore und Aisha, während Brahms schon neben dem Piloten saß und gestikulierte, sich zu beeilen.

»Leb wohl, Oulf!« sagte Aisha bedeutungsvoll. »Allah sei immer mit dir. Ich danke ihm, daß er mir ein paar Stunden das Glück der Liebe geschenkt hat. Sie werden für immer reichen bis ins Paradies.«

Dann riß sie sich los, kletterte ins Flugzeug und sah Brockmann nicht mehr an. Lore Hollerau wurde hineingehoben, sie umklammerte so lange und so fest Alfs Hand, bis Brahms ihre Finger mit Gewalt wegbog und die Tür zuwarf. Dann rollte die Maschine an, der Propeller rauschte, der Motor brüllte auf, die Räder hoppelten über den Kies.

Brockmann hob beide Arme und winkte. »Auf Wiedersehen!« sagte er leise.

Auf Wiedersehen?

Gab es das?

Ein Wiedersehen zwischen Birgit, Lore und Aisha und einem Mann, den sie alle liebten?

Brockmanns Hände fielen aus der heißen Luft an den Körper zurück.

Adieu — dachte er. Lebt wohl.

18

D ie weiße Frau mit den goldenen Haaren fiel überall in Bzéma auf. Die Kinder liefen ihr nach, die Männer bekamen glänzende Augen, die verschleierten Moslemfrauen blitzten sie durch die Sehschlitze ihrer Schleier haßerfüllt an.

Birgit hatte es nicht schwer, zu erfahren, daß ein Trupp Deutscher in die Wüste gezogen war. Ein Gemüsehändler verwies sie an einen Teppichhändler, der in der Lage sei, ihr ein Fahrzeug zu besorgen, damit sie den Deutschen nachfahren könne.

Der Teppichhändler hieß Omar Sharifan und begrüßte die schöne Frau mit den goldenen Haaren mit tiefen Verbeugungen. Er sprach ein fließendes Englisch, fast ohne Akzent.

»Einen Wagen? Aber ja. Ich stehe voll zu Ihren Diensten, Miß. Ich werde Sie selbst den Deutschen nachfahren.« Dabei musterte er Birgit wie ein Pferdehändler ein edles Roß. Sein Blick glitt von ihren Fußspitzen bis zu den goldenen, vom Wind zerzausten Haaren. Welch ein Körper, dachte Omar Sharifan. Und welch weiße Haut. Ich werde sie nicht unter 5000 Pfund hergeben. Ich werde die Sensation des Marktes sein, und ich werde sie an Bomboko weitergeben. Der einzige, der sie bezahlen kann, ist Bomboko.

»Wann können wir fahren?« fragte Birgit. »Werden wir den Trupp noch erreichen?«

»Ich habe einen schnellen, geländegängigen Wagen, Miß. Wenn wir bald fahren, kann es gelingen. Sie sind langsamer als wir, weil sie noch Kamele mitführen.«

»Können wir sofort fahren?« sagte Birgit.

»In zehn Minuten.«

Omar Sharifan rannte in einen der Hinterräume, um sich für die unverhoffte Reise vorzubereiten. Telefonisch gab er ein Telegramm an Mr. Luele Bomboko, Lagos/Nigeria, auf, mit dem Text: »Ein Sack weißer Bohnen unterwegs.« Es ist ungalant, die schöne weiße Frau als einen Sack Bohnen anzukündigen, dachte Omar, als er den Hörer wieder auflegte. Aber im Geschäftsleben hat man öfter ungalante Kodewörter.

Birgit saß vor dem Haus im Schatten der Markise des Teppichladens, als Sharifan seinen Geländewagen aus der Garage fuhr. Sie dachte an Alf. Dem Fieseler Storch traute sie nicht. Sie wußte aus Gesprächen mit Zuraida, daß in der Wüste ein Flugzeug im Sand versinken kann. Wenn Alf zurückkam, dann mit der Karawane, die ihm jetzt entgegenzog. Und bevor er noch in völliger Sicherheit war, wollte sie ihm in die Arme laufen und ihm entgegenschreien: »Ich habe nie geglaubt, daß du tot bist! Nie, nie!«

Omar Sharifan beugte sich aus dem Wagen und winkte. »Einsteigen, Miß!« rief er. »Habe ich mich beeilt?«

Birgit nickte und stand von der Bank auf. Daß sie so nahe am Ziel war, kam ihr selbst fast unwahrscheinlich vor. Sie machte ein paar zögernde Schritte und blieb dann wieder stehen. Vor ihr lagen die in der grellen Sonne blendend weißen Häuser der Araber, ein Palmenhain, eine Quelle mit einem Wasserwächter, der nach der Sonnenuhr das köstliche Naß in verschiedene Kanäle verteilte, in denen es zu den blühenden Gärten und Feldern rann, ein Platz mit spielenden, lärmenden Kindern. Aber dahinter begann die Wüste, wölbten sich die Sanddünen bis zum flimmernden Horizont.

»Kommen Sie, Miß!« rief Omar und hupte. Birgit riß sich zusammen und ging mit festen Schritten auf den Wagen zu.

Ich komme, Alf, dachte sie. Ich habe keine Angst mehr. Noch ein Tag vielleicht — und niemand kann uns mehr trennen.

Mit fauchendem Motor rollte der Geländewagen aus Bzéma hinaus in die Wüste.

Aber er fuhr nicht nach Osten, zur libyschen Grenze, sondern nach Norden und später wieder nach Westen. Birgit merkte es nicht. Sie sah nur die endlose Wüste um sich.

Und wer sie nicht kennt, für den sieht jeder Fleck der Wüste, jede Düne, jede staubige Piste genauso aus wie Tausende andere Sanddünen hinter ihm.

Anstatt Alf entgegenzufahren, entfernte sich Birgit mit jeder Stunde mehr von ihm.

Sie hoppelten ohne Unterbrechung stundenlang durch die Sanddünen, über eine kaum sichtbare Karawanenstraße, die nur ein geübtes Auge erkennen konnte. Omar Sharifan schien keine Müdigkeit zu kennen. Er hockte hinter seinem Lenkrad und fuhr mit dem steinernen Gesicht eines Rallyefahrers, der, an der Spitze des Feldes, von den anderen Wagen dicht bedrängt wird.

5000 Pfund, dachte er immerfort. Darunter gebe ich sie nicht her. Und wenn Bomboko noch so sehr drohen wird. 5000 Pfund und keinen Penny weniger. O Allah, wo gibt es eine solche Frau noch einmal? Wann schenkt das Leben einem noch einmal solch ein Glück?

Nach sechs Stunden Fahrt schlief Birgit ein. Omar hielt kurz an, bettete sie auf den Hintersitz, tankte den Wagen wieder aus Reservekanistern voll und fuhr weiter.

Die ganze Nacht hindurch ratterte er über die alte Wüstenpiste, die schon seit Jahrhunderten von den Karawanen benutzt wurde. Dreimal hielt er an, trank heißen Kaffee aus einer Thermosflasche und schwang sich dann wieder auf seinen harten Fahrersitz.

Weiter. Weiter. Nach der Oase Uau-el-Chebir. Dort war der Markt der schönen Frauen. Mädchen aus Nubien und dem Sudan, vom Niger und aus Mauretanien, aus dem Tschad, das die »schwarzen Perlen« lieferte, und aus Mali. Und jetzt kam er. Omar Sharifan. Mit einer schneeweißen Perle. Mit der schönsten Frau, die je auf dem Markt von Uau-el-Chebir gestanden hatte.

Gegen Morgen wachte Birgit aus einem unruhigen Schlaf auf. Sie richtete sich auf dem Hintersitz hoch und starrte durch die vergilbte Zelluloidscheibe hinaus.

Wüste, Sand, durchsetzt mit Geröll, vereinzelte, windzerzauste, staubige Bäume mit bizarrem Astwerk. Sie kannte ihre Namen nicht, aber daß hier Bäume wuchsen, bewies, daß die langen Pfahlwurzeln auf Wasser stießen.

Sie beugte sich vor und tippte Omar auf die Schulter.

»Wo sind wir?«

»Wir sind gleich da, Miß.« Omar drehte sich grinsend um. »Noch vier Stunden vielleicht.«

»Aber hier ist ja keine Wüste mehr.«

»Doch, Miß.«

»Da stehen Bäume.«

314

»Warum nicht?«

»Ich habe mir sagen lassen, daß an der Grenze im Umkreis von Hunderten von Kilometern nicht ein grüner Halm wächst.«

»Das war ein Irrtum, Miß. Sie sehen es ja.«

»Wohin fahren wir denn?«

»In die richtige Richtung.«

Birgit kauerte sich auf den Rücksitz. Sie wußte keine Erklärung dafür, aber plötzlich kam ihr die Fahrt unheimlich vor. Ihre Panik steigerte sich, als sie die ersten Kamele sah. Träge zogen sie durch den Sand. Die Kameltreiber saßen nicht auf, sondern gingen zu Fuß vorweg. Ein Beweis, daß man nicht weit von einer Siedlung war. Dort aber, wo Alf sein sollte, gab es keine Menschen mehr. Nur Sand. Endlosen Sand.

Birgit beugte sich wieder vor.

»Wo sind wir?« rief sie.

Omar drehte sich wieder um. »In Uau-el-Chebir, Miß.«

»Wo haben Sie mich hingebracht?« schrie Birgit.

Sie wollte die Wagentür öffnen, aber Omar Sharifan schlug ihr die Hand weg. Dann hielt er, griff unter den Sitz und holte eine Peitsche mit einem kurzen Griff, aber einer langen, dünnen geflochtenen Schnur hervor. Er legte sie neben sich und sah Birgit aus kalten Augen an.

»Sie werden jetzt alles tun, was ich Ihnen sage, oder ich peitsche Sie aus.«

Birgit preßte die Lippen zusammen. »Nein«, antwortete sie. »Ich werde schreien.«

»Schreien?« Omar lächelte. »Hier achtet niemand mehr auf das Schreien einer Frau. Es gehört zum täglichen Geräusch. Hier haben schon tausend Frauen geschrien, und die Männer standen herum und freuten sich, daß sie so gesunde Stimmen hatten. Sie aber sollten still sein, Miß. Es paßt nicht zu Ihnen, laut zu schreien. Ihre weiße Schönheit sollte voll Demut sein. Goldenes Haar und die Sanftmut eines gezähmten Vogels . . . das macht einen guten Preis.«

»Preis?« Birgits Augen weiteten sich voller Entsetzen. Omar nickte.

»Ich werde Sie verkaufen, Miß. Auf dem Sklavenmarkt von Uau-el-Chebir.«

»Es gibt doch keinen Sklavenhandel mehr!« schrie Birgit.

»Nicht offiziell. Aber überall in Afrika werden noch Mädchen und junge Männer verkauft. Man muß nur wissen, wo. In Uau-el-Chebir ist jede Woche Markt. Sie werden nicht allein sein, Miß.«

In diesem Augenblick begann Birgit zu schreien. Sie schlug um sich, trat gegen Omar, der sich über sie warf, spürte einige Peitschenschläge über ihren sich krümmenden Körper. Sie riß die Tür auf, sprang aus dem Wagen, aber Omar riß sie zurück und drückte sie auf den Sitz. Verbissen rangen sie miteinander, bis Birgit spürte, wie die Kraft in ihr nachließ und alles Kratzen und Beißen und Treten nichts half vor der Stärke Omars und seinen großen Händen.

Nach einem Schlag gegen die Schläfe sank sie in einen Dämmerzustand. Sie sah und spürte, wie Omar sie fesselte, aber sie hatte keine Kraft mehr, sich dagegen zu wehren. Durch den Schlag war sie wie gelähmt.

So fuhren sie in die Oase Uau-el-Chebir ein, von keinem beachtet, denn man kannte den Geländewagen Omar Sharifans und wußte, daß er wieder Ware brachte. Morgen war Markt, in den niedrigen Häusern lag bereits eine Anzahl Mädchen, an Händen und Füßen zusammengeschnürt, wie gefangene, wilde Tiere.

Vor einem aus mehreren Gebäudeteilen verschachtelten Haus Omar Sharifan, warf Birgit über den Rükken, wie es Metzger mit einer Schweineseite tun, und trug sie ins Haus. Dort legte er sie in einem kleinen, dumpfen, heißen Zimmer auf einen zerschlissenen Diwan und verriegelte hinter sich die Tür.

Birgit Brockmann war ein Stück Handelsware geworden.

Ein Kapital von 5000 Pfund.

Birgit erwachte, als ihr Omar die Fesseln löste. Sie lag noch immer in dem Zimmer, aber nun waren die gewebten, bunten Vorhänge von zwei schmalen Fenstern gezogen und grelle Sonne flutete in den Raum. An der Tür stand ein großer, in einen weißen Haik gekleideter Neger. Auf dem kahlen Schädel trug er eine runde, mit Goldfäden bestickte Filzmütze. Er sah gepflegt und intelligent aus und rauchte eine süßliche Zigarette aus einer langen, goldenen Zigarettenspitze. Als er bemerkte, daß Birgit wach war, verbeugte er sich höflich und drückte seine Zigarette an der getünchten Mauer aus.

»Madame brauchen keine Angst zu haben«, sagte er in einer Mischung von Französisch und Deutsch. »Sie werden in Lagos in einem weißen Palast wohnen, und Monsieur Bomboko, mein Auftraggeber, ist ein Gentleman. Er hat in Europa studiert und wird es fürstlich belohnen, eine weiße Frau Ihrer Schönheit, Madame, sein eigen zu nennen.«

Birgit schwieg. Mit furchtweiten Augen starrte sie Omar und den großen, vornehmen Neger an. Omar Sharifan winkte. In der rechten Hand pendelte die Peitsche.

»Steh auf und zieh dich aus«, sagte er leichthin.

Birgits Herz setzte aus. Sie blieb liegen und starrte an die Decke. Mein Gott, betete sie stumm. Hilf mir! Hilf mir!

Omar lächelte den Neger breit an. »Sie ist noch schüchtern, Herr«, sagte er. »Sie kennt noch nicht die Gepflogenheiten. Aber sie wird es schnell begreifen.« Er hob die Peitsche, die lange, dünne Schnur surrte durch die heiße Luft und klatschte gegen die Beine Birgits. Mit einem Schmerzensschrei fuhr sie hoch.

»Zieh dich aus!« sagte Omar wieder.

»Nein!« schrie Birgit. »Nein! Und wenn du mich totpeitschst!«

Wieder das surrende Geräusch. Die dünne Schnur gegen die Beine. Zweimal, dreimal. Omar sah den Neger an. »Ich möchte nicht ihren schönen, weißen Körper verunzieren, Herr«, sagte er, »sonst würde ich sie anders züchtigen.« Er macht zwei große Schritte, und ehe sich Birgit wehren konnte, hatte er mit beiden Händen Bluse und Rock von ihr gerissen. In Büstenhalter und Höschen stand Birgit vor den glänzenden Blicken der beiden Männer. Omars Brust hob sich bei diesem Anblick wie ein aufgepumpter Blasebalg. »Habe ich zuviel versprochen, Herr?« fragte er heiser.

»Sie ist wie ein Engel.« Der Neger drückte das Kinn an. »Monsieur Bomboko wird sehr glücklich sein. Der Preis?«

»6000 Pfund, Herr. Es ist geschenkt.«

»Es ist ein Wahnsinn, Omar.« Der Neger verbeugte sich vor Birgit, als habe er einen Tanz beendet und die Partnerin an den Tisch zurückgebracht. »Madame . . . verzeihen Sie die rauhen Sitten in diesem Land. In Lagos wird Ihnen das nicht widerfahren. Dort werden Sie über eine Schar Diener und Dienerinnen herrschen. Aber noch sind Sie Eigentum Omars. Ich hoffe aber, mit ihm handelseinig zu werden.«

Der Neger warf noch einen langen Blick auf die wie eine Salzsäule in der Sonne stehende, halbnackte Birgit. Die goldenen Haare leuchteten, die weiße Haut, durchschnitten von Büstenhalter und Höschen, glänzte wie polierter Mamor.

»5000 und nicht mehr«, sagte der Neger seufzend. »Das ist der höchste Preis, der je auf einem Markt gezahlt wurde.«

Er schob Omar aus dem Zimmer. Der Riegel knirschte wieder in der Halterung. In einem anderen Zimmer ging das Feilschen weiter. Das Handeln um den Körper der schönen, weißen Frau.

Unter den Tamariskensträuchern in Uau-el-Chebir war unterdessen der normale Sklavenmarkt in vollem Gange.

Dunkelhäutige Mädchen in allen Schattierungen von Braun bis Ebenholzschwarz standen im Sand und wurden von den Käufern begutachtet. Man sah ihnen in den Mund und kontrollierte die Zähne, man befühlte ihre Arm- und Beinmuskeln, man drückte ihre Brüste und betastete ihre Hüften. Stark muß eine gute Sklavin sein, schön gewachsen, liebebedürftig und gesund genug, viele Kinder zu gebären.

In Uau-el-Chebir herrschte Hochbetrieb. Hunderte von Kamelen knieten rund um den Markt, die Limonadenverkäufer hatten einen guten Verdienst.

Birgit lag wieder auf dem zerschlissenen Diwan und hatte die Augen geschlossen. Sie wußte, daß es nun kein Zurück mehr gab, nie mehr ein Wiedersehen mit Alf.

Ich habe noch Gift bei mir, dachte sie und faltete die Hände über der Brust. Zuraida hat es mir gegeben, für den ausweglosen Notfall. Eine kleine Ampulle. Ich trage sie verborgen in meinem Büstenhalter.

Und ich werde sie zerbeißen in dem Augenblick, in dem sie in Lagos die Gitter hinter mir schließen. So lange will ich noch warten und hoffen . . . auch wenn es kaum noch eine Hoffnung gibt.

Leb wohl, Alf.

Sie tastete zur Brust und fand die kleine Ampulle. Und plötzlich wurde sie ruhig. Ganz ruhig. Sie wunderte sich nur, wie wenig Mut dazu gehört, aus dem Leben zu gehen.

In Tobruk landete Hauptmann Brahms wütend auf dem Gelände der Fabrik. Die beiden geretteten Mädchen sprachen nicht mit ihm. Nur Lore Hollerau hatte nach einer Stunde Flug leise gefragt: »Stimmt es, daß Alfs Frau in Tobruk auf ihn wartet?«

»Ja«, hatte Brahms geantwortet.

Und dann wieder Schweigen. Mit zwei Weibern komme ich zurück, dachte Brahms und fluchte innerlich. Verdammt noch mal, ich hätte diesem Brockmann doch einen

Schlag unters Kinn geben und nicht lange fragen sollen. Wie sehe ich nun aus vor den alten Kameraden? Als Retter von zwei Frauen. Sie werden mich alle für einen Idioten halten.

Aber auf dem Fabrikgelände stand niemand außer dem »Besitzer« des Fieseler Storchs und einer völlig verängstigten Zuraida. Brahms ahnte schon Dunkles, als er Zuraida nicht winken sah. Mit hängenden Armen stand sie da, als käme jetzt vom Himmel ein vernichtendes Urteil.

Das Flugzeug rollte aus, der Motor erstarb, die Propellerflügel drehten sich noch im Auslaufen, da sprang Hauptmann Brahms schon aus seiner Kabine und reckte sich. Verwundert sah er hinüber zu Zuraida, die ihm nicht entgegenlief. Und jetzt erst fiel ihm auch auf, daß Birgit Brockmann nicht auf dem Platz stand und auf die Rückkehr ihres Mannes wartete. Niemand in Tobruk wußte ja, daß Brockmann nicht mit dem Flugzeug zurückkam.

»Wo ist Birgit?« schrie Brahms ahnungsvoll, noch bevor Zuraida etwas sagen konnte. »Ich kriege weiße Mäuse! Wo ist Birgit?«

»Fort«, sagte Zuraida leise und senkte den Kopf.

»Was heißt fort?« Brahms starrte sie entgeistert an. Aus dem Storch kletterten Aisha und dann, gestützt von dem Piloten und dem berlinischen Araber, die blinde Lore Hollerau. »Ich hatte dir den Auftrag gegeben, auf sie aufzupassen.«

»Keiner weiß, wie sie fortgekommen ist. Ich habe sofort alles unternommen.« Zuraida schloß die Augen. Das hochrote Gesicht Brahms' erschreckte sie. Jetzt schlägt er mich, dachte sie. Jetzt schlägt er mich zu Boden. Und ich werde es ihm nicht übelnehmen. »Sie ist nach Kufra geflogen.«

»Nach . . .« Hauptmann Brahms riß seine Schirmmütze vom Kopf und warf sie schmetternd in den Staub. »Es ist zum Junge-Hunde-Kotzen!« brüllte er. »Ich marschiere lieber mit einer ganzen Division durch den Dnjepr, als mit einem Weibsbild rund ums Haus! Nach Kufra! Was will sie denn da?«

»Vielleicht ihrem Mann entgegenfahren.«

»So ein Wahnsinn! Die libysche Wüste ist kein Rendezvous-Plätzchen.« Brahms rannte zum Flugzeug zurück und nahm den Piloten, der gerade seine Lederkappe abnahm, am Arm.

»Los, Junge!« schrie er. »Nichts mit Ausruhen. Los, rein in den Kasten und ab nach Kufra. Hoffentlich kommen wir zeitig genug, um das verrückte Heldenweib noch aufzuhalten.«

»Wat is'n los?« Der berlinische Araber kam unter der Tragfläche her. Er hatte einige Einschüsse gezählt. Bis jetzt siebzehn Stück. »Hat janz schön jebumst, wat? Wat brüllste denn so, Hauptmann?«

»Du bist verheiratet?« fragte Brahms schwer atmend.

»Na klar. Als Mohammedaner hab ick vier Frauen.«

»Vier? Und du lebst noch?« Brahms kletterte wieder in die Kabine. »Du mußt die Natur eines Bullen haben.«

»Bis jetzt klappt's noch.« Der Berliner grinste. »Wohin denn noch? Ich denke . . .«

»Nach Kufra! Das dritte Weib holen. Ich komme mir vor wie ein Pascha, der seine entschwundenen Weiber einsammelt.« Brahms beugte sich aus der Kabine und winkte Zuraida zu. »Paß auf die beiden da hinten auf!« schrie er. »Vor allem auf Aisha . . . das ist ein Satan!«

»Wo ist denn der Forscher?« fragte der Berliner.

»Der kommt zu Fuß. Als Kavalier. Junge, erinnere mich nicht daran. Ich platze sonst.«

Brahms schloß mit einem Knall die Tür. Der Motor heulte auf, der Propeller wirbelte in der heißen Luft. Langsam rollte der Fieseler Storch wieder an.

Aisha und Lore standen am Rande des Fabrikhofes und sahen dem Flugzeug nach. Lores tote Augen schienen es ebenso zu verfolgen wie Aishas glühender Blick.

»Wohin fliegt er denn jetzt?« fragte Aisha. Zuraida atmete tief auf. Er hat mich nicht geschlagen, dachte sie. Jeder Orientale hätte mich gepeitscht, aber er hat mir nichts getan. »Er holt Birgit Brockmann«, sagte sie. »Sie ist ihrem Mann entgegengeflogen nach Kufra.«

Aisha und Lore wandten sich ab. Aisha stützte die Blinde, und langsam gingen sie über den staubigen Platz zu einem wartenden Auto.

»Ihr wohnt bei uns!« sagte Zuraida. »Wir haben am Stadtrand ein Haus gemietet. In zwei Tagen ist alles vorbei, und dann beginnt für uns ein neues Leben.«

Lore und Aisha schwiegen.

Ihr neues Leben hatte bereits begonnen. Ein Leben ohne Alf.

In der Nacht verschwanden aus dem Haus Zuraidas die beiden Frauen, trotzdem alle Haustüren verschlossen waren. Sie waren aus dem Fenster des zweiten Stockwerkes geklettert. Eine Blinde aus dem zweiten Stockwerk. Fassungslos stand am Morgen Zuraida vor dem offenen Fenster und starrte in die Tiefe.

Niemand hatte sie in der Nacht gesehen. So sehr sich Zuraida mit Hilfe der ehemaligen deutschen Soldaten bemühte — keiner konnte Auskunft geben. Ihr Versteck blieb unbekannt.

Aisha und Lore Hollerau blieben verschwunden.

Ihr gemeinsames Schicksal, die unglückliche Liebe zu Alf Brockmann, wurde zum neuen Geheimnis der unendlichen Wüste.

In Bir Assi tobte General Assban wie ein Irrer. Er zerschlug einen Kartentisch, zwei Fensterscheiben und ein Bilderglas über dem Foto Albert Einsteins, das in der ehemaligen Villa Brockmanns in dessen Arbeitszimmer hing. Dann brüllte er seine Offiziere an und wollte nicht einsehen, daß nachts auch ein Hubschrauber nichts ausrichten kann.

»Sie haben Scheinwerfer!« schrie er. »Sie sollen alles

ableuchten! Seit wann finden Kriege nicht mehr nachts statt? Soll ich es den Piloten vormachen? Man fliegt und leuchtet unter sich den Boden ab!«

»Wenn man weiß, was man ableuchtet, General. Aber wissen wir, welchen Weg die Karawane nimmt?«

General Assban ließ sich schließlich überzeugen. Vier Hubschrauber, randvoll mit Soldaten und Munition, flogen in der Abenddämmerung los und landeten in der Nacht bei den sich wieder zusammengefundenen, versprengten Kamelreitern. Diese hatten ein Lagerfeuer entzündet und zeigten den Hubschraubern so den Weg.

»Wir müssen warten bis zum Morgen«, sagte der junge, verwundete Leutnant, der nicht, wie Brahms annahm, tödlich getroffen worden war. »Aber dann nehmen wir sie in die Zange. Vier Hubschrauber und dreißig Mann . . . Brüder, wir können uns nicht noch einmal blamieren.«

Die Nachtruhe aber war ein Glück für Alf Brockmann.

Während die Ägypter biwakierten, zog die kleine Karawane die ganze Nacht hindurch weiter nach Westen, der libyschen Grenze entgegen. Oberfeldwebel Franz ritt voraus, ihm folgten Baraf mit dickverbundenem Oberschenkel und Alf Brockmann, der sich erstaunlich schnell von seiner Skorpionvergiftung erholte. Das Gegengift wirkte im Körper und trieb Fieber und Schwäche aus ihm heraus.

Ab und zu blieb Franz stehen und ließ Brockmann heranreiten.

»Geht es noch, Doktor?« fragte er. »Oder sollen wir rasten?«

»Nein. Nein.« Brockmann winkte jedesmal ab. »Nur weiter. Ich fühle mich stark. Ich fühle mich wie ein Berserker, nachdem ich weiß, daß meine Frau lebt und auf mich wartet.«

Franz lachte und ritt wieder an die Spitze. Wenn alles nach Plan läuft, dachte er, treffen wir gegen Mittag auf den uns entgegenkommenden Stoßtrupp. Dann kann ein ägyptisches Bataillon uns folgen — wir kommen durch.

Alf Brockmann fühlte sich wirklich stark. Birgit lebt — dieser Gedanke wirkte wie eine Zaubermedizin. In zwei Tagen kann ich sie in meinen Armen halten, und ich werde ihr gestehen, was zwischen Lore und Aisha und mir geschehen ist. Sie wird es verstehen, sie ist eine kluge, liebe Frau, und sie wird auch einen Weg wissen für die Zukunft Aishas und Lores. Erst frei sein. Frei. Nie mehr das Gefühl haben, auf einer Kiste Dynamit zu sitzen. Und Ruhe. Endlich Ruhe.

Im Osten kroch ein fahler Streifen über die Wüste. Der Horizont färbte sich orangerot.

Der Morgen kam. Der letzte Wüstentag.

Jenseits der Felsenbarriere flatterten in diesem Augenblick die vier Hubschrauber in den Himmel. Die Kamelreiter saßen auf.

Von Westen her kroch die Kolonne des deutschen Stoßtrupps heran. Nur vierzig Kilometer trennten sie noch von der kleinen Karawane Brockmanns.

19

Vier große, brummende Insekten umschwirrten den kleinen Lagerplatz mitten in der deckungslosen Wüste. Als die Sonne emporgestiegen war, hatten die Hubschrauber nach einigen Rundflügen, deren Kreisradius immer größer wurde, die einsame Karawane gesichtet.

Die Funkmeldung ging nach Bir Assi:

»Wir haben sie. Sie liegen in der Wüste. Hundert Kilometer von der Grenze entfernt. Wir umkreisen sie.«

Und General Assban befahl: »Vernichten! Rücksichtslos vernichten. Alf Brockmann darf nie die Grenze erreichen. Er weiß um das größte Geheimnis Ägyptens: die Langstrecken-

Drei-Stufen-Rakete ›Walküre‹. Die einzige Rakete, die von Kairo bis Israel reicht, vom Nil bis zum Jordan.«

Vernichten!

Die vier Hubschrauber gingen tiefer und überflogen die kleine Karawane. Was sie aus der Luft beobachten konnten, war völlig rätselhaft und erschreckend zugleich.

Auf der Erde erschoß jemand die Kamele. Von Tier zu Tier ging er, setzte ihm ein Gewehr an die Stirn und drückte ab. Die Kamele kippten in den Wüstensand, lagen auf der Seite oder reckten die erstarrenden Beine in den wieder zur Glut werdenden blauen Himmel.

Auch das funkten die Hubschrauber nach Bir Assi. Sie erschießen ihre Kamele!

General Assban betrachtete die Karte. Wo Alf Brockmann jetzt gefunden worden war, hatte er einen dicken roten Kreis gezogen.

Überall Wüste. Kein Brunnen. Bis zur Grenze noch hundert Kilometer. Und sie morden ihre Tiere dahin!

»Entweder ist Brockmann wahnsinnig geworden, oder diese sinnlose Tat entpuppt sich wieder als eine riesengroße Schweinerei«, sagte Assban zu seinen Offizieren. »Kein Mensch mit Gehirn erschießt in der Wüste seine Kamele.«

Die vier Riesenhornissen umkreisten unterdessen die drei Männer und ihre erschossenen Kamele. Baraf hatte diesen Tiermord begangen, und es zeigte sich jetzt, daß er, der Mensch aus Nubien, richtig gedacht hatte.

»Herr«, hatte er zu Brockmann gesagt, als die vier Hubschrauber am Horizont auftauchten und auf sie zuflogen, »wir müssen halten. In etwa zwei Stunden werden die Männer aus Kufra hier sein. So lange können wir uns verteidigen. Aber die Kamele müssen sterben: Lebende Kamele rennen weg — tote sind ein guter Schutz gegen die Gewehrkugeln.«

»Und wenn die Männer aus Kufra nicht kommen?« fragte Brockmann unsicher, Oberfeldwebel Franz sah auf seine Uhr.

»Sie kommen bestimmt. Nur auf die Zeit lege ich mich nicht fest. Es sind alles erfahrene Afrikakämpfer.« Er blickte empor zu den Hubschraubern. »Mist verdammter! Um ein paar Stunden zu früh. Aber was hilft's? Baraf hat recht. Wir brauchen einen Kugelfang. Und unter Garantie werfen sie Handgranaten. Da ist ein Kamelleib sicherer als hundert pralle Sandsäcke.« Er ließ sein Kamel niederknien und sprang in den Sand. Es ging sehr schnell. Um die toten Kamelleiber herum schichteten sie die Lasten auf. Die Kisten und Ballen, die Sättel und verschnürten Zelte. Jeder schuf so für sich eine kleine Burg, bewarf alles von außen mit Sand und grub sich neben den Kadavern ein.

Hundert Meter vor ihnen, in einem Kreis, landeten die Hubschrauber. Rechts und links sprangen die Soldaten heraus und formierten sich zu einem Ring, der auf ein Kommando hin auf die kleine Totenburg marschierte. Ein Ring der Vernichtung, eine Schlinge, die sich langsam zuzog.

Baraf nickte grimmig. Oberfeldwebel Franz lag hinter dem Hals seines erschossenen Kamels und wartete. Zwischen Hals und Kopf des Tieres hatte er ein altes, deutsches MG 42 in Stellung gebracht. Auch diese Waffe gab es jetzt, zwanzig Jahre nach dem Zweiten Weltkrieg, noch in Tobruk, gut geölt und gepflegt, als sei morgen Waffenappell in der Kaserne.

Ahnungslos marschierten die Ägypter auf die kleine Burg in der Wüste. Ihre Schnellfeuergewehre blinkten in der Sonne. Ein neues Kommando. Der Ring stand. Durch ein Megaphon wandten sie sich an die Deutschen.

»Kommt heraus!« rief ein Offizier in englischer Sprache. »Hände hoch! Es hat keinen Zweck mehr. Wenn wir näher kommen, werden wir euch vernichten.«

»Leck mich am Arsch!« sagte Oberfeldwebel Franz. »Du kennst ein MG 42 noch nicht. Wenn ich den Finger krumm mache, kocht dir das Wasser im Hintern.«

Der Offizier wartete eine Minute.

Keine Antwort. Hinter den toten Kamelen rührte sich nichts.

Ein Schuß in die Luft. Der Ring marschierte weiter.

»Noch zehn Meter, Leute«, sagte Franz, »dann spucken wir ihnen auf die Weste. Achtung — Feuer!«

Hinter den toten, mit Sand beworfenen Kamelen peitschten die Schüsse hervor. Baraf und Brockmann schossen mit ihren Gewehren, dort aber, wo Franz lag, hämmerte und surrte es. Rrrrrr . . . Rrrrrr . . . Rrrrrr . . . drei Feuerstöße nur, aber sie genügten, die ägyptischen Soldaten in Panik zu jagen. Sie warfen sich in den Sand, flach wie welke Blätter, und blieben bewegungslos liegen, als seien sie alle tödlich getroffen. Ein vierter Feuerstoß . . . Rrrrrr . . . surrte über ihre Köpfe hinweg und zwang sie, auch das Gesicht in den heißen Sand zu drükken.

Der erste Sturm war also abgeschlagen. Die Soldaten lagen hilflos im Sand. Kein Kommando, keine Drohung konnte sie bewegen, sich in das Streufeuer dieses Teufelsmaschinengewehrs zu stürzen. Der hilflose Offizier wälzte sich auf den Rücken und schoß in den glühenden Himmel eine rote Leuchtkugel.

»Jetzt geht's los, Leute«, sagte Franz sehr ernst. »Jetzt werden wir aus der Luft zur Minna gemacht.«

Die vier Hubschrauber stiegen tatsächlich wieder auf. Sie vereinigten sich nördlich der kleinen Sandburg und flogen dann geschlossen auf die drei einsamen Männer zu.

Oberfeldwebel Franz lag auf dem Rücken, das MG über sich. Als die erste Glaskanzel über ihm heulte, drückte er los und zielte auf die beiden Piloten. Gleichzeitig fielen wie dicke schwarze Tropfen Handgranaten aus den Hubschraubern.

Um Franz herum krachte und surrte es. Er sah, wie Brockmann und Baraf unter die Kamelleichen krochen, wie sie sich im Sand einbuddelten und die Kadaver der Tiere die Splitter abfingen. Die Leiber wurden aufgeschlitzt, Fleischfetzen und Därme wirbelten durch die Luft, ein in die Luft ragendes Kamelbein wurde abrasiert und flog weit in die Wüste hinein.

Franz schoß. Erster Hubschrauber. Kanzel zertrümmert.

Zweiter Hubschrauber. Er verlor Öl und Benzin.

Nummer drei. Daneben.

Nummer vier. Ein Volltreffer. In den Motor. Der Hubschrauber hing einen Augenblick in der Luft, als halte eine Riesenfaust ihn an. Dann sackte er nach unten weg und fiel wie ein Stein zur Erde. Zehn Meter außerhalb der Kamelburg schlug er auf, zerbrach und begann zu brennen.

Der Hubschrauber mit der zerschossenen Kanzel landete. Der zweite Hubschrauber mit den lecken Tanks kreiste so lange, bis das Benzin ausgelaufen war. Dann versuchte er eine Notlandung, kam gut zur Erde zurück, aber beim Aufprall zerbrachen die Kufen und der Schwanzboden. Nur der unversehrte Hubschrauber kreiste weiter, aber nicht mehr über der Kamelburg, sondern etwas weiter westlich über einer Sanddüne.

Von diesem Hubschrauber aus erfuhr General Assban im fernen Bir Assi die Tragödie seiner Soldaten.

»Kampf in vollem Gange —«, funkte man ihm zu. »Ein Hubschrauber abgeschossen, zwei durch Beschuß ausgefallen und notgelandet. Wir kreisen noch und sehen in naher Entfernung eine unbekannte Truppe, die sich von Westen her auf unseren Kampfplatz zubewegt. Drei Wagen und sechs Kamele. Wir werden bereits von den Wagen aus mit MG beschossen. Wir gehen tiefer und erwidern das Feuer. Die Wagen sind unbekannter Nationalität, aber sie kommen, um die Karawane Brockmann zu befreien.« Dann knackte es im Funkgerät, und die Stimme des Piloten rief erregt: »Wir sind getroffen! Wir versuchen, notzulanden! Der zweite Motor brennt! Es lebe das Vaterland!«

Dann Stille.

General Assban heulte auf und riß die große Karte von der Wand. »Muß ich eine Armee haben, um einen einzigen Deutschen zu fangen?« brüllte er. »Vier Hubschrauber im Eimer! Meine besten Kampftruppen! Allah, Allah, ist denn dieser Brockmann unsterblich?«

Aus der Wüste kam keine Meldung mehr. Aber jeder wußte, daß sich dort in der Einsamkeit eine Tragödie vollzog.

Mit hocherhobenen Armen standen die ägyptischen Soldaten in der Sonne und erwarteten die drei Wagen, die wie feuerspeiende Ungeheuer durch den Sand rasten.

Nur der ehemalige Oberfeldwebel Franz sah sie nicht mehr.

Er lag auf dem Rücken, und seine aufgerissenen, starren Augen blickten in die volle Sonne.

Ein Querschläger aus seinem eigenen MG 42 hatte ihm die Brust zerfetzt.

Die Wüste war sein Schicksal geworden.

Eine Stunde später erschoß sich in Bir Assi der General Yarib Assban.

Er hatte nach Kairo seine Niederlage gemeldet. Und Kairo hatte geantwortet: Kommen Sie sofort zum Rapport.

Assban wußte, was das bedeutete. Er kürzte mit dem Schuß in den Mund seine Qual nur ab.

Aber selbst seine Leiche wurde noch geächtet. Dem Sarg wurde die Überführung nach Kairo verweigert.

Und so wurde General Assban am Rande Bir Assis im Wüstensand begraben. In der Wüste, die er geliebt und gehaßt und die er einmal eine »schöne Frau« genannt hatte, an der ein Mann sich ruinieren kann —

Hauptmann Brahms veranstaltete in der Oase Kufra ein Kesseltreiben. Mit Unterstützung des libyschen Kommandanten verhörte er in Bzéma alle Händler, alle Kinder, alle Frauen, alle Nomaden und Durchreisenden, die Greise und die Krüppel.

Am Abend erst erfuhr er, daß der Teppichhändler

Omar Sharifan die schöne, weiße Frau mit einem Geländewagen weggefahren habe. Wohin, das wußte niemand.

»Omar Sharifan?« sagte der Kommandant von Bzéma. »Der ist ganz ungefährlich. Ein ehrlicher, fleißiger Kaufmann. Wenn die weiße Frau ihn für eine Reise gewonnen hat, kann sie sicher sein. Dafür möchte ich fast bürgen.«

Aber diese Sicherheit ließ nach, als eine Reihe von Zeugen aussagten, daß sie den Wagen Omars gesehen hätten, wie er nach Norden fuhr.

»Nach Norden?« Brahms schüttelte den Kopf. »Nach Osten.«

»Nein.« Die Zeugen schüttelten energisch die Köpfe. »Er ist die Straße nach El Arach gefahren.«

Brahms nahm den Kommandanten von Bzéma zur Seite. »Da ist was faul«, sagte er. »Wenn es für Frau Birgit eine Richtung gab, dann war es die nach Osten, zu ihrem Mann, zur ägyptischen Grenze. Im Norden hat sie gar nichts zu suchen. – Wo wohnt dieser Omar?«

In dem Teppichladen war nur ein jüngerer Verkäufer anwesend. Omar Sharifans Rückkehr war unbekannt. Selbst von einer weißen Frau wußte der schwarzgelockte Jüngling nichts, auch nicht nach einigen Peitschenschlägen und der Drohung, ihn bis zum Hals in den heißen Sand zu graben. »Allah sei mein Zeuge!« schrie er in Todesangst. »Omar ist weggefahren, mehr weiß ich wirklich nicht.«

»Warten wir ab«, sagte der Kommandant und hob die Schultern. »Was können wir anderes tun? Es wird sich alles aufklären. Omar ist uns allen bekannt. Er ist ein braver Mensch.«

Hauptmann Brahms ließ sich auf diese Charakteristik nicht ein. Er hatte zu lange im Orient gelebt, um zu wissen, was hinter solchen Worten stand. Er quartierte sich, ohne lange zu fragen, in Omars Laden ein, rauchte eine Wasserpfeife, aß Hammelfleisch mit Mais und Chilisoße, wunderte sich, wovon Omar eigentlich lebte, denn niemand kam in diesen Stunden, um auch nur einen Fetzen von einem Teppich zu kaufen und ging dann, als die Nacht hereinbrach, vor dem Hause in der Kühle spazieren.

Gegen Mitternacht kam Omar Sharifan zurück. Er fuhr seinen Wagen in die Garage, nahm die Tasche mit den erlösten 5000 Pfund und wollte in fröhlichster Stimmung sein Haus betreten. Eine kräftige Hand hinderte ihn daran. Ehe er wußte, was ihm geschah, kippte er durch einen gutgezielten Handkantenschlag um und verlor das Bewußtsein.

Er wurde wieder klar, irgendwo in der Wüste, außerhalb Bzémas. Über ihm funkelten die herrlichen Sterne, er lag im Sand, neben sich sah er den dunklen Schatten seines eigenen Wagens und — auf einem Hocker, den er als Bestandteil seines Ladens erkannte — eine große, ihn anstarrende Männergestalt.

Mit einem Fluch wollte Omar Sharifan aufspringen, aber hilflos sank er in den Sand zurück. Seine Beine und Hände waren gefesselt. Außerdem war er völlig nackt, was ihn am meisten wunderte.

»Gut geschlafen, Omar?« fragte die Gestalt auf arabisch. Sie bewegte sich und leuchtete Sharifan mit einer Taschenlampe ins Gesicht. »Wir wollen keine langen Reden halten, mein Freund, denn ein klares Wort ist mannhaft, sagt der Prophet. Ich frage und du antwortest.«

Brahms leuchtete in die haßerfüllten Augen Omars. Mit dem Fuß schob er eine Reisetasche in das Blickfeld des Gefesselten, und Sharifan erkannte die Tasche mit dem Geld.

Sein Geld! Seine 5000 Pfund!

»Woher hast du 5000 Pfund?« fragte Brahms.

Omar schwieg. Brahms wiegte den Kopf. »Das ist dumm, Omar. So kommen wir nicht weiter, und unsere Freundschaft zerbricht. Machen wir es anders. Ich erzähle und du sagst ja.« Brahms räusperte sich. »Die weiße Frau hat dich gebeten, sie nach Osten zur Grenze zu fahren. Du hast es ihr versprochen, aber du bist mit ihr nach Norden gereist. Wohin, das werden wir gleich wissen. Dort hast du die weiße Frau für 5000 Pfund verkauft. Solche Preise zahlen nur Männer mit großen Harems. Du warst also mit ihr auf einem der heimlichen Sklavenmärkte. Stimmt es bis hierher?«

Omar Sharifan schwieg. Nur in seine Augen trat unbändiger Haß. Hauptmann Brahms hob die Schultern. Er ging zum Wagen und kam mit einem geschlossenen Holzkasten zurück. Diesen stellte er neben Omars Oberschenkel in den Sand und setzte sich wieder auf den geschnitzten Hocker.«

»Weißt du, was das ist?« fragte er. »Das ist ein kleiner Bienenstock. Jetzt schlafen die guten Tierchen, aber wenn die Sonne herauskommt, haben sie die Sehnsucht, zu schwärmen und Süßigkeiten zu sammeln.« Brahms sah auf seine Uhr. »In drei Stunden beginnt der Morgen. So lange können wir uns noch unterhalten. Dann aber, mein Lieber, werde ich deine untere Körperpartie mit Honig einschmieren und die Bienchen freilassen. Es ist eine Anregung, die noch jeden zum Singen gebracht hat. Auf der Agentenschule in Kairo habe ich das gelernt. Man nennt es die ›natürliche Methode des Verhörs‹.«

Omars Augen weiteten sich. Er stierte auf den hölzernen Kasten. Schweiß rann plötzlich über seinen Körper, obgleich die Nacht kühl war.

»Herr —«, stammelte er.

»Ach, du hast doch einen Mund?« Brahms beugte sich vor. »Wohin hast du die weiße Frau gebracht? An wen hast du sie verkauft?«

»Ich weiß nicht, wovon du sprichst, Herr«, stammelte Omar.

»Es ist sinnlos.« Brahms erhob sich und ging zum Wagen. Er legte sich auf die Polster und wartete, bis die Sonne am Horizont über den Himmel kroch. Dann ging er zurück zu Omar.

Sharifan hatte versucht, die Fesseln zu lösen. Er hatte sich im Sand gewälzt, der Boden unter ihm war zerwühlt, aber die Stricke hielten. Brahms nickte ihm zu, drehte ihn wieder auf den Rücken und tauchte einen Blechlöffel in eine Honigdose. Er beschmierte den Unterleib Omars mit dem klebrigen Brei, warf die Dose dann weit weg in den Sand und beugte sich über den hölzernen Kasten. Im Inneren summte und brummte es. Die eingesperrten Bienen wollten nach draußen.

»Herr!« brüllte Omar Sharifan und riß an den Fesseln. »Allah wird dich für diese Stunde verfluchen!«

»Das kümmert mich wenig. Wo ist die weiße Frau?«

»Ich weiß nicht!« heulte Sharifan.

»Flieg, Bienchen flieg«, sagte Brahms und schob den Verschluß von dem Kasten.

Hell summend schoß eine Wolke aus dem freigegebenen Loch und kreiste wie dunkler Nebel über dem liegenden, nackten Körper. Dann rochen die Bienen den Honig, und wie auf Kommando stürzten sie sich auf den Unterleib Omars.

Brahms wandte sich ab und ging zum Wagen.

Hinter ihm gellte ein Schrei auf. Dann ein zweiter, dann ein anhaltendes Wimmern und Stöhnen.

Nach zehn Minuten brüllte Omar Sharifan mit einer nicht mehr menschenähnlichen Stimme. Nach weiteren fünf Minuten verscheuchte Brahms die Bienen mit einer Insektensprühdose und beugte sich über den halb wahnsinnigen Sharifan.

»Wo ist die weiße Frau?« fragte er.

»In Uau-el-Chebir«, röchelte Omar. »Bomboko hat sie gekauft. In Lagos. Sie ist jetzt auf dem Weg nach Niger, wo ein Flugzeug sie erwartet.«

Brahms schleifte den nackten Körper Omars zum Wagen zurück und warf ihn auf die Hintersitze.

»Das hätten wir alles einfacher haben können, mein Junge«, sagte er. »Wenn du ganz großes Glück hast, wirst du nachher in Bzéma nicht totgepeitscht. Es wäre allerdings die einzig richtige Strafe für ein Schwein wie dich.«

Als sie wieder in den Kufra-Oasen ankamen, erwartete sie schon der Militärkommandant auf der Straße. Er nahm Omar Sharifan in Empfang und ließ ihn wegbringen. Zu Brahms sagte er etwas bedrückt: »Bitte entschuldigen Sie, Herr Kamerad.«

Von Omar Sharifan hat man nie wieder etwas gehört noch gesehen.

Die Sklavenkarawane, die in Uau-el-Chebir zusammengestellt wurde und noch am gleichen Tag abmarschierte, bestand aus dreiundvierzig schwarzen Mädchen, zwanzig jungen Männern, neun arabischen Bewachern und dem »Führer«, der sich stolz mit Bei anreden ließ. Er ritt einen weißen Hengst mit silberbeschlagenem Zaumzeug und preschte ab und zu an der langen Kolonne der zu Fuß durch die Hitze schwankenden Sklaven vorbei und ermunterte ihren Schritt durch Hiebe mit einer langen Ledergerte.

»Lang lebe Boran-Bei!« mußten dann die Männer rufen.

Wenn die Müdigkeit zu groß wurde, ließ Boran-Bei singen. Ein Vorsänger mit schriller Stimme gab den Takt und die Melodie an, und die Sklaven, mit Stricken untereinander verbunden, fielen im dumpfen Chor ein. Auch die Mädchen sangen mit. Ihre hellen Stimmen waren mehr ein Aufschrei als eine Melodie.

So zogen sie stundenlang durch eine steinige Wüste, bekamen dreimal zu trinken und einmal zu essen — Hirsebrei mit trockenen Früchten —, ruhten eine Stunde und marschierten dann weiter.

Nach Süden. Nach Niger. In ihre neue Zukunft als Sklaven.

Eine Ausnahme bildete allein Birgit. Sie brauchte nicht zu gehen. Für sie hatte man eine Art Sänfte konstruiert. Auf vier runden Hölzern schwankte ein Bretterboden, auf dem ein kleines Zelt errichtet war. Acht junge, starke Neger trugen dieses Gebilde, in dem Birgit auf seidenen Kissen hockte und tränenlos vor sich hin starrte.

Ein paarmal ließ Boran-Bei halten und schlug den Eingang des Zeltes etwas zurück.

»Wie geht es, Madame?« fragte er. »Sie sollen keinerlei Klagen haben.«

Auf diese Fragen antwortete Birgit nicht. Sie blickte zur Seite oder drehte sich um, Boran-Bei hob die Schultern, ließ die Zeltplane wieder zufallen, hieb auf die Träger ein und schrie: »Weiter, ihr Auswürfe eines Schakals! Weiter!«

In der Nacht — sie hatten ein Lager zwischen verwitterten, niedrigen Felsen aufgeschlagen, dem letzten, spärlich bewachsenen Landstreifen, bevor sie wieder die trostlose Sandwüste aufnahm — lagen oder saßen die Sklaven innerhalb eines Ringes von Lagerfeuern, eng zusammengedrängt und an den Füßen aneinandergefesselt. Außerhalb der Lagerfeuer standen die Zelte der Begleiter und Bewacher. Boran-Bei hatte sich die schönste Sklavin, ein sechzehnjähriges Mädchen aus dem Tschad, schwarz wie Ebenholz und mit der Figur einer Venus, in sein Zelt geholt. Dort bekam sie für ihren Liebesdienst eine Schüssel voll Fleisch und Reisbrei. Eine fürstliche Belohnung, um die sie die anderen Mädchen beneideten.

Neben dem Zelt, in dem Birgit ungefesselt ruhte, lag der Neger Dumba. Er war ein Mann mittleren Alters, mit krauswolligem Kopf und zwei tiefen Stammesnarben auf beiden Wangen. Sklavenjäger hatten ihn im Inneren des Sudans gefangen und wie ein seltenes Tier über zweitausend Kilometer hinweg zum Markt nach Uau-el-Chebir gebracht. Nun sollte er zurück in den Süden, nach Ghana, als Gärtner eines reichen Kaufmannes. Seit vier Monaten war er unterwegs. Er brauchte keine Schuhe mehr. Seine Fußsohlen waren dick mit Hornhaut überzogen.

Dumba hob einen Zipfel des Zeltes und sah hinein. Er hatte die weiße Frau leise weinen gehört. »Pst«, machte er, und sofort schwieg Birgit. Sie starrte in die Dunkelheit, aber konnte nichts erkennen. Erst als sich neben ihr die Leinwand etwas bewegte, tastete sie mit der Hand dorthin und griff in die wolligen Haare Dumbas. Der Neger lag flach auf der Erde und hatte seinen Kopf unter das Zelt geschoben.

»Keine Angst, Frau«, flüsterte Dumba in holprigem Englisch. Er hatte ein Jahr auf einer Plantage gearbeitet und so viel gelernt, daß er sich verständlich machen konnte. »Ich helfen. Dumba nicht nötig, zu helfen, aber weiße Frau muß weg . . .«

Er schwieg, streckte sich und lag still, als schlafe er. Die Wache machte ihre Runde. Um das Zelt und Dumba kümmerte sich niemand. Die weiße Frau war sicher. Wohin sollte sie auch fliehen? Zu Fuß? Man würde sie ein paar Stunden später aufsammeln wie einen verlorenen Hirsesack. Das gleiche galt für Dumba. Seine Heimat war der Sudan. Er konnte sie nie mehr erreichen. Für ihn war die Zukunft sicherer und schöner als eine Flucht ins Ungewisse. Er genoß deshalb auch Sonderrechte in der Sklavenkarawane. Er war der Kalfaktor. Er gab den anderen Sklaven das Wasser und den Hirsebrei; er bestimmte, wer die Sänfte Birgits tragen mußte; er war der Mittelsmann zwischen der lebenden schwarzen Ware und den Händlern. Man fesselte ihn deshalb auch nicht des Nachts. Wo konnte es Dumba besser haben als hier, dachte jeder.

»Wie willst du mir helfen?« flüsterte Birgit zurück.

»Du flüchten.«

»Wohin?«

»Siebzig Meilen von hier, im Norden, ist eine Militärstation. Dort mußt du hin.«

»Und du?«

»Dumba hat kein eigenes Leben mehr.«

»Du willst hierbleiben?«

»Nein. Ich mitkommen. Aber dann dich allein lassen.

Besser so, Frau. Ich gehe weg zu aufgehende Sonne, du geradeaus. Ich mache breite Spur . . . du nichts. Dann bist du sicher.«

Birgit schwieg. Flucht oder Gift, das waren die einzigen Möglichkeiten, die ihr blieben. Zuletzt das Gift, wenn alles andere versagte.

»Wann?« flüsterte sie.

»Ich hole dich, Frau. Warte!«

Die Zeltleinwand raschelte leise, der wollige Schädel glitt weg.

Um die Sklaven brannte noch immer der Feuerkreis. Aus dem Zelt Boran-Beis klang Gesang. Die schöne Sklavin aus dem Tschad sang und tanzte vor ihrem Gebieter. Dumba tappte zu einem der Feuer, hinter dem die weiße Wolldschellaba eines der Wächter leuchtete. Es war kurz nach Mitternacht. Die Sklaven schliefen, zu schwarzen Knäueln zusammengeballt.

»Freund!« sagte Dumba auf arabisch und trat aus dem Feuerkreis. »Ich glaube, die weiße Frau hat Durst. Kann ich Wasser holen?«

Der Araber nickte. Er war müde und schlief im Sitzen. Warum wachen, dachte er. Noch nie ist ein Sklave weggelaufen, nicht von uns. Wir haben dreimal einen Flüchtenden wieder eingefangen und ihm vor den Augen der anderen die Haut vom Leib geschlagen. Das spricht sich herum. Und gefesselt sind sie auch. Sie müßten also schon alle gleichzeitig flüchten, auf einem Bein hüpfend.

Er lächelte über dieses Bild und verfolgte den Weg Dumbas deshalb nicht mehr.

Der Neger aus dem Sudan lauschte erst am Zelt Boran-Beis. Dort war alles still. Der Bei lag in den Armen der schwarzen Sklavin und schlief. An einem Lagerfeuer, das genau dem gegenüberlag, an dem Dumba aus dem Kreis getreten war, sah er einen zweiten Wächter hocken. Die anderen schnarchten in ihren kleinen Zelten.

Leise, unhörbar kam Dumba zurück. Mit seiner bloßen

Faust hieb er dem eingenickten Wächter auf den Schädel. Lautlos sank der Araber in den Sand.

Dumba zog ihn aus dem Feuerschein, entkleidete ihn und warf sich selbst die weiße Dschellaba um die Schultern. Er legte das Kopftuch an und ging dann aufrecht, als sei er von Boran-Bei geschickt, in den Feuerkreis und verschwand im Zelt Birgits.

Niemand kümmerte sich um sie, als sie das Zelt gemeinsam verließen. Der Wächter ihnen gegenüber glaubte, daß der Bei die weiße Frau zu sich holen ließ. Er rauchte weiter und starrte in das prasselnde Feuer vor sich.

»Schnell laufen, Frau!« sagte Dumba, als sie am Zelt Boran-Beis vorbeigegangen waren. Er selbst blieb zurück, um den betäubten Wächter mit einem Steinschlag noch tiefer in die Bewußtlosigkeit zu schicken. Dann holte er Birgit wieder ein und ergriff ihre Hand. »Keine Angst, Frau!« sagte er, als er das heftige Zittern spürte. »Keiner wird finden weiße Frau.«

Sie liefen, als würden sie gejagt. Als sich Birgit einmal umdrehte, sah sie noch schwach den Widerschein der Lagerfeuer gegen den dunklen Nachthimmel.

»Komm, Frau!« rief Dumba und riß sie mit sich. »Nicht bleiben stehen! Sonne kommt schnell . . .«

Wie lange sie durch das Geröll rannten, wußte Birgit nicht. Sie fühlte nur, wie ihre Beine immer schwerer wurden, wie sie schließlich nur noch schwankte und Dumba sie an seiner Hand mitriß wie einen müden, störrischen Esel.

»Ich kann nicht mehr«, keuchte Birgit und ließ sich einfach in das Geröll fallen. »Ich . . . ich bekomme keine Luft mehr . . .«

Dumba setzte sich neben sie und sah nach Osten. Der Horizont wurde bereits fahl und streifig.

»Geh jetzt geradeaus weiter, Frau«, sagte er. »Immer geradeaus. Ich laufe zurück und dann zur Seite. Leb wohl, Frau.«

Birgit hielt seine Hand fest. »Warum kommst du nicht mit, Dumba?«

»Sie würden uns schnell gefunden haben, Frau.« Das schwarze Gesicht Dumbas war ausdruckslos und von Schweißperlen überglitzert. »Du weiterlaufen . . . ich lenke Spur ab.«

»Und wenn sie dich finden? Sie werden dich töten.«

»Ja, Frau«, sagte Dumba gleichgültig.

»Du gehst mit mir!« rief Birgit.

»Nein. Was ist Dumba, Frau? Vater von Dumba ist erschlagen, Mutter von Dumba ist erschlagen. Frau von Dumba und Kinder von Dumba, alle erschlagen. Warum soll Dumba allein leben? Aber du sollst leben, Frau. Lauf— lauf — immer geradeaus —«

Er entriß seine Hand der Umklammerung Birgits und lief den Weg zurück. Wie einen Schatten sah sie ihn durch die Nacht rennen, bis er von der Dunkelheit aufgesogen wurde.

Dumba lief mit weit ausgreifenden Schritten zwei Kilometer zurück. Dann schlug er einen Haken und lief seitwärts in die Wüste hinein. Seine großen Füße hinterließen deutliche Spuren im Sand.

Beim Morgengrauen wurde die Flucht entdeckt. Boran-Bei war es selbst, der den niedergeschlagenen Wächter fand. Er stürmte sofort zum Sänftenzelt, riß den Eingang auf und fand es leer.

Der Alarm schreckte die Karawane auf. Alle Sklaven wurden zu einem dichten Knäuel zusammengebunden und mußten sich so in der Sonne niederhocken. Dann schwangen sich die Araber auf ihre Kamele und schwärmten aus, um die Spuren der Flüchtigen zu suchen.

Nach drei Stunden fanden sie Abdrücke Dumbas. Mit hellem Geschrei rasten sie in die Wüste.

Eine Stunde später hatten sie Dumba eingeholt. Er saß hinter einer Sanddüne und wartete auf sie. Er gab auf keine der Fragen eine Antwort, er senkte nur den Kopf und schloß die Augen, als die Nilpferdpeitschen die Haut in Streifen von seinem Körper hieben.

»Du Hurensohn!« brüllte Boran-Bei. »Du Mißgeburt! Du schwarzes Aas — wo ist die weiße Frau?«

Dumba schwieg. Er fiel in die Knie, er sank vornüber in den Sand, um ihn herum färbte sich der gelbe Wüstensand rot von seinem Blut, sein gequälter, zerschlagener Körper zuckte . . . aber über seine Lippen kam kein Laut. Kein Geschrei des Schmerzes, kein Stöhnen und erst recht nicht ein Wort.

Boran-Bei winkte und wandte sich ab. Mit den silbernen Knäufen ihrer Kamelpeitschen erschlugen die Araber den stummen Dumba. Sie zertrümmerten seinen Schädel und hieben noch auf ihn ein, als er schon längst in das Reich seiner Ahnen eingegangen war.

Dann suchten sie weiter, den ganzen Tag über, während die zusammengebundenen Sklaven schutzlos in der glühenden Sonne hockten. Aber sie fanden die Spur Birgits nicht, so laut auch Boran-Bei in den Himmel schrie und Allah und seinen Propheten um Hilfe anflehte.

·

20

D ie Rückkehr Alf Brockmanns war nüchterner, als man es von unserer an Sensationen gewöhnten Welt zu erwarten gewohnt ist.

Niemand nahm Notiz von ihm, als die Autokolonne wieder in Bzéma eintraf, was sich da hinten in der Wüste abgespielt hatte, wußte hier niemand. Nur die libysche Regierung in Tripolis mußte sich mit einer scharfen Protestnote Ägyptens herumschlagen und eine Antwort so lange hinauszögern, bis Alf Brockmann das Land verlassen hatte. Das sollte sofort geschehen, wie Hauptmann Brahms versprochen hatte.

In Bzéma bestieg Brockmann eine der Linienmaschinen nach Tobruk. Der »Stoßtrupp« kam mit einer Transportmaschine nach. Mit Brockmann aber reiste auch ein schmaler Brettersarg. Franz Oberhalt, Oberfeldwebel a. D., seit 1943 in Afrika verschollen, in Deutschland seit zehn Jahren für tot erklärt, kehrte zum letztenmal aus der Wüste zurück.

Auf Brockmann wartete am Flughafen Tobruk nicht seine Frau Birgit, sondern ein fremdes, schwarzhaariges Mädchen von der eigentümlichen Schönheit, wie sie auch Aisha besaß.

»Ich bin Zuraida«, sagte das Mädchen. »Die Verlobte von Hauptmann Brahms.«

Brockmann sah sich um. Keine Birgit, keine Lore, nicht einmal Aisha. Niemand erwartete ihn außer dieser ihm fremden Zuraida. Selbst Brahms war nicht gekommen, und das war es, was Brockmann unruhig werden ließ.

»Ist etwas geschehen?« fragte er.

Zuraida hakte sich bei Alf unter und zog ihn weg aus dem Gedränge der eingeborenen Passagiere. »Kommen Sie zum Wagen«, sagte sie. »Wir fahren sofort nach Hause . . .«

»Wo ist meine Frau?« Brockmann blieb wie ein trotziger Junge stehen. »Sie verheimlichen mir etwas, Zuraida. So reden Sie doch. Was ist geschehen?«

»Wir wissen es nicht.«

»Sie wissen . . .« Brockmann spürte, wie es ihn eiskalt durchrann. »Ist . . . ist Birgit etwas zugestoßen?«

»Nein.« Zuraida zerrte an Brockmanns Arm. »Aber kommen Sie bitte erst zum Wagen.«

Auf der Fahrt vom Flughafen in die Stadt berichtete Zuraida stockend und am Ende durch Tränen unterbrochen von den turbulenten Ereignissen der letzten Tage. Brockmann hörte zu, ohne sie zu unterbrechen.

Birgit verschwunden auf der Suche nach ihm. Aisha und Lore Hollerau verschwunden ... ein Rätsel, dessen Lösung nur er kannte: Sie hatten erfahren, daß Birgit noch lebt.

In der Hand hielt Brockmann eine alte Zeitung, in der mit dicker Überschrift stand: Jörg Brockmann, der Sohn des deutschen Raketenforschers, wieder zurück! — Entführt und freigelassen! — Wer ist der Mann, der den Jungen wochenlang versteckt hielt? — Wer hat Jörg operiert?

»Mein Gott ...«, stammelte Brockmann und legte den Kopf in den Nacken. »Mein Gott, und ich glaubte, ich käme zurück in eine friedliche Welt!«

In dem gemieteten Haus von Brahms ließ er sich noch einmal alle Einzelheiten erzählen. Nach dem ersten Schock konnte er wieder nüchtern denken. Die große, ihn fast betäubende Enttäuschung und die Angst um Birgit wichen einer kalten Überlegung.

»Brahms ist also auf dem Wege, Birgit zu holen«, sagte er zu Zuraida. »In Bzéma war sie nicht, also muß Brahms wissen, welchen Weg sie genommen hat. Auf gar keinen Fall ist sie mir entgegengefahren, denn dann hätten wir ja spätestens an der Grenze zusammentreffen müssen.« Er wischte sich über das Gesicht und trank durstig die eisgekühlte Grenadinelimonade. »Ich kann für Birgit jetzt gar nichts tun, als wieder zu warten. Aber Lore und Aisha — sie sind noch hier in Tobruk. Sie halten sich versteckt, und sie werden versuchen, wegzukommen. Ein blindes, weißes Mädchen fällt überall auf — sie werden sich also nur im letzten Augenblick vor ihrer Abreise sehen lassen!«

Brockmann sah Zuraida an. Ihre Augen waren noch glänzend von den Tränen.

»Zwei Stellen gibt es, von denen aus sie das Land verlassen können: der Flugplatz und der Hafen. Zuraida, überwachen Sie den Flugplatz. Ich gehe zum Hafen. Lore Hollerau wird eine Sonnenbrille tragen. Am Arm

Aishas wird sie sich so sicher bewegen, als könne sie sehen. Sie können sie gar nicht verfehlen. Lore ist groß, schlank, sportlich, hat braune, kurze Haare und über der Nasenwurzel eine Narbe. Man sieht die Narbe auch unter der Sonnenbrille. Was sie trägt, weiß ich nicht. Sie wird sich neu eingekleidet haben. Sie hat von Bir Assi 2000 Pfund mitgenommen, genug, um nach Europa zu reisen.«

»Ich werde sie diesmal nicht mehr entkommen lassen«, sagte Zuraida und lächelte. »Ihre Beschreibung stimmt genau, Mr. Brockmann. Lore ist ein hübsches Mädchen.«

»Ach so, ja. Sie kennen sie ja.« Brockmann sah auf seine Hände. Ob sie ahnt, warum Aisha und Lore aus meinem Leben flüchten wollen? Ob sie es mit der Feinfühligkeit einer liebenden Frau spürt? Er sah sie von unten herauf an, aber Zuraida blickte aus dem Fenster.

»Ich fahre sofort«, sagte sie. »Maschinen nach Europa fliegen dreimal. An den Hafen habe ich übrigens auch gedacht. Am Kai liegen ein italienischer und ein französischer Dampfer. Beide laufen heute abend aus . . .«

Brockmann sprang auf. Trotzdem er noch unter seiner Vergiftung litt, sein Bein noch geschwollen war und er sich nach Ruhe, nach Schlaf, nach völligem Vergessen sehnte, zwang er sich, wieder hinauszugehen und am Kai im Hafen vor den Gangways der Schiffe herumzustehen wie ein Bettler, der auf einen gütigen Geber wartet.

Mein Gott, dachte er, als er sich gegen das Geländer der Gangway des italienischen Schiffes lehnte, das zuerst ablegen sollte. Laß Brahms meine Birgit finden. Meinen Jungen hast du mir wiedergegeben . . . nun schenke mir auch dieses Glück zurück . . .

Auf dem Schiff flammten die Lichter auf. Das Promenadendeck leuchtete unter buntbemalten Glühbirnen. Auf dem Sportdeck begann die Bordkapelle flotte Märsche zu spielen.

Die Passagiere kamen an Bord. Oben, am Eingang,

standen in weißen Uniformen die Offiziere und begrüßten jeden Gast einzeln.

Alf Brockmann trat etwas in den Schatten, als er von weitem Aisha und Lore kommen sah. Hoch aufgerichtet ging Lore am Arm Aishas, sicher und mit weit ausgreifenden Schritten, als sehe sie, wohin sie trat. Sie trug ein neues Reisekostüm aus hellgrauer Seide. Aisha hatte sich ebenfalls europäisch gekleidet. Ihr weißes Kleid, über das ihre langen, schwarzen Haare flossen, war eine Demonstration verdeckter, aber deutlicher Schönheit des weiblichen Körpers.

Kurz vor der Gangway trat Brockmann aus dem Schatten und stellte sich den Mädchen in den Weg. Aisha zuckte zusammen. Lore blieb dadurch stehen und sah Brockmann mit ihren toten Augen an.

»Was ist, Aisha?« fragte sie . . .

»Warum macht ihr solch einen Blödsinn?« sagte Brockmann leise. Durch Lore ging es wie ein elektrischer Schlag. Ihr Kopf zuckte hoch.

»Bitte gehen Sie aus dem Weg, mein Herr«, sagte sie laut. »Ich weiß gar nicht, was Sie wollen.«

»Lorchen . . .« Brockmanns Stimme bebte. »Was — soll denn das alles? Wir sind doch eine einzige Familie, wir alle. Was wäre jeder von uns ohne die Hilfe des anderen gewesen? Warum weglaufen? Es hat doch keinen Sinn, Lore. Wir können nicht vor uns selbst fliehen.«

»Alf!« Lores Kopf sank nach vorn. Sie umfaßte die Schultern Brockmanns und legte das Gesicht gegen seine Brust. »Alf, ich wollte, die Bombe hätte mich ganz getötet, nicht nur meine Augen.«

Aisha starrte an Brockmann vorbei auf das hell erleuchtete Schiff. Sie hatte die Fäuste geballt. Sie war herrlich in ihrer Wildheit.

»Kann ich wenigstens gehen?« zischte sie.

»Nein, Aisha.«

»Was soll ich denn in diesem romantischen Club?«

»Komm.« Er griff nach ihrer rechten Faust. Sie schlug ihm mit aller Kraft auf die Hand, ihre Augen blitzten, ihr wundervoller roter Mund zuckte.

»Laß mich! Ich kann überall leben! Ich brauche dich nicht!«

»Aber ich brauche dich, Aisha.«

Ihr Kopf fuhr herum. Über ihr schönes Gesicht wetterleuchtete es. Wie ein Schleier wehten die langen, schwarzen Haare.

»Ich kann nicht bleiben«, sagte sie gepreßt. »Ich müßte deine Frau und Lore töten, um dich allein zu haben. Ich müßte es einfach tun. Willst du das?«

»Aisha —«

»Laß mich gehen, Oulf! Ich bitte dich! Ich flehe dich an. Beschwöre keine Tragödie herauf. Und mach dir keine Sorgen um mich. Ich fahre nach Beirut. Dort habe ich gute Freunde. Dort werde ich wohnen und Arbeit finden.«

»Wieder in einem Geheimdienst?«

»Vielleicht. Leb wohl, Oulf. viel Glück, Lore . . .«

Sie riß sich los und lief mit fliegenden Haaren die Gangway hinauf.

»Aisha!« schrie Brockmann. Er ließ Lore los und wollte Aisha über die Gangway folgen. Zwei Matrosen hielten ihn fest und zerrten ihn von der Brücke weg, so sehr er sich auch wehrte.

»Aisha!« brüllte er wieder, als sie oben auf dem Schiff von einem der Offiziere begrüßt wurde, ihre Fahrkarte zeigte und von einem Steward weg zu ihrer Kabine geführt wurde. »Aisha! Du darfst nicht fahren! Komm zurück, Aisha!«

Einen Augenblick verzögerte Aisha ihren Schritt, dann hob sie die Schultern und ging schnell dem Steward nach. Sie blickte sich nicht mehr um, sie verbarg ihr Gesicht unter dem Vorhang ihrer wundervollen, seidigen Haare. Und niemand sah die Tränen, die ihr über die braunen Wangen rannen und sich in den Mundwinkeln sammelten.

Brockmann fuhr zusammen, als ihn die Hand Lores berührte. Sie war seiner Stimme gefolgt und legte jetzt ihren Arm um seine Schultern.

»Ist sie weg?« fragte sie leise.

»Ja, Lore . . .«, stammelte Brockmann.

»Du hast sie sehr geliebt?«

»Ja, Lore. Sie war für mich wie ein erfüllter Traum. Sie war ein lebendig gewordenes Märchen aus Tausendundeiner Nacht.«

»Träume vergehen . . . und Märchen bleiben Märchen, Alf.« Lore strich Brockmann leicht über die Haare. »Jetzt ist die Wirklichkeit wieder da, das reale Leben . . . und das heißt Birgit.«

»Und Lore!« sagte Brockmann kaum hörbar. »O mein Gott, wie zerrissen kann ein Mensch sein.«

Die Bordkapelle spielte den Abschiedsmarsch, die Gangway wurde eingezogen, Sirenen und Hörner heulten auf, die Leinen wurden abgeworfen, Hunderte von Taschentüchern wurden geschwenkt. Die »Leonardo« legte vom Kai ab. Eine zischende Rakete schoß in den Abendhimmel und ließ silberne Sterne in das Meer regnen. Der weiße Leib des Schiffes wiegte sich in der Dünung.

»Auf Wiedersehen, Aisha —«, sagte Lore und hob die Hand. »Adieu . . .« Brockmann wandte sich ab. Es war ihm, als gleite ein Teil seines Lebens hinaus ins Meer und damit in die ewige Vergessenheit.

In ihrer Kabine lag Aisha auf dem Bett und hatte beide Hände vor das Gesicht gepreßt. »Oulf! Oulf!« schrie sie gegen ihre Handflächen. »Ich weiß nicht, wie es weitergehen soll! Ich kann nicht leben ohne dich! Ich kann es nicht . . . Ich kann nicht mehr leben . . .«

Durch das Kabinenfenster klangen Lachen und schmetternde Musik.

Und in der Ferne versank die Küste Afrikas.

Nach den Angaben Omar Sharifans flog Hauptmann

Brahms nun schon vier Stunden lang alle Straßen und Karawanenwege ab, die von Uau-el-Chebir nach Süden führten.

Als der Fieseler Storch am Rande der kleinen Oase Chebir landete, warfen sich viele in den Sand und glaubten, ein räuberischer Riesenvogel sei auf sie niedergestürzt. Brahms ließ sie in diesem Glauben, indem er auf die Rükken der Einwohner eindrosch und sie anschrie, wohin die Sklavenkarawane gezogen sei. Dann stieg er wieder in den bleiernen Himmel und überflog die Wüste in weiten Kreisen.

»Fast hundert Mann sind es!« schrie er gegen den Motorenlärm an und beugte sich zu dem Piloten vor. »So etwas muß man doch finden! Ich sehe doch auch hundert Ameisen, die über ein Tischtuch krabbeln.«

»Hier unten ist es Mist!« Der Pilot zog weite Schleifen und flog dann weiter nach Süden. »Hier wechselt Wüste mit Bergen ab, und zwischendurch gibt es sogar so was wie 'ne Savanne. Wenn die in so einem Tal ausruhen, sehen sie aus wie verwitterte Steine.«

»Und wenn ich in der Luft verhungere!« brüllte Brahms. »Ich muß die Karawane finden!«

»So lange, fürchte ich, reicht unser Sprit nicht.«

Sie flogen und flogen. Um Benzin zu sparen, zog der Pilot seine Kreise im Leerlauf und schaltete erst dann wieder auf Gas, wenn die Strecke weitergesteckt wurde.

Endlich sahen sie in der Geröllwüste eine zusammengeballte, dunkle Masse. Verglimmende Feuer umgaben sie in einem Kreis, vereinzelte Zelte standen in der grellen Sonne.

»Das sind sie!« brüllte Brahms und hieb vor Freude mit den Fäusten gegen die Glaskanzel. »Das sind sie! Junge! Junge!« Brahms preßte das Gesicht an das Glas und starrte hinunter. »Sie sitzen eng zusammen, wie Schmeißfliegen auf einem Aas. Los, Junge, runter! Runter mit dem Kasten! Über die Köpfe weg und dann gelandet!« Er griff nach seiner Maschinenpistole und den alten, gut erhaltenen deutschen Stielhandgranaten. »Denen werden wir zeigen, welcher Zauber aus der Luft kommt.«

Der Fieseler Storch setzte zu einer Art Sturzflug an. Unten in der Wüste starrten siebzig schwarze Köpfe zu ihnen hinauf. Hundertvierzig Augen warteten auf ein Wunder.

Und plötzlich begann jemand zu singen, und alle fielen ein wie in einen Choral.

Über die singenden Sklaven hinweg donnerte der Riesenvogel mit den Balkenkreuzen und landete in einer Wolke aus Staub und wirbelnden Steinen.

Hauptmann Brahms warf sich mit einem weiten Hechtsprung sofort in den Sand, denn von einem der Zelte her schlug ihm Gewehrfeuer entgegen. Auch der Pilot sprang aus seiner Kabine und robbte zu Brahms. Hinter einem Steinbuckel lagen sie dann in Deckung und beobachteten das Sklavenlager.

Bis auf die singenden, aneinandergefesselten Neger und Negerinnen und die wenigen Zelte, hinter denen ein einzelnes Gewehr auf das Flugzeug schoß, schien das Lager verlassen zu sein. Kein Kamel, kein Fahrzeug, keine weißgekleideten Araber.

»Merkwürdig!« rief Brahms seinem Piloten ins Ohr. »Das sieht aus, als seien sie alle unterwegs! Nur ein Mann ist zurückgeblieben! Verflucht noch mal, wo sind bloß die anderen?«

Es war die Stunde, in der einige Kilometer weiter östlich der Neger Dumba von den Nilpferdpeitschen zerfleischt wurde und Boran-Bei Allah um Hilfe anflehte.

Brahms legte seine Maschinenpistole auf die Steine und wartete, bis hinter einem der Zelte hervor wieder der Pulverdampf eines Abschusses in die heiße Luft schwebte. Dann drückte er ab und hörte einen hellen Aufschrei.

»Los!« schrie Brahms, sprang auf und stürmte auf das Lager zu.

Hinter dem beschossenen Zelt hockte ein Araber und

hielt sich mit beiden Händen die Schulter fest. Blut rann zwischen seinen Fingern hervor und färbte die weiße Dschellaba mit häßlichen roten Streifen. Als er die beiden Weißen heranrennen sah, hob er eine der blutigen Hände als Zeichen der Aufgabe und gab seinem Gewehr einen Tritt, daß es meterweit in den Sand flog.

»Brav, mein Sohn!« schrie Hauptmann Brahms und richtete sein MP auf den Kopf des erschrockenen Arabers. »Wo ist die weiße Frau?« Er rief es auf arabisch und gab seinen Worten ein wenig Nachdruck, indem er den Lauf seiner Waffe gegen die Brust des zitternden Wächters drückte. »Los, rede! Wo ist die weiße Frau?«

»Weg, o Herr. In der Nacht.«

»So eine Scheiße!« brüllte Brahms. »Man sollte Frauen mit solchem Tatendrang in Ketten legen. Flüchtet aus einer Sklavenkarawane in die unbekannte Wildnis.«

Trotzdem er wütend war, schwang doch eine große Hochachtung in seinen Worten mit. So ein Weib, dachte er. Sie hat mehr Mut als eine Handvoll Männer. Sie gibt einfach nicht auf, sie resigniert nicht, wie es Frauen oft in ausweglosen Situationen tun. Sie senkt den Kopf und stürmt vorwärts, wie ein Stier in der Arena. Ein Teufelsweib!

»Was nun?« fragte der Pilot. Er starrte hinüber zu dem schwarzen Knäuel der singenden Sklaven. Die Mädchen waren meist nackt. Körper aus Ebenholz. Kunstvolle, herrliche Leiber. Dazwischen die jungen Männer. Muskulös, breitschultrig. Arbeitstiere.

»Weitersuchen. Wenn Birgit in der Nacht geflüchtet ist, kann sie nicht weit gekommen sein. Nur weiß ich jetzt nicht, in welcher Richtung ich suchen soll!« Er beugte sich wieder zu dem verwundeten Wächter. »Wo sucht ihr jetzt?« schrie er ihn an.

»Im Norden.« Der Araber schwankte. Der Blutverlust hatte ihn so sehr geschwächt, daß er kaum noch sitzen konnte. Brahms schob die Unterlippe vor. Im Norden. Irgendwo dort hinten in der Stein- und Geröllwüste.

»Wir steigen sofort wieder auf«, sagte er zu dem Piloten. »Erst aber werde ich die armen Kerle erlösen.«

Er ging zu dem Sklavenknäuel und durchschnitt die Stricke der ersten Reihe. Von da ab war es nur noch ein Gewimmel von Körpern, von weggeworfenen Seilen und sich aufrichtenden, nackten Leibern. Der Gesang aber verstummte nicht . . . er steigerte sich im Gegenteil zu einem wahren Furioso.

»Dank, o Herr, Dank!« stammelte ein Neger und fiel Brahms zu Füßen. Ehe es Brahms verhindern konnte, umringten ihn über ein Dutzend Frauen und Männer und küßten seine Stiefel, seine Hände und seinen Körper. Eine Flut schwarzer Köpfe überspülte ihn und zerdrückte ihn fast in überschäumender Dankbarkeit.

Mit Gewalt befreite er sich von den Händen und Köpfen und stieß sich einen Weg frei zu dem wartenden Piloten. »Die machen mich fertig!« schrie er. »Vor allem die Weiber! Himmel noch mal — so viel nacktes Fleisch habe ich noch nicht unter den Fingern gehabt!«

»Was wird aus den Sklaven?« fragte der Pilot. Er sah zurück auf das Lager. Die Neger bildeten wieder eine geschlossene, schwarze Masse, so, als seien sie noch immer aneinandergefesselt.

»Nicht fragen, Junge.« Brahms' Gesicht wurde todernst. »In ein paar Stunden wird hier etwas passieren, was wir Europäer nie verstehen können. Das Wichtigste ist erst mal weg und Birgit finden. Um die Sklaven brauchen wir uns nicht mehr zu kümmern . . .«

Nach drei vergeblichen Startversuchen — immer wieder hinderten Steinhaufen sie daran, den nötigen Anlauf zu bekommen — stiegen sie wieder in den bleiernen Himmel und nahmen Kurs nach Norden. Sie flogen niedrig, um unter sich alles beobachten zu können.

Aber die Wüste war leer.

Die Rückkehr der Araber zu ihrem Sklavenlager war die Rückkehr von vor Wut und Rache schäumenden Ungeheuern. Boran-Bei ritt an der Spitze. »Ich werde drei von diesen schwarzen Affen vor aller Augen zerreißen lassen!« hatte er gebrüllt. »Bei mir flüchtet niemand mehr! Ich will sie warnen, diese stinkenden Schakale!«

So ritten sie heran, die Peitschen in den Händen, im Herzen Blutdurst und Grausamkeit.

Im Lager war es still. Die Sklaven saßen so, wie man sie vor Stunden verlassen hatte. Eine zusammengeballte Masse Mensch, auf die die Sonne erbarmungslos ihre Glut schleuderte.

Boran-Beis Gesicht verzog sich zu einem Grinsen. Welcher Stumpfsinn, dachte er. So kann nur ein Neger sein. Sie haben kein Gehirn.

Die Araber saßen da, ihre Kamele knieten. Mit wippenden Peitschen in den Fäusten gingen Boran-Bei und seine Leute auf das schwarze Knäuel zu, auf diese hundertvierzig starren Augen, die ihnen entgegensahen.

Was dann geschah, war eine jener heimlichen Tragödien, von denen nie jemand etwas hörte.

Bevor Boran-Bei etwas sagen konnte, erhob sich die träge, schwarze Masse von Leibern vor ihm und flutete auf ihn zu. Wie eine riesige, dunkle Woge ergossen sich die Sklaven über die Männer in den weißen Dschellabas, alles niederwalzend, was sich ihnen in den Weg stellte. Begleitet wurde diese Woge von einem einzigen Schrei des Triumphes, in dem das Wimmern, Röcheln und Brüllen der Araber unterging wie ein Flüstern gegen einen Sturm.

Es dauerte keine fünf Minuten.

Was von Boran-Bei und seinen Männern übrigblieb, war nicht mehr menschenähnlich. Es lohnte sich nicht mehr, die Teile zu begraben. Man warf sie weg als Nahrung für die Geier und Hyänen, die seit vier Stunden das Lager umkreisten, als hätten sie diese blutigen Schrecken geahnt oder gerochen.

Dann formierte sich eine neue Karawane. Auf den Kamelen saßen die schwachen Frauen auf, die nicht mehr lange laufen konnten. Vor und hinter den Kamelen zogen die Männer durch die Wüste, geführt von einem riesigen Tschad-Neger, einem breitschultrigen Bullen.

»Ich führe euch in meine Heimat!« hatte er verkündet. »Die Grenze ist nicht mehr weit. Vier Tagesreisen nur. Wer mitkommen will, der folge mir.«

Und alle folgten sie ihm. Wo sollten sie auch hin?

Unterdessen flog Brahms systematisch das ganze Gebiet ab. Er sah unter sich einen Gürtel aus Sanddünen, dann einige kahle Felsen und Schluchten, ein Wadi, spärlich mit Tamarisken und staubigen Agaven bewachsen, aber immerhin ein Beweis, daß hier in der Regenzeit das Flußbett nicht leer blieb, sondern Wasser führte.

»Nichts«, sagte Brahms mit belegter Stimme. »Gar nichts. Wenn Birgit in diese Richtung gelaufen ist, muß sie uns auf jeden Fall sehen und hören, wenn wir schon blind sind. Aber ich glaube nicht mehr daran, daß sie nach Norden ist.« Er starrte wieder auf die wilde Landschaft unter sich und wischte sich den Schweiß aus dem Gesicht. »Es kann auch sein, daß die Araber . . .« Er sprach nicht weiter. Der Gedanke war zu grausam. »Wenn das der Fall ist, Junge«, sagte er nach einer Weile leise, »vergesse ich alles, was ich gelernt habe an Christentum, Kultur und Menschlichkeit. Bei Gott, ich werde bei den chinesischen Folterknechten in die Lehre gehen!«

Unentwegt zog der Fieseler Storch seine Kreise, und vier brennende Augen tasteten jeden Meter Boden ab und suchten eine einzelne, um ihr Leben laufende Frau . . .

Nachdem der Neger Dumba sie verlassen hatte und zurückgelaufen war, um die Verfolger zu täuschen, ruhte sich Birgit etwa eine Stunde aus und nahm dann ihre Wanderung in das Ungewisse wieder auf.

Immer geradeaus, hatte Dumba gesagt. Was heißt geradeaus? In der Wüste sieht jeder Meter wie der andere aus, jeder Steinhaufen gleicht dem vorigen, jeder Hügel ist ein

Zwilling der Vorgänger, jeder mit Hoffnung begrüßte stachelige Tamariskenstrauch kann der gleiche sein, den man schon vor einer Stunde fast hätte umarmen können. Wer wußte, ob man nicht im Kreis lief? Die Sonne, ja, sie war ein Anhaltspunkt. Aber auch die Sonne wanderte ... von Osten nach Westen ... und dazwischen lag also Norden, eine von Stunde zu Stunde sich verschiebende Richtung, wenn man so ungeübt war wie Birgit.

Nach mühseliger Wanderung — sie hatte allen Zeitbegriff verloren und unterbrach ihr Laufen nur, um kleine Schlucke aus dem Fellsack mit Wasser zu nehmen, den Dumba dem niedergeschlagenen Wächter abgenommen hatte — erreichte sie ein ausgetrocknetes Flußbett, ein Wadi. Es verlief in gerader Richtung nach Norden, wie Birgit annahm, und bildete somit eine Straße, der sie nur nachzugehen brauchte.

Wo ein Wadi ist, ist auch Wasser, dachte sie. Auch wenn das Flußbett jetzt ausgetrocknet ist: Die Agaven brauchen Nahrung, und irgendwo dort hinten in der Ferne wird vielleicht ein Tümpel liegen, ein Brunnen, ein Fleckchen Schatten, ein paar Palmen. Sie ging zu einer der großen Agaven und brach ein Blatt ab. Es war dick und fleischig und als sie es preßte, lief grüner Saft über ihre Hände.

Verdursten werde ich nicht, dachte sie weiter. Ich werde die Agavenblätter auspressen und von ihrem Saft leben.

Das Wadi war durchsetzt mit großen Steinen, die das schnelle Laufen erschwerten. Nach einer Stunde spürte Birgit, wie ihre Knie zitterten und die Fußsohlen brannten. Bis in den Leib hinein zogen die stechenden Schmerzen, jeder weitere Schritt wurde jetzt zur Qual und schließlich zu einem wahnsinnigen Stich, der durch den ganzen Körper ging.

Mit letzter Kraft schichtete sie einige große Steine aufeinander und legte sich erschöpft innerhalb dieser »Burg« auf die Erde. Einige große Agavenblätter legte sie über sich wie ein Dach, und niemand, der vom Rande des Wadis oder gar aus der Luft über das Land blickte, konnte entdecken, daß dort ein Mensch lag und sich nach Ruhe sehnte.

Ein paarmal hörte sie das ferne Brummen eines Flugzeuges. Sie suchen mich, dachte Birgit. Woher haben sie bloß so schnell einen Hubschrauber bekommen? Natürlich, ich bin ihre wertvollste Ware. 5000 Pfund hat ein gewisser Bomboko in Lagos für mich bezahlt.

Sie schichtete die großen Agavenblätter enger über ihre Steinburg und verkroch sich wieder.

Das Flugzeuggeräusch kam näher, donnerte über sie hinweg, entfernte sich wieder. Birgit lag wie ein Igel zusammengerollt in ihrem Versteck und rührte sich nicht.

Sie haben mich nicht gesehen, jubelte sie innerlich. Sie fliegen weiter. Ich habe mir ein herrliches Versteck gebaut.

Noch dreimal ratterte das Flugzeug über das Wadi. Beim viertenmal wagte Birgit einen Blick durch die Ritzen ihres Agavendaches.

Unter dem glühenden Himmel kreiste ein silberner Riesenvogel. Kein Hubschrauber, sondern ein Eindecker.

Durch Birgit ging es wie ein lähmender Schlag.

Brahms . . . das konnte sie denken, aber die Erkenntnis, gerettet zu sein, nicht mehr laufen zu müssen, Alf wiederzusehen, nach Deutschland zurückkehren zu können, Jörgi in die Arme zu schließen, diese herrliche Zukunft, die in diesen Sekunden wie bunte Bilder vor ihr vorüberzog, machte sie völlig hilflos. Mit weit aufgerissenen Augen starrte sie in den Himmel und auf das kreisende Flugzeug. Und erst dann, als sie sah, daß der Fieseler Storch drehen wollte, wich die Lähmung von ihr . . . sie riß das Blätterdach weg, rannte in die Mitte des ausgetrockneten Wadis, riß ihre Bluse vom Körper und schwenkte sie mit beiden Armen durch die Luft.

Das Flugzeug kam zurück, flog einen weiten Kreis, ging tiefer, zog eine Schleife und begann mit den Tragflächen zu wackeln.

»Ich bin es!« schrie Birgit in die heiße Luft. »Ich bin es!« Und obwohl es völlig sinnlos war und nur Kraft kostete, schrie sie es immer wieder, lief hin und her, schwenkte ihre Bluse, weinte vor Freude und Erschöpfung und merkte nicht, wie die Sonne ihre entblößten Brüste verbrannte und der Schweiß auf ihrer Haut verdunstete wie Wasser auf einer glühenden Kochplatte.

»Da ist sie!« hatte Minuten vorher Brahms in der Flugzeugkanzel geschrien und den Piloten fast in Gefahr des Absturzes gebracht, weil er ihm so kräftig auf die Schulter hieb, daß er den Steuerknüppel nach vorn stieß. »Im Wadi! Da steht sie und winkt! Runter, Junge, runter! O verdammt noch mal, ich glaube, ich alter Esel heule . . .«

Er wischte sich über die Augen, und als er die Hände zurückzog, waren sie tatsächlich feucht.

Oberhalb des Wadis, wo es weniger Steine gab und das Flugzeug ausrollen konnte, landeten sie. Brahms sprang heraus und rannte zum Wadi. Er stolperte und stürzte fast die Geröllwand hinunter, das letzte Stück rutschte er sogar auf dem Hintern, bis eine Agave ihn bremste.

Ihm entgegen rannte Birgit, noch immer ihre Bluse schwenkend, in einem Taumel von Lachen und Weinen.

Mitten im Flußbett trafen sie sich und Birgit breitete die Arme aus wie ein Kind, das dem Vater entgegengelaufen ist.

Hauptmann Brahms verbeugte sich korrekt und sah ein wenig schüchtern auf die nackten Brüste Birgits.

»Ich begrüße Sie, gnädige Frau«, sagte er korrekt. »Darf ich Ihnen meine Bewunderung aussprechen, daß Sie sogar in der Wüste nach der neuesten Mode des ›Oben-ohne‹ bekleidet sind . . .«

Birgit lachte unter Tränen und preßte die Bluse gegen ihre Brust.

»Sie haben mir das Leben geschenkt, Brahms«, sagte sie. »Und geboren wird man immer nackt —«

Dann sank sie in die Arme Brahms', die letzte Kraft hatte sie verlassen.

Wie ein Kind nahm Brahms Birgit auf seine Arme und trug sie das ausgetrocknete Flußbett hinauf zu dem wartenden Flugzeug.

21

In Kairo trat in diesen Tagen das Kabinett unter Vorsitz des Innenministers zu einer Sondersitzung zusammen.

Einziger Punkt der geheimen Besprechung war die Flucht Alf Brockmanns und der Zusammenbruch der Forschungsstätte Bir Assi. Der Tod General Assbans wurde überhaupt nicht erwähnt, ebensowenig die Niederlage der ägyptischen Suchtruppen in der Wüste durch einen nicht identifizierten Stoßtrupp. Diese Angelegenheit war Gegenstand eines Protestes in Libyen und außerdem zu blamabel, um darüber zu sprechen.

»Meine Herren«, sagte der Minister und blickte über die Runde seiner Kollegen, »was in den letzten Tagen geschah, ist eine rein innenpolitische Angelegenheit Ägyptens und darf auf gar keinen Fall außenpolitisch ausgewalzt werden. Ich habe eine Informationssperre verhängt und kann Ihnen sagen, daß über die Vorfälle in Bir Assi und an der libyschen Grenze niemand unterrichtet ist als wir und die libysche Regierung. Sie wird im eigenen Interesse alles tun, um diesen Zwischenfall ebenfalls zu verschweigen. Sie alle wissen, worum es geht: Das Ansehen Ägyptens muß bei seinen arabischen Freunden erhalten und sogar gestärkt werden.« Der Minister wischte sich über seine lichten Haare. »Was ist aus der gegenwärtigen Lage zu lernen? Was haben wir zu tun? Es steht zu erwarten, daß Libyen Alf Brockmann nicht ausliefert, sondern ihn nach Europa abschiebt. Es wäre ein leichtes, Brockmann in Deutschland selbst durch unseren Geheimdienst unschädlich zu machen. Aber das gäbe wieder ein großes Aufsehen, das wir unter allen Umständen vermeiden wollen.« Der Minister blätterte in seinen Akten. Was er zu sagen hatte, war nicht seine Meinung, sondern die des Staatschefs.

»Meine Herren! Mit dem heutigen Tage schließen wir den Komplex Brockmann ab. Alle noch im Lande befindlichen deutschen Ingenieure und Forscher werden, da sie noch Verträge mit uns haben, isoliert und erhalten harmlose Aufgaben im Rahmen einer Raumforschung. Es wird unsere Aufgabe sein, die Deutschen nach und nach abzuschieben.« Die Stimme des Ministers hob sich. »Ich kann Ihnen auf der anderen Seite die erfreuliche Mitteilung machen, daß die Entwicklungsarbeiten an der Langstreckenrakete und einer Interkontinentalrakete weitergehen. Raketenfachleute eines anderen Staates sind bereits unterwegs, um die Arbeitsplätze der Deutschen einzunehmen, uns mit ihren neuesten Erkenntnissen zu dienen und uns die Waffen zu liefern, die uns befähigen, einmal unseren Erbfeind Israel vernichtend zu schlagen.«

Der Minister klappte seine Aktenmappe zu. Er sah in die zweifelnden Gesichter seiner Kollegen und winkte mit einer großen Geste ab.

»Ägypten besteht seit 6000 Jahren!« sagte er laut. »Es wird nicht an einem Alf Brockmann zugrunde gehen! Wir haben einen Cäsar und Antonius überlebt, wir haben die Engländer nach zähem Ringen entmachtet, wir sind eine eigene Nation geworden ... wir können auch auf einen Brockmann verzichten. Schließen wir die Akten, meine Herren. Ein neuer Abschnitt unserer Raketenforschung beginnt!«

Die Sondersitzung des Kabinetts war damit beendet.

Der Minister führ nach Hause. Dort erwartete ihn sein Freund Faruk Ben Sahedi mit einem besonders hübschen Mädchen aus dem Somaliland. Ein zauberhaftes, siebzehnjähriges Geschöpf mit Pantheraugen und einem Wildkatzenkörper.

Der Minister seufzte laut.

O Allah, dachte er. Das Leben ist schön . . . Ägypten ist schön . . . alles ist schön auf dieser Welt, wenn man eine schöne Frau erwartet.

In den Armen eines Weibes verglühen die Sorgen — wer das einmal sagte, war wirklich ein lebensnaher Philosoph.

Der Fieseler Storch landete in der Nacht wieder auf dem Fabrikgelände. Nur der Berliner war anwesend und rannte auf sein Flugzeug zu, als der Propeller auslief.

»Ick hab jedacht, die sind abjeschmiert!« schrie er und umarmte Hauptmann Brahms. »Seit drei Stunden loofe ick herum wie'n Pennbruder, der keene Bank mehr findet. Die haben doch keen Benzin mehr, hab ick mir jesagt. Die liejen jetzt in der Wüste und spielen Sechsundsechzig. Und da knattert's in der Luft — Hauptmann, habt ihr det dolle Weibsbild jefunden?«

»Das tolle Weibsbild ist da.« Birgit kletterte aus der engen Kabine und sprang auf den Fabrikhof. Der Berliner sah verlegen zu Brahms, straffte sich dann und machte eine Verbeugung.

»Jnädigste«, sagte er etwas gehemmt. »Det war mir so herausjerutscht. Ick meene . . .«

»Ich danke Ihnen von ganzem Herzen.« Birgit umarmte den starken Berliner und küßte ihn auf beide Wangen. »Wenn Ihr alter Fieseler Storch nicht gewesen wäre, wer weiß, was aus mir geworden wäre. So aber lebe ich — und das verdanke ich auch Ihnen.«

»Jnädigste —« Der Berliner sah hilflos auf Brahms. Der lachte und winkte ab.

»Gib dir keine Mühe. Motte deine Kiste wieder ein.

Ich glaube, das war der letzte Einsatz des greisen Vogels.« Aber dann wurde auch Brahms ernst und gab dem Berliner die Hand. »Ich danke dir, Kamerad!« sagte er, und es klang ein wenig schief hier auf dem nächtlichen Fabrikhof der afrikanischen Stadt Tobruk. Er hieb dem Berliner auf die Schultern und lachte gequält. »So, und nun roll deinen Vogel wieder ins Heu. Er hat sein Gnadenbrot verdient.«

Im Hause Brahms' schlief alles, als sie aus dem Wagen stiegen. Nur Baraf, der schwarze Riese, war wach. Er saß hinter der Haustür und bewachte den Schlaf der anderen.

»Wo ist Dr. Brockmann?« fragte Brahms, als sie im Flur standen.

»Im Zimmer, Herr. Er schläft seit einer Stunde.«

»Und Zuraida?«

»Wartet auf den Herrn —«

»Was ist sonst in meiner Abwesenheit geschehen?«

»Vieles, o Herr. Die Mädchen . . .«

Birgit faßte Brahms am Arm. Sie zitterte vor Aufregung. »Wo ist Alf?« flüsterte sie. »Führen Sie mich erst zu ihm. Oder ist das andere so wichtig?«

»Natürlich nicht.« Brahms lächelte still. »Was Baraf zu melden hat, kann bestimmt noch eine Minute warten.« Er nickte dem Riesen zu. »Führ sie zu dem weißen Herrn.«

Brahms blieb unten im Flur stehen und sah Birgit nach, wie sie hinter Baraf die Treppe hinaufstieg. Ihre Beine zitterten, ihr Rücken zuckte. Mit beiden Händen hielt sie sich am Geländer der Treppe fest, als sei es ihr unmöglich, die Kraft aufzubringen, Stufe um Stufe hinaufzugehen.

Brahms wandte sich ab und ging in das Wohnzimmer.

Wie schön es ist, wenn jemand auf einen wartet, dachte er. Wer wartet auf mich? Zuraida? Vielleicht. Sie liebt mich und ich bin verrückt nach ihren Küssen — aber wird dies von Dauer sein? Werden die Gegensätze nicht eines Tages doch alles zuerstören? Sind Zuraida und ich zwei Menschen, die sich binden können, die ein ganzes Leben lang wie eine bürgerliche Familie leben können, in einer 2-Zimmer-Wohnung, zwischen Couch und Waschmaschine, zwischen Kindergeschrei und Windeln, zwischen morgendlichem Ei, drei Minuten gekocht, und abendlicher Flasche Bier? Sind wir geboren für dieses biedere Leben?

Brahms setzte sich im Dunkeln ans Fenster und sah hinaus auf die stille afrikanische Straße. Bitterkeit stieg in ihm hoch. Er ahnte, daß er sich selbst betrog, wenn er zu allen Fragen ja sagte.

Er war ein ewig Ruheloser. Er war ein moderner Nachfolger Ashavers, der nirgendwo mehr eine Heimat fand. Er war wie ein Clochard, den nichts mehr schreckte als Geborgenheit und Bürgertum, ein sauberes Bett und ein Schlips um den Hals.

Die Tür klappte auf. Ein Schatten huschte ins dunkle Zimmer. Zwei weiche, nackte Arme schlangen sich um seinen Hals, der süßliche Geruch eines Frauenkörpers umströmte ihn mit unwiderstehlicher Versuchung.

»Zuraida!« sagte Brahms heiser. »Mein Engel!«

Und alle dunklen Gedanken starben an ihren Lippen und unter ihren streichelnden Händen.

Alf Brockmann lag angekleidet auf dem Bett und wälzte sich in unruhigem Schlaf hin und her, als Birgit die Tür öffnete, ins Zimmer trat und sie hinter sich wieder leise zuzog.

Auf Zehenspitzen ging sie zum Bett und beugte sich über ihren Mann.

Alf, schrie es in ihr. Alf! Jetzt bin ich bei dir! Ich bin da! Nach einem Jahr! Endlich, endlich!

Ganz vorsichtig und leise setzte sie sich auf die Bettkante und strich mit den Fingerspitzen über sein Gesicht. Alf streckte sich etwas im Schlaf und murmelte unverständliche Worte.

Ich habe nie geglaubt, daß du tot bist, Liebster, dachte

Birgit. Doch, ich lüge. Einen Augenblick lang war ich unsicher ... als man deine Urne brachte und ich mir sagen sollte: Das ist alles, was von Alf übriggeblieben ist, von meinem Glück, von meiner Liebe. Aber dann war auch das vorbei, und ich sagte: Nein. Er lebt. Ich fühle es, daß er lebt.

Ich habe es so fest gefühlt, Liebster. Und nun liegst du vor mir und weißt noch nicht, daß ich neben dir sitze und dich ansehe. Viele Falten hast du dazubekommen ... hier, um den Mund, und auf der Stirn, und in den Augenwinkeln. Ach, ich kannte alle Falten deines Gesichtes. Weißt du noch, wie ich sie nannte? Straßen der Reife ... Wir lagen in der Sonne, im hohen Gras unseres kleinen Gartens, und ich fuhr mit den Fingerspitzen über dein Gesicht ... so wie jetzt. »Ich bin ein alter Mann, nicht wahr?« sagtest du damals. Und ich habe geantwortet: »Ich liebe dich!« Ob du das noch weißt, mein Liebster?

Sie legte den Kopf neben seinen Kopf auf die gefaltete Decke und sah ihn von der Seite an. Sein Atem glitt über ihr Gesicht, und seine Mundwinkel zitterten im Schlaf.

Liebster — es gibt nichts mehr auf der Welt als dich. Das weiß ich jetzt. Dich und unseren Jörgi. Er lebt, weißt du das schon? Er ist wieder zu Hause, und wir werden so glücklich wie nie zuvor. Wir werden uns an der Hand nehmen und nie mehr auseinandergehen. Nie mehr. Versprich mir das, ja. Bitte, bitte, versprich mir das!

Leise stand sie wieder auf und streifte ihre staubige, zerschlissene Kleidung ab. Nackt kam sie zum Bett zurück und legte sich wieder neben ihren Mann.

Brockmann wandte im Schlaf den Kopf zu ihr, seine Hände legten sich auf ihren Leib und ihre linke Brust.

»Alf —«, flüsterte sie ihm ins Ohr.

Er brummte etwas, aber der Druck seiner Hände verstärkte sich. Da küßte sie ihn auf den Mund und weckte ihn.

»Birgit —«, sagte er.

Nur Birgit.
Aber die Welt war vollkommen.

Es stimmte nicht, was Baraf seinem Herrn gemeldet hatte. Nicht alle schliefen im Haus, als Brahms mit Birgit zurück-kam. Neben dem Zimmer Zuraidas lag Lore Hollerau wach im Bett und lauschte auf jedes Geräusch, das im Haus war.

Sie hörte das näher kommende Auto, das Schlagen der Türen, die leisen Stimmen unten im Flur.

Sie sind gekommen, dachte Lore. Brahms hat sie gefun-den. Nun ist sie da . . . Birgit Brockmann, seine Frau.

Sie setzte sich im Bett hoch, warf den Kopf in den Nak-ken und lauschte angestrengt. Dann stieg sie aus dem Bett und tappte zur Tür, legte das Ohr daran und verfolgte al-les, was im nachtdunklen Haus geschah.

Stimmen. Brahms sprach. Dann sie . . . Birgit. Wie hell sie spricht, ich habe sie mir viel dunkler im Timbre vorge-stellt, dachte Lore. Jetzt klappt eine Tür. Und Schritte kommen die Treppe herauf . . . ein schwerer Tritt, die Die-len erzittern bis zu mir . . . das ist Baraf, der schwarze Rie-se. Und hinterher kommt sie, ich höre sie nicht, aber ich weiß, daß sie hinter ihm ist . . . er führt sie zu Alfs Zim-mer . . . und gleich wird sie hineingehen, gleich wird sie bei ihm sein, gleich wird meine eigene Welt zusammenbre-chen.

Stille.

Lore hielt den Atem an. Ein Scharren, wieder der schwere Tritt. Baraf ging die Treppe hinunter. Allein. Sie war oben geblieben, stand vor Alfs Tür . . . Mach sie auf, mach sie doch auf. Ich will das Knarren hören und das Zu-fallen des Schlosses. Mit ihm wird mein Schicksal zufallen. Warum gehst du nicht hinein? Es ist doch dein Mann . . .

Dein Mann! Du bist eine schöne, stolze, mutige Frau. Ich bin nur ein blinder Krüppel. Dir gehört seine Liebe, mir bleibt nur noch sein Mitleid.

Warum gehst du nicht hinein? Mach doch die Tür auf, du blonder Satan! Geh doch! Geh!

Lore Hollerau biß in die Faust, die sie vor den Mund gepreßt hatte. Ihr tränennasses Gesicht lag an der Tür. Sie hatte das Gefühl, in das Holz beißen zu müssen vor unendlicher, untragbarer Qual.

Da . . . ein leises Quietschen, ein Klicken, ein Scharren.

Sie ist hineingegangen.

Nun ist sie bei ihm.

Sie beugt sich über ihn.

Sie küßt ihn.

Sie . . . sie . . .

Lore Hollerau schwankte von der Tür weg zurück zum Bett. Das letzte Bild ihrer Vorstellung zerriß sie völlig. Mit einem Schluchzen warf sie sich rücklings auf die Decke und stopfte einen Zipfel des Kissens zwischen die Zähne, um ihren Aufschrei zu ersticken.

Nun ist sie bei ihm. Nun sind sie glücklich. Nun sind sie wieder Mann und Frau. Und alles, was dazwischen liegt, ist nun vergessen.

Als Zuraida und Brahms eng umschlungen in ihr Schlafzimmer gingen und an Lores Tür vorbeikamen, hörten sie ein leises Stöhnen.

Sie fanden Lore Hollerau in einer großen Blutlache. Aus ihrem zerfetzten linken Handgelenk schoß das Blut in einem pulsenden Bogen. Es war eine fürchterliche Wunde. Mit der Scherbe eines zerbrochenen Taschenspiegels hatte sich Lore Hollerau die Ader aufgerissen.

Das italienische Vergnügungsschiff »Leonardo« legte auf seiner Reise rund um das Mittelmeer auch in Tel Aviv, in Israel, an.

Hier ging Aisha von Bord, wie alle anderen Passagiere, um die Stadt zu besichtigen. Für Aisha aber war es ein Weggehen für immer. Als sie die Kaianlagen betrat, wartete bereits ein unauffälliger, in einen weißen Anzug gekleideter Herr auf sie. Ein moderner Strohhut bedeckte seinen Kopf, hinter der dunklen Sonnenbrille sahen harte Augen auf das Mädchen.

»Willkommen, Miß Aisha«, sagte er und küßte ihr die Hand, als empfange er einen lieben, ersehnten Besuch. »Hatten Sie eine gute Reise?«

»Was soll dieses Theater, Major Silverston?« Aisha strich ihre vom Wind zerzausten Haare aus dem Gesicht. »Ich bin gekommen, um Rechenschaft abzulegen.«

»Das haben wir auch gar nicht anders erwartet, Miß Aisha.«

Major Silverston faßte Aisha unter. Aber es war weniger eine zärtliche Geste als vielmehr der Ausdruck einer Gefangennahme. »Unser Wagen wartet hinter dem Zoll. Wir brauchen ihn nicht zu passieren . . .«

»Wohin bringen Sie mich?« Aisha blieb stehen und sah sich um. Ob ich das alles noch einmal wiedersehe, dachte sie. Die weißen Schiffe, die fröhlichen Menschen, die bunten Fahnen, die kleinen, weißen Wolken am Himmel, die glänzende Sonne, das flimmernde Meer . . .

»Zunächst zu General Absalom. Er hat Ihnen einige Fragen zu stellen.«

»Ich weiß.« Aisha senkte den Kopf. »Ich glaube, ich bin die einzige Frau, die bisher in Israel standrechtlich erschossen wird, nicht wahr?«

Major Silverston schüttelte den Kopf. »Wer redet davon, Miß Aisha? Sie machen sich eine völlig falsche Vorstellung von den Konsequenzen. Wenn Sie ein Mann wären . . .« Der Major hob vieldeutig beide Schultern. »Aber Sie? Ich würde mich an Ihrer Stelle mit dem Gedanken vertraut machen, einige Jahre in einem Kibbuz in der Negev-Wüste zu leben und den Boden zu kultivieren.«

»Verbannung?«

»Nein. Ehrendienst am Aufbau unseres Volkes.« Major Silverston führte Aisha an zwei grüßenden Militärposten vorbei zu einer vor dem Zollgebäude wartenden, dunklen

Limousine. »Warum haben Sie so völlig versagt?« fragte er, bevor sie einstiegen. »Bitte, erklären Sie mir das, Miß Aisha, bevor wir zu General Absalom fahren. Haben Sie eine Erklärung dafür?«

»Ja«, antwortete Aisha fest.

»Und die wäre?«

»Ich habe zum erstenmal in meinem Leben gespürt, was Liebe ist.«

»Dummheit.«

»In Ihren Augen, Major. Aber ich bin eine Frau. Ich bin immer und zuallererst nur eine Frau, und dann erst eine Agentin. Das habe ich jetzt erkannt, und das hätte man auch in der Zentrale erkennen müssen. Man kann mich mit Lehren und Aufträgen vollpumpen, mit Logik und mit Angst . . . solange man mir nicht das Herz herausreißt, fühle ich.«

Major Silverston nickte mehrmals. »Das ist die wunde Stelle bei allen weiblichen Agenten. Von der Mata Hari über Mademoiselle Docteur bis zur Katze. Das verdammte, liebende Herz!« Er sah Aisha von der Seite an. »War diese Liebe es wert, daß Sie jetzt in der Negev-Wüste Land urbar machen?«

»Ja«, sagte Aisha stolz.

»Dieser Brockmann?«

»Ich werde ihn nie vergessen, Major. Und wenn Sie mich erschießen ließen . . . mein letzter Gedanke wäre er.«

»So kann nur eine Frau reden.«

»Ja . . . und so kann auch nur eine Frau fühlen.« Aisha trat an die Wagentür. »Können wir nun fahren?«

»Ja. Das heißt — noch eine Frage. Eine letzte.« Major Silverston hielt Aishas Hand fest, die schon auf der Wagenklinke lag. »Was hätten Sie getan, wenn Alf Brockmann Ihnen nicht sympathisch gewesen wäre?«

»Ich hätte ihn, meinem Auftrag gemäß, umgebracht.«

Silverston hob wieder die Schultern. »Steigen Sie ein, Miß Aisha«, sagte er heiser. »Sie sind eine unheimliche

Frau.« Er riß die Wagentür auf. »Mit Ihnen zu leben muß die Hölle sein.«

»Nur, wenn man mir vorher den Himmel zerrissen hat.« Aisha lächelte traurig. »Und ich habe keinen Himmel mehr.«

22

In dem kleinen Krankenhaus von Tobruk kämpften die Ärzte um das Leben Lore Holleraus.

Blutkonserven waren nicht vorhanden. Sie aus Bengasi oder Tripolis heranzuholen war schon zu spät. Der Blutverlust war zu hoch, der Herzschlag war kaum noch hörbar, der Puls war samtweich und zerflatterte.

Man versuchte es deshalb mit Traubenzuckerlösungen, um den Flüssigkeitsverlust des Körpers aufzufangen. In beiden Oberschenkelvenen steckten dicke Kanülen und füllten die Adern mit dem Blutersatz auf. Währenddessen arbeiteten zwei Chirurgen an dem zerfetzten Handgelenk. Es war schwierig, die Arterie zu nähen, und es gelang auch nur so weit, daß die Blutung stand.

»Sie muß sofort nach Tripolis«, sagte Chefarzt Dr. Halemi zu Hauptmann Brahms, der neben dem OP in einem Wartezimmer saß und unruhig eine Zigarette nach der anderen rauchte. »Die Arterie muß auf einem Stück von zwei Zentimetern ausgewechselt werden mit einer Kunststoffader. Das können aber nur die Kollegen in Tripolis. Wir sind hier gar nicht darauf eingerichtet und haben es, ehrlich gesagt, auch noch nie gemacht. Auf jeden Fall ist die größte Gefahr erst einmal gebannt. Sie wird weiterleben.«

»So ein dummes Luder!« Brahms ging erregt in dem kleinen Zimmer hin und her. »Sich das Leben nehmen. Als ob es keine anderen Lösungen gäbe.«

»Sie wird blind bleiben, nicht wahr?« fragte Dr. Halemi.

»Ja.«

»Ein Unglücksfall?«

»Nein. Ein politisches Attentat. Ein Sprengstoffpaket. Es sollte ihrem Chef gelten.«

»Eine Schweinerei!« sagte Dr. Halemi laut. Brahms hob die Arme.

»Im Krieg aus dem dunkeln sind die Mittel nicht wählerisch. Ein Menschenleben ist ein Dreck. Und man darf umbringen ohne Risiko. Es ist staatlich gewünschter Mord. Es ist sogar ein Beweis der Vaterlandsliebe. Heute überzeugt nicht mehr die Vernunft, sondern der Schalldämpfer auf einem Revolver.«

»Eine idiotische Zeit, Hauptmann.«

»Oder eine notwendige Zeit, Doktor. Vielleicht bringen die Menschen sich einmal alle gegenseitig um — dann ist endlich Frieden auf Erden.«

Am Nachmittag kamen Alf und Birgit Brockmann in das Krankenhaus. Lore Hollerau war so weit gekräftigt, daß sie Besuch empfangen konnte. Zuraida saß an ihrem Bett und hielt Wache.

In den Stunden nach der Entdeckung des Selbstmordversuches hatte Alf Brockmann seiner Frau eine große Beichte abgelegt. Er hatte langsam gesprochen, Wort für Wort betonend, und sich bemüht, nichts auszulassen. Alles, was in dem vergangenen Jahr geschehen war, rollte noch einmal vor seinen Augen ab und formte sich zu Sätzen.

Die Forschungen in der Geheimfabrik von Gizeh. Der Umzug nach Bir Assi. Das stetige Zusammenwachsen von Lore Hollerau und ihm durch die gemeinsame Arbeit. Der Anschlag, der Lores Augen kostete. Ihr Tagebuch, das er fand. Der angebliche Tod Birgits, an den er glaubte — vor allem, als die Urne eintraf —, und sein ungeheurer Zwiespalt, als Aisha in sein Leben trat, dieses Feuer, in dem er bald verbrannt wäre.

Birgit hatte ihm zugehört, ohne ihn zu unterbrechen.

Nur ihre Hände bebten, und die Finger verkrampften sich ineinander.

»Das war es, Birgit«, sagte Brockmann am Ende seiner Beichte. »Jetzt kannst du auch verstehen, warum Lore für immer gehen wollte. Wir sind alle das Opfer eines gemeinen Betrugs geworden, in dem jeder vom anderen glaubte, er sei tot.«

»Ich habe es nie geglaubt, Alf«, sagte Birgit mit kleiner Stimme. »Ich bin durch hundert Höllen zu dir gefahren.«

Brockmann senkte den Kopf. Er erkannte den stillen Vorwurf, aber er fühlte sich nicht schuldig. »Ich hatte deine Urne«, sagte er. »Ich habe sie unter einen blühenden Malvenstrauch gesetzt, weil du Blumen immer so liebtest. Assban versprach mir, dir in Bir Assi ein schönes Grabmal zu bauen. Für mich warst du dort in der kupfernen Urne, und das Leben mußte weitergehen. Ich habe erst in der Wüste, bei meiner Befreiung durch Brahms, erfahren, daß du noch lebst.«

»Und wie . . . wie hast du dich entschieden?« fragte Birgit ganz leise.

»Entschieden? Wieso?« Er sah sie völlig entgeistert an.

»Lore — oder ich, Alf?«

»Mein Gott! Wie kannst du noch so etwas fragen?« Brockmann riß Birgit zu sich empor. »Wir haben in unserem Leben ein Jahr verloren, weiter nichts. Es ist mir jetzt, als sei ich nie von dir getrennt gewesen.«

»Dann laß uns zu Lore gehen.« Birgit legte die Arme um den Hals ihres Mannes. »Laß mich mit ihr sprechen, ja? Allein. So etwas können Frauen untereinander besser klären als ein Mann, der mit seiner angeblichen Logik viel zuviel zerredet. Komm, laß uns sofort fahren.«

Alf Brockmann küßte Birgit auf die goldenen Haare und drückte sie fest an sich.

»Wir fahren sofort.« Seine Stimme war etwas belegt, als er weitersprach. »Ich muß dir noch etwas beichten, Birgit . . .«

»Noch eine Frau?«

»Nein. Ich bin im Grunde genommen ein Feigling ... das wollte ich dir sagen. Wenn du wüßtest, welche Angst ich vor dieser Aussprache hatte.«

»Du Dummer!« Birgit lachte und zog ihn an den Ohren. »Darin bist du nicht anders als andere Männer. Ihr seid alle so —«

Nun standen Birgit und Alf vor dem Zimmer Lores und hörten auf die Ermahnungen Dr. Halemis. »Keine Aufregung. Nicht länger als eine halbe Stunde. Die Patientin ist seelisch schwer angegriffen.«

»Wenn ich mit ihr gesprochen habe, wird sie schnell wieder gesund werden.« Birgit drückte Alf heimlich die Hand. Keine Angst, Liebster. Es wird gutgehen.

»Kann ich jetzt in das Zimmer?« fragte sie Dr. Halemi.

»Bitte. Und Sie?« Er sah Brockmann an.

»Ich warte hier auf dem Flur.«

Birgit atmete tief durch, dann drückte sie die Klinke herunter und betrat das helle Krankenzimmer.

Lore lag, durch eine spanische Wand vor der grellen Sonne geschützt, unter einer weißen Decke. Ihre dickverbundene und geschiente Hand ruhte auf einem kleinen Kissen. Als sie das leise Quietschen der sich öffnenden Tür hörte, wandte sie den Kopf um und sah in die Richtung des Geräusches.

»Wer ist gekommen?« fragte sie kaum hörbar.

Birgit schrak zusammen. »Ich bin es«, sagte sie stokkend.

Der Kopf Lores zuckte zur Seite. Der dickverbundene Arm preßte sich in die weiße Wolldecke, mit der sie zugedeckt war.

»Wer sind Sie?«

»Birgit Brockmann — Alfs Frau —«

Sekundenlang lag lähmende Stille zwischen den beiden Frauen. Birgit setzte sich auf den Stuhl, der neben Lores Bett stand. Die Kraft in den Beinen ließ nach, sie spürte, wie sie zu schwanken begann. Lores Kopf lag abgewandt von ihr. Vom Kinn ab über den Hals zuckte es leicht unter der bleichen Haut. Sie weint nach innen, dachte Birgit und verkrampfte die Hände ineinander. Sie weint um Alf . . . sie liebt ihn so, daß sie sterben wollte. Und ich sitze hier vor ihr und soll sie trösten, und ich weiß, daß auch Alf sie zu lieben begonnen hatte.

Es ist ein merkwürdiges Gefühl, seiner Nachfolgerin gegenüberzusitzen, dachte sie. Wäre ich wirklich gestorben, so wie es Alf geglaubt hat, wäre diese Frau einmal an meiner Stelle gewesen. Sie hätte Alf in den Armen gehalten wie ich, sie hätte glücklich an seiner Seite geträumt wie ich, sie hätte den kleinen Jörgi wie eine Mutter umsorgt wie ich, sie hätte geliebt und Liebe empfangen — und ich wäre vergessen worden in diesem neuen, aufgeblühten Glück.

Aber nun lebe ich. Und Alf gehört mir. Und ich gebe ihn nie, nie, nie her.

»Was wollen Sie von mir?« fragte Lore mit einer merkwürdig klaren Stimme. Birgit zuckte zusammen.

»Ich wollte Sie trösten.« Birgit beugte sich vor und legte ihre Hand auf das zerfetzte Handgelenk Lores. »Jetzt, wo ich hier sitze, sehe ich ein, daß es Dummheit ist. Wir haben andere Probleme, nicht wahr?«

»Ich habe keine Probleme mehr!« sagte Lore laut.

»Schon, daß Sie so etwas sagen können, ist ein neues Problem.« Birgit nahm den Kopf Lores in beide Hände und drehte ihn zu sich herum. Sie spürte den Widerstand im Nacken, aber sie ließ nicht los, bis Lore seufzend dem Druck der Hände nachgab. »Ich habe mit Alf gesprochen, und Alf hat mir alles erzählt. Alles. Wir alle sind Opfer ungeheurer Intrigen und Lügen gewesen, und wir haben gehandelt, wie diese Lügner es wollten. Keinem kann man einen Vorwurf machen. Es war, wenn man so will, alles logisch. Aber nun ist die Wirklichkeit ganz anders, und wir sollten uns damit abfinden, daß Träume eben nur Träume sind und das Leben immer wieder Wünsche weckt und Wünsche verschließt und trotzdem weitergeht. Auch Ihr Leben, Lore.«

»Welches Leben?« Die Stimme Lores klang voller Bitterkeit. »Ein Leben im ewigen Dunkel. Ich habe nicht die Kraft, das auszuhalten . . . allein auszuhalten.«

»Ich verstehe.« Birgit senkte den Kopf. »Alf war Ihr großer Halt.«

»Mein einziger.«

»Was soll nun werden?« Birgit lehnte sich zurück und bedeckte das Gesicht mit beiden Händen. O Gott, gib mir Kraft, auch das noch durchzustehen. Laß mich ganz ruhig sein, ganz nüchtern denken, ganz menschlich handeln. »Wir fahren in ein paar Tagen nach Deutschland zurück. Selbstverständlich kommen Sie mit uns, Lore. Alf will die besten Augenchirurgen bemühen. Er hat große Hoffnungen, daß eine Operation gelingen könnte.«

»Hoffnungen?« Lores Mundwinkel verzogen sich zu bitterem Spott. »Wofür Hoffnungen? Was habe ich davon, wenn ich sehe? Wenn ich Alf sehe . . .«

»Wenn Sie wieder sehen, steht Ihnen die Welt wieder offen, Lore.«

»Ach so. Die Operation als Freibillett, zu verschwinden. Das ist auch eine Version der Wohltätigkeit.«

»Warum sind Sie so verbittert, Lore?« Birgit faltete die Hände im Schoß. »Es ist nicht meine Schuld, daß ich nicht wirklich gestorben bin. Aber ich weiß, Sie wünschen mir den Tod.«

»Nein! O nein!« Lores Kopf zitterte. »Ich möchte sterben! Sie gehören zu Alf — wer wagt das jemals zu bezweifeln? Nur ich bin zuviel auf der Welt. Ich war immer zuviel . . . Ich war immer ein lästiges Anhängsel der anderen, glücklicheren Menschen. Ich war wie ein Belag auf ihrem glänzenden Gold, wie Schimmel, wie Grünspan, wie Rost. Und nun will ich nicht mehr. Ich hasse dieses Leben.«

»Ich werde Sie nicht mehr allein lassen, Lore«, sagte Birgit leise, aber eindringlich. »Bis wir nach Deutschland fahren, werde ich bei Ihnen sitzen und Sie bewachen. Und ich werde bei Ihnen sein, wenn man Sie in Deutschland operiert.«

»Aber warum denn?« Lore versuchte sich aufzurichten, aber Birgit drückte sie aufs Bett zurück. »Soll ich wieder hinaus in die Heimatlosigkeit?«

»Wie kann man so etwas mit sechsundzwanzig Jahren sagen?« Birgit hielt die weißen, schlaffen, eiskalten Hände Lores fest. »Einmal wird eine andere Liebe zu Ihnen kommen.«

»Liebe? Männer — vielleicht. Davon haben sich genug angeboten. Aber Liebe?« Sie versuchte, ihre Hände dem Griff Birgits zu entziehen. »Bitte, gehen Sie und lassen Sie mich allein. Kümmern Sie sich nicht darum, was aus mir wird. Ich bin es nicht anders gewöhnt.«

»Aber das soll jetzt anders werden. Es ist auch Alfs Wunsch. Wollen Sie sich einem Wunsch Alfs widersetzen, Lore?«

Wieder lag Schweigen zwischen den beiden Frauen, die den gleichen Mann liebten. Über das Gesicht Lores zuckte es, sogar ihre toten Augen schienen sich zu beleben. Langsam rannen dicke Tränen aus den Augenwinkeln und liefen über die eingefallenen Wangen. Birgit beugte sich vor und trocknete sie mit ihrem Taschentuch ab.

»Bitte — gehen Sie —«, sagte Lore kaum hörbar unter Schluchzen. »Lassen Sie mich jetzt allein . . . Ich muß jetzt allein sein. Ich verspreche Ihnen, keine Dummheiten zu machen. Aber ich muß mit mir selbst reden . . . und da möchte ich keinen zuhören lassen.«

Birgit erhob sich. Sie verstand Lore Hollerau. In den nächsten Stunden würde sich alles entscheiden. Es galt, Abschied von Alf Brockmann zu nehmen und trotzdem in seiner Nähe weiterleben zu können.

»Ich kann mit Ihnen fühlen, Lore«, sagte Birgit leise.

»Und ich glaube, ich hätte nicht die Kraft, gegen mich zu kämpfen.«

»Und von mir verlangen Sie es?«

»Man verlangt oft von anderen etwas, was man selbst gern tun möchte. Mir ist es bis heute ein Rätsel, woher ich die Kraft genommen habe, alle Gefahren zu überstehen, bis ich hier in Libyen war. Ich bin sonst eine schüchterne, ängstliche Frau.«

»Aber Sie lieben. Und diese Liebe gibt Ihnen alle Kraft dieser Erde.«

»Das stimmt.« Birgits Stimme sank ab. »Lore . . . aus dieser Kraft sollten auch Sie den Mut schöpfen, weiterzuleben.«

Lore hob den Kopf. Ihre leeren Augen blickten Birgit an.

»Kommen Sie morgen wieder, Birgit?«

Es war eine Frage voll verhaltener Angst.

»Ja, Lore«, antwortete Birgit fest. »Jeden Tag, sooft Sie wollen.«

»Danke, Birgit.« Und als Birgit schon an der Tür war, fügte Lore hinzu: »Wo ist Alf?«

»Er wartet draußen auf dem Flur.«

»Grüßen Sie ihn bitte . . . von einer Freundin . . .«

»Ja.« Birgits Kehle war wie zugeschnürt. »Von einer Freundin . . . so soll es weiterhin sein, nicht wahr?«

»Ja — «

Lores Kopf fiel in das Kissen zurück. Die Erschöpfung warf sie in einen lähmenden Zustand. Ihr Gesicht fiel ein, als sterbe sie in diesen Sekunden. Schnell verließ Birgit das Krankenzimmer. Auf dem Flur kamen ihr mit schnellen Schritten Alf und der Chefarzt entgegen.

»Nun? Was ist?« fragte Alf und sah Birgit tief in die flatternden Augen. Ein großes Schuldgefühl machte ihn unsicher. Birgit nickte mehrmals, ehe sie sprach.

»Es ist alles gut, Alf«, sagte sie leise und lehnte den Kopf an seine Schulter. »Sie fährt mit uns nach Deutschland. Wir . . . wir sind Freundinnen geworden.«

Zwei Tage später, Birgit saß wieder im Krankenzimmer Lores und las aus den neuesten Zeitungen vor, traten Alf Brockmann und Hauptmann Brahms aus dem Gebäude des libyschen Staatsministeriums hinaus auf die sonnenüberglühte Straße. Sie überquerten sie und setzten sich unter einen Sonnenschirm auf die Terrasse eines arabischen Cafés.

Die Würfel waren gefallen. Die Proteste der ägyptischen Regierung und die Auslieferungsanträge für Brockmann und Brahms waren so massiv geworden, daß ein Staatssekretär ihnen vor einer Stunde eröffnen mußte: »Entweder verlassen Sie innerhalb vierundzwanzig Stunden libyschen Boden, oder wir müssen Sie verhaften. Die gutnachbarlichen Beziehungen zu Ägypten sind für uns wichtig. Wenn Sie abreisen — gut, dann sind Sie eben weg. Da kann man nichts mehr machen. Aber nach spätestens vierundzwanzig Stunden müssen wir politisch handeln . . . und das schließt alle menschlichen Regungen aus.«

Anschließend überreichte der Staatssekretär noch einen genauen Flugplan. Danach ging eine Maschine am nächsten Morgen um sieben Uhr nach Rom ab, mit Anschluß an eine Maschine nach Frankfurt. »Der beste und sicherste Weg, meine Herren«, sagte der libysche Beamte. »Wir haben prophylaktisch schon zehn Sitzplätze reservieren lassen.«

»Es ist also soweit«, sagte Alf Brockmann, nachdem der Kellner den glühendheißen und dickflüssigen Mokka gebracht hatte. Dabei stieß Alf mit der Faust Hauptmann Brahms gegen die Brust, denn er hatte den Eindruck, daß Brahms gar nicht zuhörte. »Mit zehn Plätzen kommen wir aber nicht aus. Lore, Sie, Zuraida, meine Frau, ich, Baraf, Ihre Stoßtruppleute . . .«

Brahms lächelte schwach und schüttelte den Kopf. »Rechnen Sie nicht, Brockmann. Sie brauchen nur drei Plätze.«

»Aber wieso denn? Wir haben doch besprochen, daß Sie . . .«

»Mein lieber Freund, ich habe Sie reden lassen, um Ihnen die freudige Stimmung nicht zu verderben.« Brahms lehnte sich zurück und blickte in den glühenden Himmel, »Deutschland . . . es wäre zu schön. Die Fichtenwälder des Sauerlandes, die Tannen des Schwarzwaldes, der Salzwind auf Westerland, die Stille des Harzes, die Almen im Allgäu . . . und Schnee. Herrlicher Schnee. Wie oft habe ich davon geträumt, wenn Weihnachten war und die Sonne mit vierzig Grad über der Wüste brannte. Zwei Meter Schnee, habe ich mir gewünscht. Untertauchen in den weißen Flocken. Und dann der Winterwald. Die Stille. Die Heiligabend-Glocken. Es riecht nach Pfeffernüssen und Spekulatius. O Gott, ich habe vor Sehnsucht und Heimweh geweint. Jede Weihnachten. Noch im vorigen Jahr.«

»Dann kommen Sie mit. In vier Monaten schneit es wieder.«

»Es geht nicht, mein Lieber.« Brahms senkte den Kopf und rührte in seiner Mokkatasse. »Es geht darum nicht, weil es ungeheure Komplikationen geben würde. Uns gibt es gar nicht mehr in der Heimat. Verstehen Sie? Wir alle sind schon seit Jahren für tot erklärt worden. Viele von uns haben seit 1946 kein Lebenszeichen mehr nach Deutschland gegeben. Wir sind für die Heimat Tote. Heldentote. Und nun sollen wir zurück und sagen: Da sind wir doch noch. Nein, das geht nicht. Die meisten von uns haben hier ihr zweites Leben begonnen . . . wir träumen von der Heimat, aber wir werden nie zu ihr zurückkommen.«

»Aber wovon wollen Sie denn leben, Brahms?«

Hauptmann Brahms lächelte versonnen. »Für meine ›Stoßtruppleute‹ ist bereits gesorgt. Sie haben Anstellungen gefunden bei libyschen Firmen. Baraf bleibt bei mir. Und ich . . .« Brahms sah Brockmann eine Sekunde stumm an, »Alf, halten Sie mich jetzt nicht für einen Idioten, denn so und nicht anders ist nun mal mein Leben: Ich habe ein Angebot von der libyschen Regierung. Ich bekomme morgen einen neuen Paß. Auf den Namen Mahmout Hahlemi. Und ich übernehme eine Abteilung der libyschen Spionageabwehr.«

»Brahms!« Brockmann wollte aufspringen, aber Brahms drückte ihn auf den Stuhl zurück. »Sie sind wirklich verrückt. Und Zuraida?«

»Wir werden heiraten, viele braune Kinderchen bekommen und gute arabische Bürger sein. Ist das nicht ein herrliches Leben . . . auch ohne Schnee —?«

»Ich gebe es auf.« Brockmann hob beide Arme und ließ sie lachend an den Körper zurückfallen. »Sie sind kein Lebenskünstler, sondern ein Lebensartist.«

»Genau.« Brahms nippte an dem glühendheißen Mokka. »Ich ginge ein wie eine wasserlose Primel, wenn ich bei Ihnen im Garten Gurken pflanzen sollte. Denn das hatten Sie doch vor mit mir, nicht wahr? Ich sollte bei Ihnen Gärtner sein.«

»Sprechen wir nicht mehr darüber, Brahms.« Alf Brockmann lehnte sich zurück. »Morgen früh um sieben — nach Deutschland. Frei sein. Ohne Bewachung im eigenen Garten liegen. Mit Birgit und meinem kleinen Jörgi. Manchmal sollte der Mensch doch noch an Wunder glauben.«

»Auch wenn es von einer Frau kommt.« Brahms hob die Tasse. »Ein Prost auf Ihre tapfere Birgit, Alf! Ohne ihre Liebe säßen Sie heute noch in Bir Assi, spielten den Witwer und bauten Raketen. Ich habe nie an den dummen Spruch geglaubt, daß Liebe Berge versetzen kann. Heute ziehe ich den Hut vor jeder Frau, die zu mir sagt: Ich gehe für meinen Mann durch die Hölle . . . Verdammt noch mal — ich glaube es ihr sogar.«

23

In den nächsten vierundzwanzig Stunden hatte das Schicksal keine Zeit mehr.

Um sieben Uhr morgens flog die Maschine nach Rom. Als sie von der Piste abhob, winkten unten am Flughafengebäude viele Hände den in den Himmel Entschwebenden nach. Ein Abschied für immer? Wer wußte es. »Wir kommen wieder!« hatten Alf, Birgit und Lore zum Abschied gesagt. Aber Brahms und Zuraida wußten, daß man so etwas immer zum Abschied sagt, weil es dann leichter wird, zu gehen. Als letzten Dienst trug der nubische Riese Baraf die zarte Lore Hollerau ins Flugzeug und setzte sie in den Sitz. »Auf Widdersähn!« sagte er zum erstenmal in einem knorrigen Deutsch. Dann stampfte er hinaus, als wolle er das Flugzeug zertreten.

In Rom wartete bereits Konrad Gerrath auf Alf und Birgit. Er war ihnen entgegengeflogen. Es hielt ihn einfach nicht in Lübeck, zumal er allein wußte, wo der kleine Jörgi mit seiner Großmutter versteckt war.

»Willkommen, Alf«, sagte er. Mehr nicht. Was sagt man auch sonst unter Männern? Man drückt sich die Hand, sieht sich ins Auge und weiß, was ein Freund ist. Da gibt es keine Worte mehr.

Dann küßte Gerrath Birgit, und es war der erste Kuß von ihren Lippen, den er bekam. »Ich danke dir für alles, was du für uns getan hast, Konrad«, sagte Birgit unter Tränen der Freude und der Erlösung. »Wir können diese Schuld nie wieder abtragen.«

»Dummheit.« Gerrath wandte sich fast grob ab. Der Kuß Birgits hatte ihn erschüttert. Was seit Monaten sein Wunsch gewesen war, erwies sich jetzt als ein Kuß, wie er zwischen Geschwistern üblich ist. Das große, herrliche Liebesgefühl war völlig aus ihm gewichen, und erschreckend erkannte er, daß er mit Birgit innerlich anders verbunden war als durch männliche Liebe. Sie war ihm wie eine Schwester geworden.

»Dummheit«, wiederholte er. »Ich habe nur getan, was völlig selbstverständlich war.«

Eine Stunde Aufenthalt in Rom.

Weiterflug nach Frankfurt.

Dort standen zwei Wagen bereit. Der große Citroën Gerraths und ein Wagen der Universitätsaugenklinik.

»Übermorgen kommen wir nach Frankfurt zurück«, sagte Birgit zu Lore, als ein junger Arzt sie in den Wagen setzte. »Und Mut, Lore. Mut.«

»Ich will tapfer sein.« Lore nickte. Ihre tastenden Hände fanden die Hand Alfs und umklammerten sie. »Glaubst du, daß ich wieder sehen werde?«

»Ja«, antwortete Brockmann fest.

»Dann will ich auch daran glauben.« Ein mildes Lächeln glitt über das bleiche Gesicht Lores. »Und wenn ich nur einen Schimmer sehe, nur den Umriß einer Blume, will ich zufrieden und glücklich sein.«

Nach drei Stunden Fahrt in den Schwarzwald erreichten Alf, Birgit und Gerrath ein abgeschiedenes Tal mit vereinzelten, breit hingelagerten Häusern, heruntergezogenen Dächern und langen, geschnitzten Balkons.

Über die Tannenwipfel senkte sich das Abendrot. Die Wiesen wurden golden gesprenkelt, der Himmel brannte, die Bergschatten leuchteten blau. Der Citroën verlangsamte sein Tempo, hoppelte über einen Feldweg und näherte sich einem Schwarzwaldhaus, das direkt am Waldrand lag. Durch eine sich sanft senkende Wiese floß ein Bach, und an diesem Bach hockte ein Junge und versuchte, mit einer selbstgebastelten Haselnußangel einen Fisch zu fangen.

Birgits Herz blieb stehen. Auch Alfs Kehle schnürte sich zu. Jörgi. Unser Jörgi —

Gerrath hupte. Der Junge sprang auf, warf die Angel weg und rannte mit ausgebreiteten Armen die Wiese hinunter zum Weg.

»Mutti!« schrie er mit seiner hellen Jungenstimme. »Mutti. Meine Mutti ist da! Und Pappi! Mein Pappi!«

Taumelnd lief ihm Birgit entgegen. Alf Brockmann war am Wagen stehengeblieben, die Tränen liefen ihm über das Gesicht. Wie durch einen Schleier sah er, wie Jörgi und Birgit sich in die Arme fielen und abküßten ... dann wirbelte der kleine Jungenkörper auf ihn zu, zwei Arme warfen sich um seinen Hals und ein schmutziger, klebriger Kindermund preßte sich auf seine feuchten Lippen.

»Pappi ...!« schrie Jörgi und hing an Brockmanns Hals. »Pappi ... hast du mir ein Krokodil mitgebracht? Du weißt doch ... du hast mir aus Ägypten ein Krokodil versprochen ...«

Alf Brockmann nickte. Er war nicht fähig, ein Wort zu sprechen. O Gott, wie schön ist die Welt, dachte er bloß. O Gott, laß uns nun bis an unser Ende immer zusammenbleiben.

Wochen später brachte die Post zwei Briefe.

Der erste war in Frankfurt abgeschickt und enthielt einen Zettel mit großen, noch ungelenken Buchstaben.

»Das sind die ersten Zeilen, die ich schreibe ...«, stand darin. »Noch ist alles halbdunkel, und ich muß große Buchstaben malen, um sie zu sehen und zu kontrollieren. Aber ich kann wieder sehen, ich kann Rot und Grün unterscheiden, dunkel und hell, einen Menschen von einem Tier, ein Fenster von einer Tür. Ich kehre ins Leben zurück. Noch zwei weitere Operationen, und Professor Maintz meint, daß dann die Sehkraft zu drei Viertel wiederhergestellt ist. Mehr nicht ... aber — o Himmel — was ist dies für eine Lichtfülle.

Ich bin so glücklich. Heute morgen habe ich einen Vogel gesehen. Einen grünen Vogel mit einem roten Käppchen. Das alles kann ich wieder sehen. Ich bin so glücklich, daß ich ganz vergesse, was ich eigentlich schreiben wollte . . . immer nur: Danke . . . danke . . . danke . . . danke . . . danke . . . danke . . . Lore.«

Der zweite Brief war noch kürzer.

Er war in Tanger abgestempelt.

»Ich grüße Euch aus meiner Heimat. Ich bin hier in Tanger als Zimmermädchen in einem internationalen Hotel. Meine Aufgabe ist sehr interessant. Man lernt viele wichtige Personen kennen. Wenn Ihr nach Tanger kommt, so fragt nach Ashraf Belimah. So heiße ich jetzt. Ich denke viel an Euch, und diese Erinnerung ist süß wie eine reife Mangofrucht. Ob ich glücklich bin? Fragt nicht danach. Ich lebe — das allein gilt. Der Herr beschütze Euch auf ewig. Eure Aisha.«

Brockmann legte die beiden Briefe stumm in einen elfenbeinernen Kasten und verschloß ihn.

Vergangenheit und Zukunft war in ihnen, und es lohnte sich, beides zu verwahren.

Dann ging er hinaus in den Garten und kniete sich wieder neben seinen Sohn Jörgi in den großen Sandkasten. Wegen der Post hatte er den Bau einer großen Burganlage unterbrechen müssen.

Jörgi saß nachdenklich auf dem Holzrand des Sandkastens, den Kopf in beide Hände gestützt und überblickte kritisch das halb vollendete Bauwerk seines Vaters.

»Da stimmt was nicht, Pappi«, sagte er, als Brockmann sich wieder in den feuchten Sand kniete und neue Formen knetete.

»Was stimmt nicht, mein Sohn?« fragte Alf.

»Wenn das da der Nil ist . . . wo sind denn dann die Schiffe?«

»Die siehst du jetzt nicht.«

»Und warum nicht, Pappi?«

»Weil es Nacht ist, mein Sohn. Eine der Nächte am Nil, die so finster sind, daß man seine eigenen Schuhspitzen nicht mehr sieht.«

Jörgi hob den Kopf. »Jetzt lügst du aber, Pappi!« rief er.

Brockmann lachte. Er machte eine weite Handbewegung und zerstörte damit alles, was er bisher in den Sand gebaut hatte.

»Oh, Pappi!« schrie Jörgi. »Warum machst du das?«

»Wir bauen etwas ganz anderes, mein Junge.« Alf Brockmann setzte sich neben seinen Sohn auf den Sandkastenrand. »Ich baue dir ein kleines, schönes Haus mit einem Garten, der hinuntergeht bis zum Schiffskanal. Ein Häuschen wie unser Haus.« Er legte den Arm um die Schultern Jörgis und zog ihn an sich. »Du weißt noch gar nicht, wie unbeschreiblich schön es ist, ›zu Hause‹ sagen zu können.«

Sie saßen auf der Sandkiste und blickten über Garten, Haus und Kanal. Ein Schlepper zog drei Lastkähne an ihnen vorbei, bunte Wäsche flatterte im Wind, aus dem Schornstein quoll puffend der Rauch und stieg zu den Wolken empor. In der Ferne, irgendwo auf dem Kanal, tutete ein Horn.

»Pappi —?«

»Ja, mein Sohn?«

»Wenn ich groß bin, gehe ich auch nach Ägypten.«

»Natürlich, mein Sohn.«

Alf Brockmann nickte. Er lächelte.

Wenn du groß bist — dachte er.

Wer weiß, wie dann die Welt aussieht.

KONSALIK
20 x Hochspannung
KONSALIK
Vor dieser Hochzeit wird gewarnt

n attraktiver Neugestaltung

Best.Nr.	Titel	Preis
10 042	Liebe in St. Petersburg	8,90 DM
10 054	Ich bin verliebt in Deine Stimme	9,90 DM
10 057	Vor dieser Hochzeit wird gewarnt	9,90 DM
10 089	Der Träumer/Gesang der Rosen	9,90 DM
10 280	Spiel der Herzen	8,90 DM
10 519	Und dennoch war das Leben schön	9,90 DM
10 607	Ein Mädchen aus Torusk	11,90 DM
10 678	Begegnung in Tiflis	11,90 DM
10 765	Babkin, unser Väterchen	8,90 DM
10 813	Der Klabautermann	8,90 DM
10 893	Gold in den Roten Bergen	9,90 DM
11 107	Natalie, ein Mädchen aus der Taiga	8,90 DM
11 130	Liebe läßt alle Blumen blühen	8,90 DM
11 151	Es blieb nur ein rotes Segel	9,90 DM
11 180	Mit Familienanschluß	8,90 DM
11 214	Nächte am Nil	11,90 DM
11 377	Die Bucht der schwarzen Perlen	9,90 DM
12 002	Das Riff der roten Haie	11,90 DM
12 166	Die Blut-Mafia	12,90 DM
12 330	Mayday, Mayday-Eastern Wings 610	12,90 DM

Band 12444

D. B. Blettenberg
Blauer Rum

Ausgezeichnet mit dem Deutschen Krimi-Preis 1994

Über zwei Jahrzehnte lang hat Schulz, ein Deutscher, als Söldner an den Fronten Lateinamerikas gekämpft. Doch nun genießt er, benebelt mit Rum, in Nicaragua den von alten Rebellenkameraden gesponserten Vorruhestand, bis ihn eines Tages seine alte Gefährtin und Geliebte Jill Shapiro um Beistand in einer heiklen Angelegenheit bittet. Da schüttelt er Selbstmitleid, Trägheit und Resignation ab und begibt sich auf eine Odyssee, die ihn über Panama nach Kingston, von Jamaika nach New York und Miami führt…